新・明解 C言語 実践編

第2版

柴田望洋
BohYoh Shibata

SB Creative

はじめに

こんにちは。

本書『新・明解C言語 実践編』は、C言語の基礎をマスターして、次のステップを目指しているみなさんのためのテキストです。シリーズ3冊目の『実践編』というサブタイトルは、本書で**取り上げる話題が、プログラミングの学習や開発の現場で実際に起こった問題点や疑問点である**ことに由来します。

具体的には、見えないエラー／見えにくいエラー／見落としやすいエラーに始まって、次のようなことがらを学習していきます。

- 型変換にまつわる落とし穴の回避方法
- ライブラリ開発のための基本テクニック
- コンソール画面の文字色やカーソル位置などを制御するライブラリの開発
- 呼び出す関数をコンパイル時ではなく実行時に決定する手法
- 要素型に依存することなく処理を行うプログラム作成のテクニック
- あらゆる要素型の配列の探索やソートなどを行う汎用ユーティリティライブラリの開発
- 処理系の特性を提供するヘッダライブラリを自動生成するプログラムの開発
- 動的に生成したポインタの配列を多次元配列として扱う技術
- 整数型の内部表現を文字列化するライブラリの開発
- 文字列の複製や置換などを行う文字列処理ライブラリの開発
- データやキーの型に依存しない汎用の2分探索木ライブラリの開発
- テキストファイルとバイナリファイルの取扱い上の注意点

なお、**標準C**の**第2版**（C99）から**第5版**（C23）までの変更点などについても、必要に応じて学習を進めます。

豊富なプログラムリストと図表を使って学習することが、『新・明解C言語』シリーズの特徴です。本書では、**261 編のプログラム**と、**166 点の図表**を使って学習を進めていきます。

本書を通じて、問題解決能力や本格的なプログラミング技術を身につけていただければ幸いです。

2023 年 1 月
柴田 望洋

本書を読み進めるために

これまで、プログラミングを志す多くの人と接してきましたが、プログラミング上達への道のりを上手に歩んできたと感じられる人は、それほど多くいらっしゃいませんでした。頻繁に使う文法やプログラミング技術には精通しているのに、基礎的な知識が欠けるといった感じで、知識や技術が偏っている人が多いように感じています。

『C言語を極める』ことを、一つの山と考えてみましょう。

C言語に入門するということは、その山の全体像を見据えたまま山のふもとに立つことです。それから、一歩一歩とその山を登っていくことになりますが、どのように登るべきでしょう。

できれば、最短に近いコースで頂上まで登れたほうがよいでしょう。そのためには、山の全体像を常に見失ってはいけませんし、現在の自分の到達位置をきちんと客観的に把握する必要があります。自分が必死に山を登っているつもりでも、実は下り坂ということもあるかもしれません。もしそのような事態に気付いたら、すぐに軌道を修正しなければならないでしょう。険しい崖や落とし穴も待ちかまえています。正しい知識で、これらを避けなければなりません。

このようなことは、私が説明するまでもなく、みなさんは『学問に王道なし』という言葉としてご存知でしょう。

さて、C言語の山を少しでも軽快に登るためのガイドブックでもある本書は、次に示す全9章で構成されています。

第1章　見えないエラー
第2章　型と処理系特性
第3章　ライブラリの開発
第4章　動的なアクセスと生成
第5章　文字列を使いこなす
第6章　構造体と共用体
第7章　汎用ライブラリの開発
第8章　ファイルの活用
第9章　汎用2分探索木ライブラリ

教育やプログラム開発の現場で実際に起こった問題点や疑問点を解決しながら、数多くの**ライブラリ**の開発を行っていきます。

次に示すのが、本書で開発するライブラリの一例です。

- あらゆる型の二つの値を交換する**2値交換ライブラリ**
- あらゆる要素型の配列の探索／ソートなどを行う**汎用ユーティリティライブラリ**
- 自動生成プログラムによって作成する**処理系特性**ヘッダライブラリ
- 整数型の精度や負数の表現法に依存しない内部表現の文字列化ライブラリ
- 文字列の複製や置換などを行う文字列処理ライブラリ
- データやキーの型に依存しない汎用の2分探索木ライブラリ
- コンソール画面の文字色やカーソル位置などを制御するライブラリ

以下、本書を読み進める上で、知っておくべきこと・注意すべきことをまとめています。

▪ シリーズでの位置づけ

本書は、『新・明解C言語』シリーズの『入門編』『中級編』に続く3冊目に位置するテキストです。『入門編』や『中級編』で学習ずみの項目についても、復習を兼ねながら学習を進めていきます。

▶ 学習する内容やレベルが、『入門編』や『中級編』と一部重複していますので、これら2冊以外のテキストで学習をされた読者の方々にも安心してお読みいただけます。

▪ 標準Cと標準ライブラリ関数の解説について

本書では、標準Cの用語や概念の定義や、標準Cのライブラリの仕様を数多く示します。

それらの解説は、標準Cの規格の文書をベースとして、若干の書きかえを行ったものです。規格の厳密な仕様を正確に伝えるために、オリジナルの文体を尊重するとともに、やや硬い表現となっています。

▶ 本書は、日本工業規格（JIS：Japanese Industrial Standards／現在の日本産業規格）で1999年に制定された標準C第2版『JIS X3010-1999：プログラム言語C』に準拠しています。

ただし、第1版との違いや、第3版、第4版、第5版についての補足を行うことによって、最新の標準Cの規格についても学習できるように配慮しています。

なお、本書ではC++との違いや、C++ならではの機能についても補足的に学習します。本書で言及するC++は、ISO C++の第1版および第2版に準拠しています。

▪ 数字文字ゼロの表記について

数字のゼロは、中に斜線が入った文字“0”（ゼロ）で表記して、アルファベット大文字の“O”（オー）と区別しやすくしています（ただし、章節と図表の番号や年月表記などを除きます）。

▶ なお、数字の1（いち）、小文字のl（エル）、大文字のI（アイ）、記号文字の|（たてせん）も、識別しやすい文字を使って表記しています。

▪ ソースプログラムについて

本書は、261編のプログラムリストを参照しながら学習を進めていきます。ただし、掲載しているプログラムリストを少し変更しただけのプログラムリストなど、掲載を割愛しているものもあります。具体的には、本書内には197編のみを掲載して、64編は割愛しています。

すべてのプログラムリストは、次のホームページからファイルをダウンロードできるようになっています。

柴田望洋後援会オフィシャルホームページ　https://www.bohyoh.com/

なお、本書内で掲載を割愛しているプログラムリストに関しては、`"chap99/****.c"`という形式で、フォルダ名を含むファイル名のみを本文中に示しています。

目次

第１章

見えないエラー

プログラミングの《落とし穴》は、本質的に見えにくいものです。本章の前半では、一行だけのヘッダを題材として目に見えないエラーや見えにくいエラーなどを紹介し、前処理やデバッグなどについて深く学習します。

本章の後半では、オブジェクトの記憶域期間について学習します。静的記憶域期間をもつオブジェクトを使いこなせるようにしましょう。

1-1 見えないエラー

本節では、私たちが気付かないうちにプログラムに忍び込む《見えないエラー》や《見えにくいエラー》などについて、実例をもとに学習していきます。

見えないエラー

List 1-1 の "max2x1.h" は、受け取った引数 a と b のうち、大きいほうの値を求める関数形式マクロ *max2* の定義を提供するヘッダです。

List 1-1 chap01/max2x1.h

```
// 関数形式マクロmax2を定義するヘッダ "max2x1.h"（見えないエラーが潜む）
#define max2(a, b)  ((a) > (b) ? (a) : (b))
```

このヘッダをインクルードして *max2* を利用するのが、**List 1-2** のプログラムです。

List 1-2 chap01/max2x1_test.c

```
// 関数形式マクロmax2を利用するプログラム（見えにくいエラーが潜む）
#include <stdio.h>
#include "max2x1.h"

int main(void)
{
    int x, y;

    printf("xの値："); scanf("%d", &x);
    printf("yの値："); scanf("%d", &y);

    printf("max2(x, y) = %d\n", max2(x, y));

    return 0;
}
```

実行結果
コンパイルエラーとなるため実行できません

コンパイルすると、このプログラムからインクルードされる "max2x1.h" に対して、

エラー 予期しない EOF です。

とのエラーメッセージが表示されます。

▶ 本文に示すエラーメッセージ／警告メッセージは、一例であって、処理系によって異なります。

『予期していない**ファイルの終端**です。』とのエラーですから、必要な何かが欠落しているようです。このプログラムに潜在するのは**見えないエラー**であるため、印刷されたプログラムリストを眺めるだけでは、エラーの正体は分かりません。

ヘッダ "max2x1.h" の内部を覗（のぞ）いてみたのが、右ページの **Fig.1-1** **a** です。マクロを定義する **#define** 指令の行に改行文字が存在せず、いきなりファイルの終端となっています。

#define 指令や **#include** 指令などの**前処理指令**（preprocessing directive）は、構文上、改行文字で終わる必要があります。すなわち、図**b**に示すのが、正しい実現例です。

a 不正なヘッダ

```
#define max2(a, b)  ((a) > (b) ? (a) : (b)) EOF
```

改行文字が欠如

b 正しいヘッダ

```
#define max2(a, b)  ((a) > (b) ? (a) : (b))⏎
EOF
```

注：EOF はファイルの終端を、⏎ は改行文字を表す

Fig.1-1 ヘッダの実現（不正なヘッダと正しいヘッダ）

次の教訓が得られました。

重要 前処理指令行の末尾には、必ず改行文字を置く。

さて、この《**重要**》は、よく考えると少し変です。（最終行以外の）途中の行には、改行文字は入っていますし、改行文字が必要なのは前処理指令に限られません。

早速《**重要**》をいいかえることにします。

重要 ヘッダを含めたソースファイルの最後の行には、必ず改行文字を置く。

実は、一部の処理系は不正なaを許容します（ここで検討しているコンパイルエラーは発生しません）。

もっとも、標準Cに準拠した処理系ではエラーとなるのですから、不正なプログラムを放置すべきではありません。

＊

『私は××の処理系しか使わないので…』『私はワークステーションしか使っていないので、パソコン用の処理系のことは関係ないので…』と**可搬性**の重要性を受け入れないプログラマが多いようです。事実、そういった趣旨のお手紙を、これまでに何通もいただきました。

しかし、本当にそうでしょうか。もし、一部の国のみに通用するパスポートと、全世界に通用するパスポートを、**同程度の労力や出費**で入手できるとしたら、どちらを選ぶでしょう。

プログラム開発時に、余計なコストがそれほどかからない範囲で構いませんので、次のように心がけましょう。

重要 プログラムはできるだけ**可搬性**が高くなるように実現する。

▶ **可搬性**（portability）は、**移植性**という訳語が与えられることもあります。
ある環境（ハードウェア環境やソフトウェア環境）から、別の環境への移行のしやすさを表すソフトウェア製品の能力のことです。

見えにくいエラー

ヘッダ "max2x1.h" に改行文字を挿入した上で、**List 1-2** のプログラムをコンパイルすると、今度は、次のメッセージが出力されます。

エラー 不正な文字 '0x81' です。
エラー 不正な文字 '0x40' です。

▶ このメッセージ内の文字の値は、**シフトJISコード**を利用している処理系のものです。

このエラーを経験したことのある初心者は少なくないようです。

Fig.1-2 に示すように、変数 **x** と **y** を宣言する "int" の左側の空白が、日本語（いわゆる全角文字）の空白文字となっているのです。

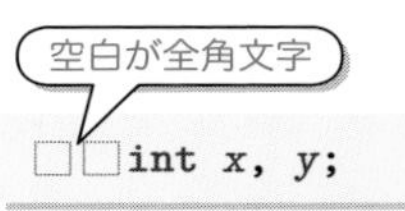

Fig.1-2 不正な空白

もちろん、これは許されません。**半角の空白文字か、水平タブ文字を使うべきです。**

重 要 プログラム中の空白として、全角の空白文字は使えない。

▶ 空白文字を□などの記号で代替表示するエディタや、全角文字に位置するカーソル幅がそれに即した大きさで表示されるエディタを使えば、このようなエラーは容易に防げます。

プログラム中の空白として利用できるのは、**空白（スペース）**、**改行**、**水平タブ**、**垂直タブ**、**書式送り**であり、これらの総称は**空白類文字**（white-space character）です。

▶ 前処理指令の中では、**#** から改行文字までのあいだに利用できる空白類文字が、**空白文字**と**水平タブ文字**のみに限定されます。

さて、**字下げ（インデント）**のために使われる**水平タブ**は、タブ位置（一般にはタブ幅）が環境によって異なるため、別の環境で作られたプログラムの表示や印刷の際に、文字がずれて読みづらくなりがちです。

▶ 標準Cでは、水平タブ位置が等間隔であるとは規定されていません（水平タブを出力すると、『次の水平タブ位置に移動する』とだけ規定されています）。最初のタブ位置は5桁目、次のタブ位置は12桁目、その次のタブ位置は40桁目、… といった環境が考慮されているからです。
ただし、多くの環境では、タブ位置は8あるいは4の等間隔です。

ファイル内の水平タブ文字を適当な個数の空白文字に変換・表示するプログラムがあると便利です。そのプログラムを右ページの **List 1-3** に示しています。

▶ プログラムの起動時にタブの幅を自由に指定できるようになっています。なお、本プログラムで利用している *fopen* 関数や *fclose* 関数などは、第8章で学習します。

＊

ここまでに紹介したエラーは、印刷されたプログラムリストを眺めるだけでは、なかなか発見できないものです。処理系が出力するエラーメッセージの意図を的確に把握する能力を身につけておかなければなりません。

List 1-3 chapØ1/detab.c

```
// detab … 水平タブ文字を指定された幅で展開して表示

#include <stdio.h>
#include <stdlib.h>

//--- srcからの入力をタブを展開してdstへ出力 ---//
void detab(FILE *src, FILE *dst, int width)
{
    int ch;
    int pos = 1;

    while ((ch = fgetc(src)) != EOF) {
        int num;
        switch (ch) {
         case '\t':
            num = width - (pos - 1) % width;
            for ( ; num > Ø; num--) {
                fputc(' ', dst);
                pos++;
            }
            break;
         case '\n':
            fputc(ch, dst);  pos=1;
            break;
         default:
            fputc(ch, dst);  pos++;
            break;
        }
    }
}

int main(int argc, char *argv[])
{
    int width = 8;      // 既定の幅は8
    FILE *fp;

    if (argc < 2)
        detab(stdin, stdout, width);          // 標準入力 → 標準出力
    else {
        while (--argc > Ø) {
            if (**(++argv) == '-') {
                if (*++(*argv) == 't')
                    width = atoi(++*argv);
                else {
                    fputs("パラメータが不正です。\n", stderr);
                    return 1;
                }
            } else if ((fp = fopen(*argv, "r")) == NULL) {
                fprintf(stderr, "ファイル%sがオープンできません。\n", *argv);
                return 1;
            } else {
                detab(fp, stdout, width);   // ストリームfp → 標準出力
                fclose(fp);
            }
        }
    }
    return Ø;
}
```

実行方法

本プログラムdetabは、オペレーティングシステムのシェル（コマンドライン）で実行します。

"test.c"という名前のファイルをタブ幅4で表示するには、次のように実行します。

```
> detab -t4 test.c⏎
```

指定を省略した場合のタブ幅は8です。

＊

複数のファイルを指定すると、連続して出力されます。

```
> detab test.c xyz.c⏎
```

タブ幅は、ファイルごとの指定も可能です。

```
> detab -t4 test.c -t8 xyz.c⏎
```

見落としやすいエラー

次に検討する**List 1-4**は、冒頭の**List 1-1**とは別のプログラマが作成したヘッダです。

List 1-4 chap01/max2x2.h

```
// 関数形式マクロmax2を定義するヘッダ "max2x2.h"（見落としやすいエラーが潜む）
#define max2 (a, b)  ((a) > (b) ? (a) : (b))
```

このヘッダをインクルードして`max2(x, y)`と呼び出すプログラム（"chap01/max2x2_test.c"）をコンパイルすると、その呼出し箇所に対して、次のエラーメッセージが表示されます。

エラー 不正な構文です。

今回のエラーは、“見た目で分かる”ものです。まずは、2種類のマクロを復習しましょう。

▪オブジェクト形式マクロ（object-like macro）

次のような形式で定義されるマクロです。コンパイル時に、*TRUE*が1に**置換**されます。

```
#define TRUE   1
```

ただし、文字列リテラルや識別子の一部として含まれる**TRUE**は置換の対象外です。

▪関数形式マクロ（function-like macro）

単純に置換されるのではなく、引数を含めた**展開**が行われるマクロです。

▶ 引数を受け取らない形式、すなわち()内が空となっている関数形式マクロもあります。

定義の際のマクロ名の直後が**空白類文字**であれば**オブジェクト形式マクロ**とみなされ、**左丸カッコ(**であれば**関数形式マクロ**とみなされます。

List 1-4をよく見ましょう。*max2*と左丸カッコ(とのあいだに空白があります。

Fig.1-3 ⓐに示すように、*max2*はオブジェクト形式マクロとみなされて、

`(a, b) ((a) > (b) ? (a) : (b))`

に置換されるのです。

図ⓑが、正しい定義と展開結果です。

プログラムを読みやすくするために、空白やタブを適切に入れるのは大事なことですが、どこにでも入れていいわけではありません。

ⓐ 誤 … max2はオブジェクト形式マクロ

```
#define max2 (a, b) ((a) > (b) ? (a) : (b))
```

余分な空白文字

```
max2(x, y)
  ⬇ 置換
(a, b) ((a) > (b) ? (a) : (b))(x, y)
```

ⓑ 正 … max2は関数形式マクロ

```
#define max2(a, b) ((a) > (b) ? (a) : (b))
```

```
max2(x, y)
  ⬇ 展開
((x) > (y) ? (x) : (y))
```

Fig.1-3 不正なマクロと正しいマクロ

重要 関数形式マクロの定義では、マクロ名と (のあいだに空白を入れてはならない。

ただし、関数形式マクロの呼出しでは、**マクロ名と (とのあいだに空白を入れても構いません。**たとえば、次の呼出しはOKです。

```
z = max2  (x, y);    // 呼出しでは、max2と(のあいだに空白があってもよい
```

▶ 関数形式マクロという用語は、『関数と同じように呼び出せる』ことに由来します。

＊

なお、識別子を () で囲むと、**関数形式マクロの展開が抑制されます。**すなわち、

```
z = (max2)(x, y);    // マクロではなく関数を呼び出す
```

では、*max2* という関数が呼び出されます。

重要 識別子を () で囲むと、関数形式マクロの展開が抑制される。

実際に確認します。**List 1-5** のプログラムを実行しましょう。

▶ 関数版のほうの max2 は、警報 \a を出力します（多くの環境でビープ音が鳴ります）。

List 1-5 chap01/max2.c

```
// 同名の関数形式マクロと関数を使い分けるプログラム例

#include <stdio.h>

//--- マクロ版 ---//
#define max2(a, b)  ((a) > (b) ? (a) : (b))

//--- 関数版（警報を出力する）---//
int (max2)(int a, int b)
{
    putchar('\a');
    return a > b ? a : b;
}

int main(void)
{
    int x, y;

    printf("xの値：");    scanf("%d", &x);
    printf("yの値：");    scanf("%d", &y);

    printf("max2(x, y) = %d\n\n", max2(x, y));        // マクロ版を呼び出す

    printf("(max2)(x, y) = %d\n", (max2)(x, y));      // 関数版を呼び出す

    return 0;
}
```

実行例

```
xの値：15
yの値：7
max2(x, y) = 15

(max2)(x, y) = ♪15
```

このテクニックは、同一の名前をもつ関数と関数形式マクロとを使い分ける際に利用できます。必ず覚えておきましょう。

前処理指令内の空白

前処理指令内の空白といえば、私がC言語を初めて使ったときのことを思い出します。プログラムの冒頭の“**#include <stdio.h>**”を打ち込むときに、『C言語は自由形式だから。』と考えて、**#** の左側に空白文字を入れました。

ところが、そのとき使用していた処理系は、意味不明なエラーメッセージを出力して、私のプログラムを受け付けませんでした。

▶ 当時は、『前処理指令の **#** は、行の先頭に位置しなければならない』という独自の規則を定めた処理系が存在したようです。

もちろん標準Cでは、そのような制限はありません。**#** の前はもちろん、**#** と **include** のあいだにも、空白文字や水平タブ文字を置けます。

Fig.1-4 に示すように、前処理指令に適当なインデントを設けると、プログラムが読みやすくなります。

```
#if defined(__DOHC__)
    #include <double.h>
#else
    #include <single.h>
#endif
```

Fig.1-4 前処理指令のインデント

#if 指令と注釈

#if 指令のコード例を示しました。この指令の定石ともいえる利用法を学習しましょう。

Fig.1-5 のプログラムは、文“**a = x;**”をコメントアウト（コメント化）しようという意図で作られたものです。

しかし、**注釈は《入れ子》にはできません。**注釈とみなされるのは色つき文字の部分です。

▶ 入れ子になった /* … */ 形式の注釈を許す処理系も存在しますが、プログラムの可搬性を考えると、そのことに依存すべきではありません。

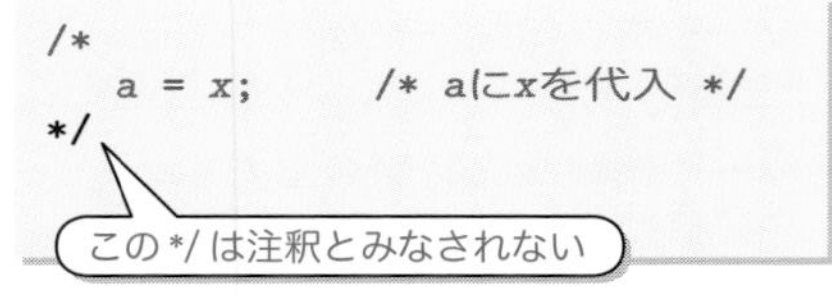

Fig.1-5 不正なコメントアウト

そもそも注釈は、**プログラムの読み手に伝えたい情報**を与えるものであって、プログラムをコメントアウトするものではありません。

Fig.1-6 のように、**#if** 指令を用いて記述するのが、一つの方法です。

条件判定に用いられる式の値が **0** すなわち**偽**ですから、水色部は、コンパイル時に読み飛ばされます。

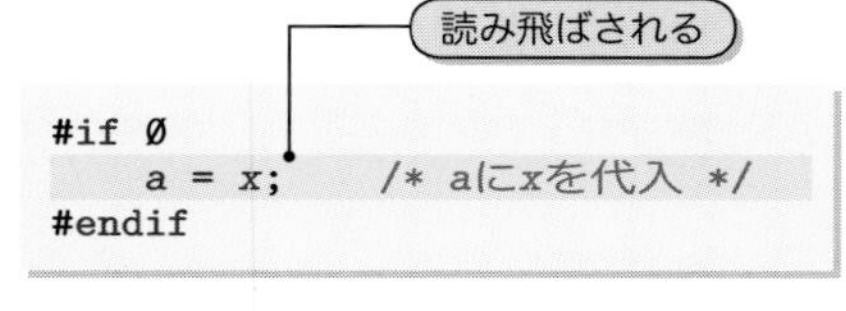

Fig.1-6 正しいコメントアウト

重要 注釈は、プログラムをコメントアウトするためのものではない。プログラムのコメントアウトには、**#if** 指令を使う。

処理系によっては、**#if** と **0** のあいだにスペースがない“**#if0**”を受け付けますが、**if** と、それに続く式（この場合の **0**）のあいだには、構文上空白が必要です。

重要 **#if** と続く式のあいだには空白が必要である。

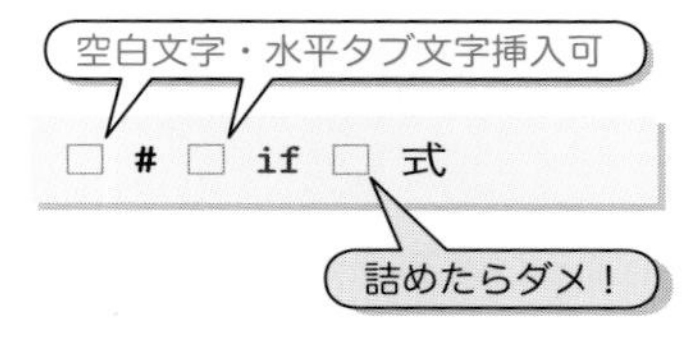

Fig.1-7 #if 指令と空白

以上をまとめたのが、**Fig.1-7** です。**#** の左側と、**#** と **if** のあいだには空白を入れても入れなくてもよいのですが、**if** と式のあいだには空白が必要です。

さて、デバッグ時などに、プログラムの一部をコメントアウトしたり／しなかったり … と切りかえることがあります。

そのような場合は、**List 1-6** のように実現しましょう。

プログラムの冒頭で *DEBUG* が **0** と定義されていますので、プログラムの水色部は読み飛ばされて無視されます。

この部分を読み飛ばしたくなければ、*DEBUG* の定義を **1** に変えます（実行結果②）。

重要 プログラム部分の有効化／無効化の切りかえは、**#if** 指令で実現する。

▶ 標準ライブラリ **assert** マクロを使うデバッグ法を **Column 1-1**（p.12）で学習します。

List 1-6 chap01/debug.c

```
// #if指令によるコードの有効／無効化

#include <stdio.h>

#define DEBUG   0    … 1に変更すると…

int main(void)
{
    int a = 5;
    int x = 1;

#if DEBUG == 1
    a = x;                // aにxを代入
#endif

    printf("aの値は%dです。\n", a);

    return 0;
}
```

実行結果
① aの値は5です。
② aの値は1です。

空指令

さて、**#define** や **#include** などの**前処理指令**は **#** で始まります。**#** だけの行を確保するだけで、実質的な働きをしないのが、**空指令**（null directive）です。

空指令の利用例を **List 1-7** に示します。

List 1-7 chap01/null_directive.c

```
// 空指令の利用例

#
#define MAX   100
#
#define MIN   0
#
```

List 1-8 chap01/null_line.c

```
// 空指令ではなく空行で実現

#define MAX   100

#define MIN   0
```

通常は、空指令をわざわざ書く必要はありません。**List 1-8** に示すように、単なる**空行**としても同じです。さて、“**null**” は、『無効の』『空の』『無価値の』といった意味の形容詞です。JIS C では、ヌルではなく**ナル**と呼ばれます。

▶ null を発音記号で表記すると “nʌl” です。

前処理指令によるインクルードガード

マクロの定義は、同じものが重複しても構わないという規則があります。そのため、❶のコードはエラーとはなりません。

❶
```
#define para  10
#define para  10
```

それでは、❷のように同じヘッダを複数回インクルードするとどうなるでしょう。

❷
```
#include "max2.h"
#include "max2.h"
```

『そんなことはしないよ。』と思われるかもしれません。ところが、**気付かないうちに**よく行われているのです。

たとえば、ヘッダ"abcd.h"中で（*max2*の定義を取り込むために）"max2.h"をインクルードしているとします。その場合、

```
#include "max2.h"        // "max2.h"を直接インクルード
#include "abcd.h"        // "max2.h"を"abcd.h"を通じて間接的にインクルード
```

では、"max2.h"は2回インクルードされます。

右に示すような、（マクロではなく）変数や関数の定義が含まれるヘッダを複数回インクルードすると、それらが**重複定義**されることによるエラーが発生します。

```
// "def.h"
int a;
```

```
#include "def.h"
#include "def.h"
```

List 1-9 に示すヘッダであれば、何度インクルードしてもエラーとはなりません。

List 1-9 chap01/max2.h

```
// インクルードガードされた"max2.h"

#ifndef __MAX2
#define __MAX2

#define max2(a, b)  ((a) > (b) ? (a) : (b))

#endif
```

2回目以降のインクルード時には読み飛ばされる

何度インクルードされてもエラーとならない仕組みを理解しましょう。

▪ 初めてインクルードされたとき

*__MAX2*は定義されていませんので、水色部で*__MAX2*と*max2*が定義されます。

▪ 2回目以降にインクルードされたとき

*__MAX2*は定義ずみであって**#ifndef** *__MAX2*の判定が成立しないため、*__MAX2*と*max2*を定義する水色部は読み飛ばされます。

重 要 ヘッダは、2回目以降のインクルード時に、定義などを含む本体部分が読み飛ばされるように**インクルードガード**（include guard）する。

▶ 識別子（ここでの*__MAX2*）は、重複しないようにヘッダごとに異なる必要があります。なお、ヘッダの先頭に"**#pragma once**"の指令を置くだけでインクルードガードされる仕組みが一部の処理系で取り入れられています（識別子が不要なため重複の可能性がゼロになる一方、可搬性が失われます）。

関数形式マクロと実行時の効率

さて、関数形式マクロ *max2* を利用すると、4個の変数 a、*b*、*c*、*d* の最大値は、次のように求められます。

```
x = max2(max2(a, b), max2(c, d));
```

このコードを展開したものを **Fig.1-8** に示しています。展開後の式を見ても、何を行っているのか、さっぱり理解できないでしょう。

読みにくいだけではありません。このマクロ呼出しは、演算効率も極めて悪いものです。

```
x = max2(max2(a, b), max2(c, d));
  ⬇ 展開
x = ((((a) > (b) ? (a) : (b))) > (((c) > (d) ? (c) : (d))) ?
    (((a) > (b) ? (a) : (b))) : (((c) > (d) ? (c) : (d))));
```

理解困難

Fig.1-8 4値の最大値を求める max2 の呼出しと展開結果(その1)

なお、4値の最大値は、次のように求めることもできます。

```
x = max2(max2(max2(a, b), c), d);
```

このコードは、**Fig.1-9** のように展開されます。なんだか、ますます悪くなってしまいました。

```
x = max2(max2(max2(a, b), c), d);
  ⬇ 展開
x = ((((((a) > (b) ? (a) : (b))) > (c) ? (((a) > (b) ? (a) : (b))) : (c))) > (d) ?
    (((((a) > (b) ? (a) : (b))) > (c) ? (((a) > (b) ? (a) : (b))) : (c))) > (d));
```

理解困難

Fig.1-9 4値の最大値を求める max2 の呼出しと展開結果(その2)

これらの展開後のコードでは、> 演算子による比較は何回行われるでしょうか。回数を数えるまでもなく、演算効率が悪いことは明白です。

まさに"**見た目からは気付きにくい問題点**"といえます。

右に示すように、**if** 文を羅列して実現しましょう。プログラムは4行になって見かけ上は長くなりますが、演算の効率がよくなります。

```
x = a;
if (b > x) x = b;
if (c > x) x = c;
if (d > x) x = d;
```

何ごとも**素直が一番**です。

重要 プログラムの見かけが短いほうが、実行時の効率がよいとは限らない。

関数形式マクロの副作用

次の代入を考えましょう（"chap01/max2test.c"）。

```
z = max2(x++, y);
```

x と *y* の大きいほうの値が *z* に代入された後に、*x* がインクリメントされるように見えます。しかし、そうではありません。マクロを展開してみましょう。

```
z = ((x++) > (y) ? (x++) : y);
```

x のインクリメントが、最大で2回行われることが分かるでしょう。このように、実引数が複数回評価されることなどに起因して、期待するものとは異なる結果が生じてしまうことは、**マクロの副作用**（side effect）と呼ばれます。

次の教訓が得られます。

重要 引数を複数回評価する関数形式マクロは、原則として定義すべきでない。

関数形式マクロは、抑制的に利用すべきものです。また、副作用の有無を含めた詳細な仕様を、注釈やドキュメントなどで利用者に提供すべきです。

Column 1-1 NDEBUG マクロと assert マクロによる動的デバッグ

List 1-6（p.9）では、プログラム中にマクロを定義してデバッグする手法を解説しました。C言語では、デバッグ支援のために、NDEBUG マクロと *assert* マクロとを組み合わせた手法が利用できるようになっています。

まずは、**NDEBUG マクロ**です。このマクロは、標準ライブラリの **<assert.h> ヘッダ**で定義が提供されるものではありません。ソースプログラムの中で

```
#define NDEBUG
```

と定義することもできますが、**通常はコンパイル時のオプションなどの指定に基づいて定義されます。**

どの処理系も、NDEBUG マクロの定義方法がマニュアルなどに書かれていますので、お使いの処理系のマニュアルを調べてみましょう。

たとえば、Visual Studio の場合、プロジェクトがリリースモードであれば、このマクロは定義されず、デバッグモードであれば自動的に定義される、という仕組みとなっています。

NDEBUG は、“**デバッグするときに定義され、デバッグしないときには定義されないマクロ**” と理解するとよいでしょう。

もう一つの ***assert* マクロ**は、NDEBUG マクロが定義されているかどうかによって挙動が変わるマクロです。

ソースファイル中で <assert.h> ヘッダをインクルードする時点で、NDEBUG がマクロ名として定義されていない場合、*assert* マクロは、次のように（自動的に）定義されます。

```
#define assert(ignore) ((void)0)
```

すなわち、*assert* マクロは、実質的に何も行わないマクロとなります。

一方、NDEBUGマクロが定義されていれば、assertマクロは、次の仕様でプログラムに**診断機能**を付け加えます。

```
void assert(int expression);
```

このマクロは、expressionが0のときに限って、**偽の値をもたらしたことに関する情報**を標準エラーストリームに書き込むとともに、abort関数を呼び出して、プログラムを強制終了します。

なお、出力する呼出しに関する情報は、処理系依存です。ただし、少なくとも次の3個の情報は必ず含まれます。

- 実引数のテキスト
- ソースファイル名を表すマクロ __FILE__ の値
- ソース行番号を表すマクロ __LINE__ の値

次に示すのが、出力される情報の形式の一例です。

```
Assertion failed : 実引数のテキスト , file ファイル名 , line 行番号
```

※ 標準C第2版からは、関数名を表す __func__（**Column 3-2**：p.79）も含まれます。

assertマクロを利用したプログラム例を**List 1C-1**に示します。

List 1C-1 chap01/assert_div.c

```
// assertマクロの利用例

#include <stdio.h>
#include <assert.h>

//--- aをbで割ったときの商と剰余を表示 ---//
void div(int a, int b)
{
    assert(b != 0);

    printf("%dを%dで割った商は%dで剰余は%dです。\n", a, b, a / b, a % b);
}

int main(void)
{
    int a, b;

    printf("a = ");   scanf("%d", &a);

    printf("b = ");   scanf("%d", &b);

    div(a, b);

    return 0;
}
```

実行例

```
a = 7
b = 2
7を2で割った商は3で剰余は1です。
```

実行結果一例

```
a = 7
b = 0
Assertion failed: b != 0, file \C\chap01\assert_div.c, line 9
```

ここに示す実行結果は、NDEBUGマクロが定義されている場合の一例です。
NDEBUGマクロが定義されていなければ、ほとんどの処理系で実行時エラーが発生してプログラムの実行は強制終了します（ファイル名や行番号などの情報は表示されません）。

関数divは、aをbで割った商と剰余を表示する関数です。

もしbが0であれば、正しい除算は行えません（除算を行うと実行時エラーが発生してしまいます）。そこで、b != 0が成立しない場合（すなわちbが0のとき）に、エラーメッセージを表示してプログラムを強制終了させる仕組みとなっています。

関数の冒頭に書かれたassert(b != 0)は、

この関数はbが0でないことを期待しています。そうでない場合は、強制終了しますよ。

と読めます。

ちなみに、英語のassertという語句は、『断言する』『主張する』という意味です。

2値を交換する関数形式マクロ

Aさんからいただいた御相談です。

ある書籍で、同一型の2値を交換する関数形式マクロが次のように定義されています。

```
#define swap(type, x, y) { type (t) = (x);  (x) = (y);  (y) = (t); }
```

このマクロを使うと、コンパイルエラーが発生したり発生しなかったりします。どうすればよいでしょうか。

誤った定義（ブロックを do 文で囲んでいない）

問題となった関数形式マクロ *swap* を、**Fig.1-10** に再掲しています（定義**1**）。

この定義が与えられると、右に示すコード**A**（*a* が *b* より大きければ *a* と *b* を交換し、そうでなければ *a* と *c* を交換する意図の if 文）が**エラー**となります。

```
A if (a > b)
      swap(int, a, b);
  else
      swap(int, a, c);
```

そうなる理由を、**Fig.1-10** 内の展開後のコードを見ながら理解していきましょう。

a > b 成立時の実行対象は、{ から } までのブロックです。この直後に else が位置しなければならないのですが、余分なセミコロン ; があります（単独のセミコロンは、**空文**と呼ばれる何も実行しない文です）。

if 文とみなされるのは、図の水色部のみとなり、if とは対応しない else が置かれていることになります。

エラーを回避するには、右に示す**B**のように、セミコロンを取らなければなりません。これは、おかしいですね。

```
B if (a > b)
      swap(int, a, b)
  else
      swap(int, a, c)
```

▪ 関数形式マクロswapの誤った定義

```
1 #define swap(type, x, y)  { type (t) = (x); (x) = (y); (y) = (t); }
```

```
if (a > b)
    { int (t) = (a); (a) = (b); (b) = (t); } ;
else
    { int (t) = (a); (a) = (c); (c) = (t); } ;
```

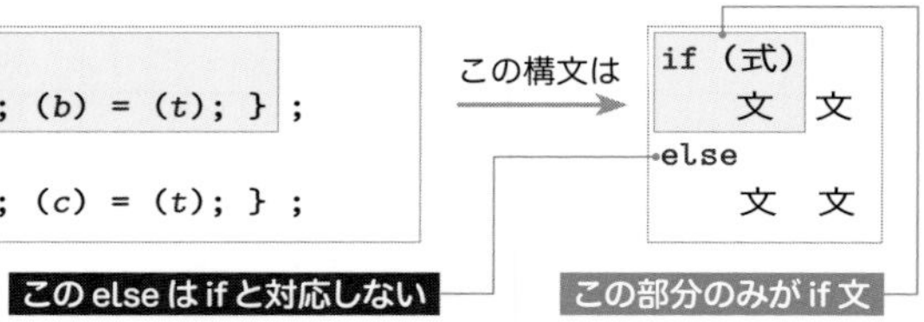

Fig.1-10 関数形式マクロ swap の誤った定義と展開

▶ if 文の構文は、右に示す二つの形式のいずれかです。
(式) の後に置く文は1個だけですし、else 以降に置く文も1個だけです。

```
if ( 式 ) 文
if ( 式 ) 文 else 文
```

正しい定義（ブロックを do 文で囲んでいる）

関数形式マクロ *swap* の正しい定義と、それを使ったコードⒶの展開後のコードを示したのが、**Fig.1-11** です。

▪ 関数形式マクロswapの正しい定義

```
2 #define swap(type, x, y)  do { type (t) = (x); (x) = (y); (y) = (t); } while (0)
```

```
if (a > b)
    do { int (t) = (a); (a) = (b); (b) = (t); } while (0);
else
    do { int (t) = (a); (a) = (b); (b) = (t); } while (0);
```

この構文は →

```
if (式)
    文
else
    文
```

全体がif文

Fig.1-11 関数形式マクロ swap の正しい定義と展開

展開後のコード全体が **if** 文とみなされます。**do** 文の構文は『**do 文 while (式);**』であって、**do** から **;** までが**単一の文**となるからです。

重 要 同一型の2値を交換する関数形式マクロは次のように定義する。

```
#define swap(type, x, y) do { type (t) = (x); (x) = (y); (y) = (t); } while (0)
```

▶ 本マクロを定義するヘッダは "chap01/swap.h" で、テストプログラムは "chap01/swap_int.c" です。

Column 1-2　関数形式マクロ swap による文字列の交換

あらゆる型の2値を交換できる関数形式マクロ *swap* ですが、文字列に適用する際に注意すべき点があります。

配列による文字列の交換は、エラーとなります（"chap01/swap_string1.c"）。

```
char s1[] = "ABCD";
char s2[] = "XYZ";
swap(char[], s1, s2);        // エラー
```

というのも、配列は、（たとえ同一型であっても）配列による初期化は行えませんし、配列を代入することもできないからです（マクロ *swap* の中では初期化や代入を行っています）。

※ この問題は、第 5 章でライブラリを開発することによって解決します（p.189）。

ポインタによる文字列の交換は、正しく実行できます（"chap01/swap_string2.c"）。

```
char *s1 = "ABCD";
char *s2 = "XYZ";
swap(char *, s1, s2);        // ＯＫ
```

というのも、*s1* と *s2* が、単なるポインタだからです。ポインタは、ポインタによる初期化は行えますし、ポインタを代入するもことできます。

Column 1-3 C言語の歴史と規格／可変長配列

C言語のルーツは、Martin Richards氏が開発した**BCPL言語**であるといわれています。この言語を参考にKen Thompson氏が1970年に作ったのが**B言語**です。そして、その**B言語の後継として、Dennis M. Ritchie氏が1972年頃に開発したのが、C言語です。**

当時Ritchie氏は、Thompson氏らと共同で、ミニコンピュータのオペレーティングシステムである**UNIX**の開発に携わっていました。このOSは、初期の段階ではアセンブリ言語を用いて開発されましたが、その後、C言語で書き直されました。

初期のUNIXを移植するために開発されたのがC言語ですから、ある意味では、**C言語はUNIXの副産物である**ともいえます。

そのUNIX本体だけでなく、UNIX上で動作する多くのアプリケーションも、次から次へとC言語で開発されることになりました。

そのため、C言語は、まずUNIXの世界で広まりました。しかし、その勢いは、とどまることなく、大型コンピュータやパーソナルコンピュータの世界にも普及していったのです。

さらに、C++やJavaなど、後に生まれる多くのプログラミング言語に対して、直接的／間接的に影響を与え続けています。

▪ K&R … C言語のバイブル

Ritchie氏は、Brian W. Kernighan氏とともに、C言語の解説書である

"The C Programming Language", Prentice Hall, 1978

を著しました。C言語の設計者が自ら著したこの書は、C言語の"バイブル"として多くの人々に読まれます。そして、二人の著者のイニシャルに由来して、"**K&R**"という愛称で親しまれます。

K&Rの巻末には、C言語の言語仕様を規定した"**Reference Manual（参照マニュアル）**"が付録として採録されており、そこに記された言語仕様が、C言語の標準的な仕様と考えられることになりました。

▪ 標準規格と標準C

K&Rの"参照マニュアル"に規定されている言語仕様は、曖昧（あいまい）で紛らわしい部分や不完全な部分が少なからずありました。そして、C言語の普及とともに、多くの《方言》が生まれ、独自の拡張機能をもつC言語が氾濫（はんらん）することになります。

本来のC言語は、可搬性が比較的高いこと、すなわち、あるコンピュータ用にC言語で作ったプログラムを、他のコンピュータ用に移植しやすいということを大きな特長としていました。

しかし、方言の発生と相まって、満足な可搬性が維持できなくなってきます。

そのため、当然の流れとして、C言語の世界的な"**標準規格**"を定めようという動きがおこります。言語の仕様を全世界で共通化しようとするのですから、その作業はとても慎重なものとなりました。

その作業は、**国際標準化機構ISO**（International Organization for Standardization）と**米国国家規格協会ANSI**（American National Standards Institute）の協力によって行われました。

そして、まず1989年12月に、米国内の規格である

ANSI X3.159-1989：Programming Language-C

が制定され、1990年12月に、世界規格である

ISO/IEC 9889 : 1990(E) Programming Languages-C

が制定されました。

これらは、体裁などは違うものの、内容としては実質的に同一です。ANSIとISO規格制定年に由来して、“**C89**”あるいは“**C90**”と呼ばれています（事実上の同一規格に対して、二つの名前があるため、混乱のもととなっています）。

その後、日本では、**日本工業規格JIS**（Japanese Industrial Standards）によって、同じ内容の規格である

JIS X3010-1993：プログラム言語C

が1993年に制定されました。

※ **日本工業規格**は、現在は**日本産業規格**と改称されています。

ANSI規格がISO規格より先に制定されたことなどから、標準規格に準拠するC言語は、日本では“**ANSI C**”と呼ばれることが多いようです。もっとも、ANSIは米国の規格にすぎず、世界標準のISOや、日本のJISが定められているのですから、ANSI Cではなく**『標準C』**と呼ぶべきです。

さて、標準Cの規格制定後も、**『第2版』**、**『第3版』**、**『第4版』**と改訂された規格が制定され、まもなく**『第5版』**が制定されます。

これらは、制定年に由来して、“**C99**”、“**C11**”、“**C17**”、“**C23**”、と呼ばれています。

第4版は、仕様が2017年に固まったことから“**C17**”と呼ばれているのですが、実際に出版された2018年にあわせて“**C18**”と呼ぶ人もいます（なお、**C23**は**C2X**とも呼ばれています）。

残念ながら、JISによる日本語版の標準Cは、**第1版**と**第2版**のみが出版されており、**第3版**以降は、出版されていません。

▪ 可変長配列（VLA = variable length array）

配列を定義する際は、要素数を定数とするのが原則なのですが、標準Cの第2版では、その制限が緩和され、要素数を変数とした**可変長配列**が定義できるようになりました。

たとえば、次のようなコードが許されます（**標準Cの第1版ではエラーとなります**）。

```
// 標準C第2版での配列の宣言（第1版ではエラー）
void func(int n)
{
    int a[n];            // 要素数nの配列（要素数は実行時に決定する）
    //--- 中略 ---//
}
```

この言語拡張に対して、私は当初から疑問をもっていました（C言語の設計思想と相容（あいい）れないからです）。

事実、可変長配列は、標準Cの第3版から**《オプション扱い》**となって、コンパイラはサポートしなくてよいことになっています（コンパイラが可変長配列をサポートしない場合は、`__STDC_NO_VLA__`というマクロが定義されます）。

プログラミング言語C++の開発者であるBjarne Stroustrup氏は、著書の中で次のように述べられています(11)。

> C言語がC89からC99に進化したときに、C++は機能として誤っている**VLA**（可変長配列：variable-length array）と、冗長である**指示付き初期化子**（designated initializer：**要素指示子**）以外の、ほとんどの新機能を取り込んだ。

可変長配列は、言語設計上のミスと考えるべきです。正式に取り入れられたのが、標準Cの第2版のみということもあり、その利用はおすすめできません。

1-2 オブジェクトの記憶域期間

明示的な初期化の必要のある変数もあれば、明示的な初期化をしなくても勝手に初期化される変数もあります。規則に精通しておきましょう。

初期化と代入

匿名希望の読者の方から、次のような質問をいただきました。

友人の作ったプログラムを参考にしてC言語の学習を進めています。初期化していないにもかかわらず値が0になっている変数と、そうでない変数とがあるようです。これらの違いを教えてください。

変数の初期化を怠(おこた)るミスは、私たちプログラマが起こしやすいものです。もっとも、うっかりミスが、プログラム実行上の重大なエラーにつながることもあります。

さて、変数の初期化と聞くと、次の形式の宣言が思い浮かぶでしょう。

```
int n = 15;            // nは15で初期化される（初期化子＝初期値）
```

初期値を与える15は**初期化子**（initializer）と呼ばれ、宣言された*n*は15で初期化されます。

ただし、初期化子と初期値は必ずしも一致しません。その一例が次の宣言です。

```
int x = 97.8;          // xは97で初期化される（初期化子≠初期値）
```

int 型で取り扱えない小数部が切り捨てられるため、*y*の初期値は97となります。

なお、同じ = 記号を使う初期化と代入は、見かけは似ているものの、まったく異なる概念であり、値を入れるタイミングが異なります。

重要 変数の生成時に値を入れる**初期化**と、生成ずみの変数に値を入れる**代入**は異なる。初期化子の値がそのまま初期値になるとは限らない。

なお、**List 1-10** のように、初期化子を { } で囲んで宣言することも可能です。

▶ main 関数の { } の中には、先頭から順番に

宣言　文　宣言　文　文

が置かれています。このように、ブロック（複合文）の中で宣言と文が混在できるようになったのは、標準Cの第2版からです。

標準Cの第1版では、まず宣言（の並び）が置かれ、その後に文（の並び）が置かれていなければなりませんでした。

List 1-10　chap01/init.c

```
// {}形式の初期化子による初期化
#include <stdio.h>

int main(void)
{
    int n = {7};
    printf("n = %d\n", n);

    double x = {3.14};
    printf("x = %4.2f\n", x);

    return 0;
}
```

実行例

```
n = 7
x = 3.14
```

オブジェクト

次に示す二つの宣言を考えましょう。

```
const int a = 5:         // 定数変数（？）
int       b = 7;         // 変数
```

いうまでもなく、**const 型修飾子**（type qualifier）付きで宣言されている a の値は変更できません（値を代入しようとするとエラーとなります）。

▶ 型修飾子には、const、restrict、volatile、_Atomic の4種類があります（_Atomic は標準Cの第3版で導入されました）。

変数（variable）という言葉は、値が可変であることを意味しますので、a を変数と呼ぶのは適切ではないようです。

だからといって、a を定数と呼ぶこともできません。

というのも、整数定数 153、浮動小数点定数 3.14、文字定数 'x' など、値をそのまま字句として表現したものが定数だからです。

＊

変数の正式な用語は、**オブジェクト**（object）であり、a も b もオブジェクトです。

標準Cでのオブジェクトの定義を **Fig.1-12** に示します。『値をもった、適切な大きさの記憶域』とおおまかに理解しましょう。

> その内容によって、値を表現することができる実行環境中の記憶域の領域。
> オブジェクトを参照する場合、オブジェクトは、特定の型をもっていると解釈してもよい。

Fig.1-12 オブジェクトの定義

▶ 変数とオブジェクトの関係は、**名前**（name）と**識別子**（identifier）の関係と似ています。いずれも、後者が正式な用語ですが、厳密な区別を必要としない文脈においては、前者を使っても構いません。たとえば、C言語のバイブルである、“The C Programming Language”（いわゆるK&R）でも、variable ＝**変数**と、object ＝**オブジェクト**が混在して使われています。

さて、オブジェクトの初期化と、その寿命を決定する記憶域期間には、深い関連があります。復習を兼ねながら、そのあたりを学習していくことにしましょう。

自動記憶域期間をもつオブジェクトの初期化

まずは、**List 1-11** のプログラムを理解しましょう。

List 1-11 chap01/auto1.c

```
// 自動記憶域期間をもつオブジェクトの初期化
#include <math.h>
#include <stdio.h>

void func(int no)
{
    register int i;
    auto int x = 100;

    printf("x = %d\n", x);

    for (i = 0; i < no; i++) {
        double x = sin((double)i / no);
        printf("x = %f\n", x);
    }
    printf("x = %d\n", x);
}

int main(void)
{
    func(10);

    return 0;
}
```

実行結果

```
x = 100
x = 0.000000
x = 0.099833
x = 0.198669
x = 0.295520
x = 0.389418
x = 0.479426
x = 0.564642
x = 0.644218
x = 0.717356
x = 0.783327
x = 100
```

関数 ***func*** の仮引数 ***no*** と、関数内で定義されている変数 ***i*** と ***x*** が必要とされるのは、この関数の実行中だけです。そのため、関数の実行開始後に作られて、終了すると破棄されます。

このように、宣言されているブロックを抜け出るまで存在するオブジェクトの**寿命＝生存期間**が、**自動記憶域期間**（automatic storage duration）です。

Fig.1-13 に示すのが、自動記憶域期間が与えられるオブジェクトです。

- 関数が受け取る仮引数
- 関数の中で、次のように定義されたオブジェクト
  - ・記憶域クラス指定子を伴わずに定義されたオブジェクト
  - ・記憶域クラス指定子 **auto** を伴って定義されたオブジェクト
  - ・記憶域クラス指定子 **register** を伴って定義されたオブジェクト

Fig.1-13 自動記憶域期間をもつオブジェクト

▶ 記憶域クラス指定子 **auto** は、付けても付けなくても同じです。**register** は、『高速にアクセスできるレジスタに割り当てたほうがいいかもしれませんよ。』という示唆を処理系に与えます。ただし、**register** 宣言されたオブジェクトが、実際にレジスタに格納されるとは限りません。

さて、関数 ***func*** には、二つの **x** があります。最初に宣言された **x** は、関数終端の **}** までの寿命であり、**for** 文の中で宣言された **x** は、**for** 文終端の **}** までの寿命です。

▶ 同一名の識別子が複数ある場合、より内側のブロックで宣言されたものが "見える" ようになり、外側のものが一時的に "見えなく" なります。

このことは、実行時のオブジェクトの寿命である**記憶域期間**とは無関係で、ソースプログラム上での識別子が通用する範囲である**有効範囲**すなわち**スコープ**の問題です。

for 文内で宣言している **x** の初期化子 ***sin*((double)*i* / *no*)** は、関数呼出し式です。そのため、変数 **x** は、**for** 文による繰返しのたびに毎回生成されて、呼び出された ***sin*** 関数が返却した値で初期化されます。

自動記憶域期間をもつオブジェクトに与える初期化子は**定数でなくても構わない**ことが分かりました。

オブジェクトの生成と初期化のタイミングについて、次のように理解しましょう。

重要 自動記憶域期間をもつオブジェクトは、プログラムの流れがその宣言を通過するときに生成されて初期化される。

*

なお、自動記憶域期間をもつオブジェクトは、明示的に初期化子が与えられていない場合は不定値で初期化されます。

重要 初期化子が与えられずに宣言された自動記憶域期間をもつオブジェクトは、**不定値**で初期化される。

このことを、**List 1-12** のプログラムで確認しましょう。

List 1-12 chap01/auto2.c

```
// 初期化子の与えられていない自動記憶域期間をもつオブジェクトが
// 不定値すなわちゴミの値で初期化されることを確認

#include <stdio.h>

int main(void)
{
    int x;                          // 不定値で初期化される

    printf("x = %d\n", x);

    return 0;
}
```

実行結果一例

```
x = 957
```

実行によって表示される値は不定値です。変数 **x** の初期値は **957** かもしれませんし、**-38** かもしれません。もちろん、たまたま **0** ということもあります。

なお、**初期化されていないオブジェクトを使う式が評価されようとすることを検出して、プログラムの実行を強制的に停止する処理系もあります。**

静的記憶域期間をもつオブジェクトの初期化

自動記憶域期間と対照的な**寿命＝生存期間**が**静的記憶域期間**（static storage duration）です。二つの記憶域期間の違いを **List 1-13** のプログラムで学習しましょう。

List 1-13 chap01/storage_duration1.c

```
// オブジェクトの記憶域期間（静的／自動）と初期化
#include <stdio.h>

int ft = 0;                      // 静的記憶域期間

void func(void)
{
    int        at = 0;   // 自動記憶域期間
    static int st = 0;   // 静的記憶域期間

    ft++;
    at++;
    st++;
    printf("ft = %d  at = %d  st = %d\n", ft, at, st);
}

int main(void)
{
    for (int i = 0; i < 8; i++)
        func();

    return 0;
}
```

実行結果

```
ft = 1  at = 1  st = 1
ft = 2  at = 1  st = 2
ft = 3  at = 1  st = 3
ft = 4  at = 1  st = 4
ft = 5  at = 1  st = 5
ft = 6  at = 1  st = 6
ft = 7  at = 1  st = 7
ft = 8  at = 1  st = 8
```

関数の外で定義された *ft* は、各関数の実行とは無関係に、プログラムの起動時から終了時まで存在しなければなりません。このような寿命が静的記憶域期間です。

なお、*st* のように、関数の中で static **記憶域クラス指定子**を加えて宣言されたオブジェクトにも静的記憶域期間が与えられます。

静的記憶域期間が与えられるオブジェクトをまとめたものを **Fig.1-14** に示します。

- 関数の外で定義されたオブジェクト
- 関数の中で static 記憶域クラス指定子を伴って定義されたオブジェクト

Fig.1-14 静的記憶域期間をもつオブジェクト

これらのオブジェクトは、プログラムの実行を通じて生き続けるため、初期化が行われるのは一度だけです。プログラムの流れが宣言を通過するたびに行われることはありません。

重要 静的記憶域期間をもつオブジェクトは、プログラム開始の準備段階で生成・初期化されて、プログラムの実行を通じて生き続ける。

三つの変数の値は、次のように変化していきます。

■ **静的記憶域期間をもつ ft と st**

変数 ***ft*** と ***st*** は、プログラムの実行を通じて値が保持されます。プログラム開始時に **0** で初期化されて、関数が呼び出されるたびにインクリメントされますので、その値は、**関数 *func* を呼び出した回数**となります。

■ **自動記憶域期間をもつ at**

変数 **at** は、関数 ***func*** が呼び出されてプログラムの流れが宣言を通過するたびに生成されて **0** で初期化されます。

静的記憶域期間をもつ変数 ***ft*** と ***st*** の宣言から初期化子を取り除いて、プログラムを右のように変更してみましょう（**"chap01/storage_duration2.c"**）。

```
int ft;

void func(void)
{
    int        at = 0;
    static int st;
    // …中略…
}
```

『***ft*** や ***st*** は不定値で初期化されるのではないか。』との心配をよそに、**変更前と同じ実行結果が得られます。**

これは、次の理由によります。

重要 初期化子が与えられずに宣言された静的記憶域期間をもつオブジェクトは、自動的に **0** で初期化される。

なお、静的記憶域期間をもつオブジェクトの初期化子は、**定数式**でなければなりません。

```
void func(void)
{
    int        at = sin(0.9);  // OK     ―1
    static int st = sin(0.9);  // エラー ―2
}
```

そのため、2の宣言はエラーとなります（**"chap01/storage_duration3.c"**）。

＊

二つの記憶域期間の概要をまとめたものが **Table 1-1** です。

▶ もう一つの記憶域期間である**割付け記憶域期間**は、第４章で学習します。

Table 1-1 記憶域期間とオブジェクトの生成と初期化

	自動記憶域期間	静的記憶域期間
生成と初期化	プログラムの流れが、その宣言を通過する際に生成・初期化される。	プログラム実行開始時の準備段階で生成・初期化される。
初期化子	定数式でなくともよい。	定数式でなければならない。
初期値	明示的に初期化子を与えなければ不定値で初期化される。	明示的に初期化子を与えなければ **0** で初期化される。
破　棄	その宣言を含むブロックを抜け出る際に破棄される。	プログラム実行終了時の後始末の段階で破棄される。

配列の要素の初期化

配列の要素を初期化するには、個々の要素に対する初期化子を先頭から順にコンマ **,** で区切って並べ、それを **{}** で囲んだものを初期化子として与えます。初期化子については、ややこしい規則が数多くあります。

最後の初期化子の後ろにも , を置ける

最後の初期化子の後ろのコンマは、置いても省略してもよい、という決まりです。たとえば、

```
int c[5] = {1, 2, 3, 4, 5, };    // 末尾要素の初期化子の後ろにもコンマ
```

では、**5** の後ろの **,** は、あってもなくても同じです。最後の初期化子の後ろにコンマを置くスタイルには、初期化子の追加や削除に伴って、コンマを付けたり外したりしなくてよい、というメリットがあります。

初期化子の個数から配列の要素数が自動的に決定する

初期化子が与えられた場合は、**宣言時に要素数を省略できます**。たとえば、

```
int d[] = {1, 2, 3};          // 初期化子から要素数3が自動的に決定
```

と宣言すると、初期化子の個数に基づいて、配列 *d* の要素数は **3** とみなされます。すなわち、次の宣言と同じです。

```
int d[3] = {1, 2, 3};
```

初期化子が { } の中に与えられていない要素は 0 で初期化される

初期化子が { } の中に与えられていない要素は 0 で初期化されるという規則があります。そのため、

```
int e[5] = {1, 2, 3};         // 初期化子が与えられていないe[3]以降は0で初期化
```

と宣言すると、初期化子が与えられていない **e[3]** と **e[4]** は **0** で初期化されます。

この規則を応用したのが、次の宣言です。

```
int f[64] = {0};              // 全要素を0で初期化
```

先頭要素 **f[0]** が **0** で初期化されるだけでなく、それ以降の 63 個の要素 **f[1]** 〜 **f[63]** も **0** で初期化されます（すなわち、全要素が **0** で初期化されます）。

ここで注意すべきことがあります。次の宣言では、全要素は **0** にはなりません。

```
int g[5];                     // 全要素を不定値で初期化
```

配列 *g* の全要素は、**不定値（ゴミの値）**で初期化されます。

▶ **静的記憶域期間**をもつ配列（関数の外で定義された配列と、関数の中で static 付きで定義された配列）であれば、初期化子を与えなくても、すべての要素が 0 で初期化されます。
なお、標準C以前は、自動記憶域期間をもつ配列には初期化子を与えて宣言することは不可能でした（静的記憶域期間をもつ配列にのみ初期化子を与えることができました）。

次は、エラーとなる初期化子について学習しましょう。

▪ 初期化子の個数が配列の要素数を超えている

次のように、{ } の中の初期化子の個数が、配列の要素数を超えるとエラーになります。

```
int a[3] = {1, 2, 3, 4};      // エラー：初期化子が要素数より多い
```

▪ 初期化子が代入演算子の右オペランドに置かれている

初期化子を代入することはできません。次の例は、誤りです。

```
int a[3];
a = {1, 2, 3};                // エラー：初期化子は代入できない
```

▪ 同一型の配列が初期化子として与えられている

配列は、たとえ同一型であっても初期化や代入は行えません。

```
int a[3] = {1, 2, 3};
int b[3] = a;                 // エラー：配列での初期化や代入は行えない
```

要素指示子

標準Cの第２版からは、配列と構造体に与える初期化子として、**要素指示子**（**指示付き初期化子**）が利用できるようになっています。
次に示すのが、宣言の一例です。

```
int a[] = {[2] = 5, 9, [6] = 3, 1};
```

この宣言によって、a[2] が 5 で、その次の要素が 9 で、a[6] が 3 で、その次の要素が 1 で初期化されます。
最後の初期化子が８番目の要素 a[7] に対するものであることから、配列 a の要素数は自動的に 8 となります。初期化子が不足する要素は 0 で初期化されますので、次の宣言と同等です。

```
int a[8] = {0, 0, 5, 9, 0, 0, 3, 1};
```

なお、要素数が 1000 の配列の末尾の要素のみを 1 で初期化して、それ以外の要素を 0 で初期化するのであれば、次のようになります。

```
int a[1000] = {[999] = 1};
```

typedef 名が与えられた配列の初期化

次は、**typedef 名**が与えられた配列の初期化について学習します。まずは、**typedef** 名と **typedef 宣言**を思い出しましょう。たとえば、次のように宣言するのでした。

```
typedef int INTEGER;          // INTEGERはintの同義語
```

この宣言以降、*INTEGER* は int と同じ意味となります。そのため、次に示す二つの宣言は、実質的に同じです。

```
INTEGER a;                    // aは実質的にint型
int a;                        // aはint型
```

さて、typedef 宣言を「新しい型を作る宣言」と、勘違いしている人が多いようですが、作るのは、新しい名前であって、型ではありません。

重 要 **typedef 宣言**は、既存の型に新しい**名前**（同義語）を与える宣言である（新しい型を作るのではない）。

なお、新しく作られた名前（この場合の *INTEGER*）が、**typedef 名**です。

＊

それでは、**List 1-14** のプログラムを考えましょう。要素型が int で要素数が 5 である配列型（すなわち int[5] 型）に対して *Int5ary* という typedef 名を与えています。

List 1-14 chap01/typdef_ary1.c

```
// typedef名による配列の初期化を確認
#include <stdio.h>

int main(void)
{
    typedef int Int5ary[5];      // 要素型がintで要素数が5の配列型（int[5]型）
    Int5ary x = {1, 2, 3};

    for (int i = 0; i < 5; i++)
        printf("x[%d] = %d\n", i, x[i]);

    return 0;
}
```

実行結果

```
x[0] = 1
x[1] = 2
x[2] = 3
x[3] = 0
x[4] = 0
```

typedef 名が与えられた配列の初期化は、基本的には、通常の配列と同様です。

要素数が 5 の配列 *x* に対して、初期化子が３個しか与えられていませんので、不足部分の要素は 0 で初期化されます。

すなわち、プログラム水色部の宣言は、次の宣言と実質的に同一です。

```
int x[5] = {1, 2, 3, 0, 0};
```

次は、右ページの **List 1-15** を考えましょう。

List 1-15 chap01/typdef_ary2.c

```
// typedef名による不完全な配列の初期化を確認
#include <stdio.h>

int main(void)
{
    typedef int IntAry[];           // 要素型がintの配列型
    IntAry a = {1, 2, 3};           // 初期化子が３個
    IntAry b = {1, 2, 3, 4, 5};     // 初期化子が５個

    for (int i = 0; i < 3; i++)
        printf("a[%d] = %d\n", i, a[i]);

    for (int i = 0; i < 5; i++)
        printf("b[%d] = %d\n", i, b[i]);

    return 0;
}
```

実行結果

```
a[0] = 1
a[1] = 2
a[2] = 3
b[0] = 1
b[1] = 2
b[2] = 3
b[3] = 4
b[4] = 5
```

要素型が **int** の配列型に対して、*IntAry* という **typedef** 名が与えられていますが、配列に**要素数が指定されていない**ことに注意します。

配列 **a** と *b* は、いずれも *IntAry* 型として宣言されていますが、**配列の要素数は、宣言時に与えられた初期化子の個数から決定されます。**そのため、配列 **a** の要素数は 3 となって、配列 *b* の要素数は 5 となります。

すなわち、**a**, *b* の宣言は、

```
int a[3] = {1, 2, 3};              // aはint[3]型
int b[5] = {1, 2, 3, 4, 5};        // bはint[5]型
```

と実質的に同じです。

▶ *IntAry* は、要素数が不定の**不完全型**（incomplete type）です。不完全型のオブジェクトを作り出すことはできないため、初期化子の個数から要素数が決定した段階で、初めて完全型となります。
もちろん、次の宣言はエラーとなって許されません。

```
IntAry c;                         // エラー：要素数が不明
```

実際に、この宣言を行うプログラム（"chap01/typedef_ary3.c"）をコンパイルして（コンパイルエラーとなることを）確認しましょう。

Column 1-4 警告（warning）

処理系は、プログラムに明らかな誤りが存在する際に**エラー**を発し、文法的には正しいものの、何らかの誤りなどが潜んでいる可能性がある際に**警告**を発します。

＊

警告の warning という語句は、カタカナではウォーニングという表記が一般的です。ほとんどの分野の書籍で**ウォーニング**が使われているのですが、ソフトウェア関連の書籍に限って、なぜか**ワーニング**と書かれることが多いようです。

ちなみに**ワーニング**と読むのであれば、Star Wars は**スターワーズ**になって、warming up は**ワーミングアップ**となってしまいます。

Column 1-5 スタックとスタックオーバフロー

ここでは、記憶域と関係の深い**スタックオーバフロー**について学習していきます。

▪ スタックとは

スタックオーバフローは、コンパイル時ではなく、実行時に発生するエラーです。まずは、**スタック**（stack）の基本を復習しましょう。

スタックは、データを**一時的に**蓄えるためのデータ構造です。最後に入れられたデータが最初に取り出される、**後入れ先出し**（LIFO ／ Last–In–First–Out）の方式です。

机の上に皿を重ねる際に、てっぺんの皿の上に置いて、取り出す際も、てっぺんの皿から取り出すのと同じです。**Fig.1C-1** に示すように、スタックにデータを積む操作が**プッシュ**（push）で、スタックからデータを取り出す操作が**ポップ**（pop）です。

図にも示すように、プッシュ、ポップが行われる側を**頂上**、その反対側を**底**と呼びます。

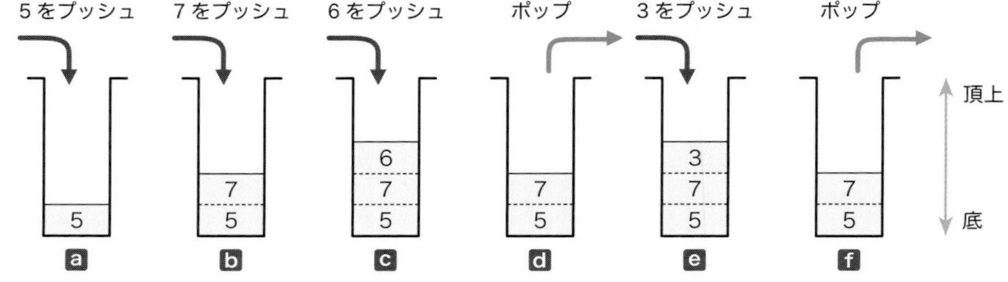

Fig.1C-1　スタックへのプッシュとポップ

※ スタックと対称的なデータ構造が、**先入れ先出し**（FIFO ／ First–In–First–Out）方式の**キュー**（queue）です。キューについては、第 3 章で学習します。

▪ プログラムと記憶域

プログラムやデータが格納される領域は、大きく次のように分類されます。

▪ コード（プログラム）領域

プログラムの実行コードが格納されます。

▪ スタック領域

関数実行時に必要となる（終了時には不要となる）領域であり、主として次の2種類のデータが格納されます。

▫ 自動記憶域期間をもつオブジェクト

関数頭部で宣言された仮引数と、関数内で（`static` を付けずに）定義されたオブジェクトです。

▫ リターンアドレス

関数終了時に戻るべき番地です。

関数が呼び出されて実行されるときに、上記のデータ用の領域が確保されます（スタックにプッシュされます）。関数の実行が終了して呼出し元に戻る際に、領域が解放されます（スタックからポップされて破棄されます）。

■ レジスタ

本来はスタックに蓄えられるべきデータが、高速化などの目的によってCPU内のレジスタ上に格納されます。

■ 静的データ領域 … 静的記憶域期間をもつオブジェクト

関数の外で定義されたオブジェクトや、関数の中で **static** 付きで定義されたオブジェクトや、文字列リテラルなどが格納されます。プログラムの開始から終了まで固定した場所を占有します。

■ ヒープ領域 … 割付け記憶域期間をもつオブジェクト

malloc 関数や ***calloc*** 関数などの関数によって動的に確保される記憶域であり、確保時に指定したバイト数の領域と、その管理用の領域が格納されます。プログラム上での指令（***free*** 関数の呼出し）によって、任意のタイミングで解放できます（第4章で学習します）。

＊

プログラムの実行において、記憶域がどのように利用されるのかを、**List 1C-2** のプログラムを例に考えることにします。

関数 ***func*** が呼び出された際の、スタックの様子のイメージを **Fig.1C-2** に示しています。

最初にスタックにプッシュされるのは、リターンアドレスと二つの仮引数 ***x*** と ***n*** です。関数 ***func*** の実行が始まると、自動記憶域期間をもつ変数 ***i*** と ***j*** と、配列 **a** がプッシュされます。

関数 ***func*** の実行が終了すると、自動記憶域期間をもつオブジェクト ***i***、***j***、**a** と仮引数、リターンアドレスがポップされます。

プログラムは、関数 ***func*** を呼び出した場所（の直後）であるリターンアドレスの番地（図では999番地）へ制御を移して、**main** 関数に戻ります。

※ スタックの利用法やそのタイミングなどの細部は、処理系によって大きく異なります。

List 1C-2 chap01/stack1.c

```
// プログラムの実行と記憶域

void func(double x, int n)
{
    int i, j;
    int a[3];

    //--- 中略 ---//
}

int main(void)
{
    double y = 5.0;

    func(y, 2);

    return 0;
}
```

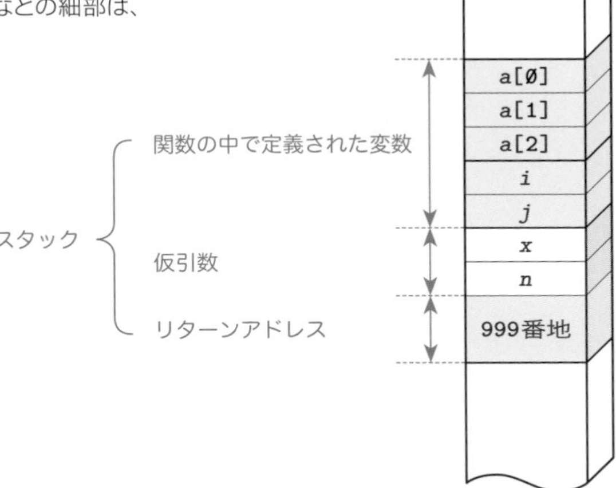

Fig.1C-2 関数 func の呼出しとスタック

■ スタックオーバフロー

それでは、スタックオーバフローについて、**List 1C-3** のプログラムで考えていきましょう。

配列 `z`、`x`、`a` は、いずれも要素型が `int` 型で要素数が `8000` です。`sizeof(int)` が 2 の処理系であれば、それぞれが約 16 Kバイトの大きさです。

関数の外で定義されている配列 `z` は、**静的データ領域**に格納されます。

プログラム開始の準備が終了して、`main` 関数が開始される直前の段階では、**Fig.1C-3** ⓐに示すように、配列 `z` のみが存在し、スタックは空です。

※ この図では、関数のリターンアドレスなどの細かなデータは省略します。

List 1C-3 chap01/stack2.c

```
// 記憶域期間
int z[8000];        // 静的記憶域期間

void func(void)
{
    int x[8000];    // 自動記憶域期間
}

int main(void)
{
    int a[8000];    // 自動記憶域期間

    func();

    return 0;
}
```

準備が完了すると、`main` 関数が呼び出されます。その実行開始に伴って、配列 `a` 用の 16 Kバイトの領域がスタックにプッシュされて図ⓑの状態となります。

`main` 関数の実行開始後は、その `main` 関数の中から関数 `func` が呼び出されます。その際、スタックに配列 `x` 用の 16 Kバイトの領域がスタックにプッシュされて、図ⓒの状態となります。

もしもスタック領域に“30 Kバイトまで”といった容量上の制限があれば、この時点でスタックが不足します。これが**スタックオーバフロー**（stack overflow）です。

スタック領域は無限ではありません。次のようなケースでは、スタックオーバフローのエラーが発生しやすくなります。

- 関数呼出しのネストが深いとき。
- 関数内で定義されている自動記憶域期間をもつオブジェクト（特に配列や構造体など）が巨大であるとき。

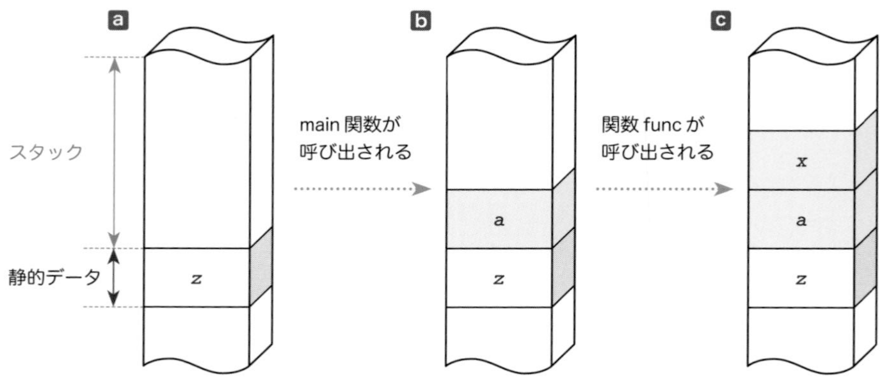

Fig.1C-3 静的データとスタック

`main`関数中の配列`a`の宣言に`static`を付けてみましょう。静的記憶域期間が与えられる配列`a`は、スタックではなく静的データ領域に格納されることになります。

そうすると、**Fig.1C-4**に示すように、関数*func*を呼び出した段階でも、スタックの消費は約16Kバイトですみます。

配列などの巨大なオブジェクトの定義に`static`を与えるか、あるいは定義を関数の外に移すだけで、スタックオーバフローを回避できることが分かるでしょう。

なお、スタック領域の大きさの上限は、処理系や実行環境などに依存します。多くの処理系で、コンパイル時のオプションによってスタックの大きさを指定できるようになっています。詳細は、お使いの処理系のマニュアルを参照しましょう。

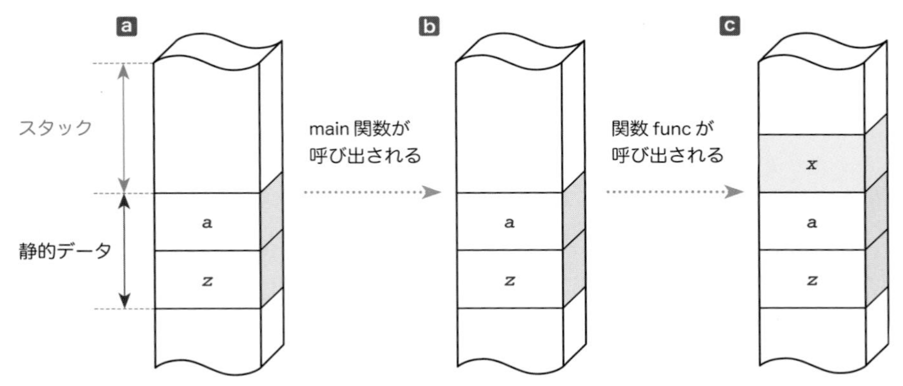

Fig.1C-4　配列aに静的記憶域期間を与えた場合の静的データとスタック

さて、呼び出された関数は、実行開始時に、スタック領域が十分に残っているかどうかのチェックを行います。

※ スタックのチェックを行う内部的な関数が用意されていて、その関数を呼び出すようになっていることもあります。

このとき、もしスタックの残り領域が不十分であることが分かれば、エラーメッセージを表示してプログラムを終了します。

処理系によっては、コンパイルオプションや`#pragma`指令などによって、スタックオーバフローのチェックを行うかどうかの選択が可能です。チェックしないように設定すれば、その分だけプログラムの実行速度は向上します。

とはいえ、スタックが不足した状態でプログラムの実行を続けると、記憶域のどこかを**確実に破壊する**ことになります。最悪の場合、プログラムのクラッシュなどによって、大事な資源を失うことにもなりかねません。

少なくともプログラムの開発とデバッグが完全に終了するまでは、スタックオーバフローのチェックを無効にすべきではありません。

配列の名前と要素の値を初期化子形式で表示する関数

配列の初期化子の形式を学習したのですから、配列の名前と全要素の値を、初期化子の形式で表示するプログラムを作りましょう。まずは次の関数として実現します。

```
int print_array(const char *name, const int a[], int n)
{
    printf("%s = {", name);
    for (int i = 0; i < n - 1; i++)
        printf("%d, ", a[i]);
    if (n > 0) printf("%d", a[n - 1]);
    printf("}");
}
```

配列の名前と記号文字 = の後に、初期化子と同じ形式（要素の値をコンマ , で区切った上で全体を { } で囲んだ形式）で要素の値を表示する関数です。呼出しは次のようになります。

```
int x[] = {1, 2, 3};
print_array("x", x, sizeof(x) / sizeof(x[0]));
```

```
x = {1, 2, 3}
```

第2引数が配列名（配列の先頭要素へのポインタ）で、第3引数が配列の要素数です。

▶ 配列名が先頭要素へのポインタであることは第 3 章で学習し、sizeof(x) / sizeof(x[0]) が配列 x の要素数を求める式であることは第 4 章で学習します。

第2引数の x とは別に、配列の名前を第1引数 "x" として与えることになります。面倒であるだけでなく、綴り間違えのミスにもつながりかねません。

この問題を解決したのが、**List 1-16** に示すプログラムです。

List 1-16 chap01/print_array.c

```
// 配列の要素の値を初期化子形式で表示

#include <stdio.h>

//--- 配列の要素の値を初期化子形式で表示する関数 ---//
#define print_array(a, n)  (print_array)(#a, a, n)              ―1

//--- 配列の要素の値を初期化子形式で表示する関数 ---//
void (print_array)(const char *name, const int a[], int n)
{
    printf("%s = {", name);
    for (int i = 0; i < n - 1; i++)                              ―2
        printf("%d, ", a[i]);
    if (n > 0) printf("%d", a[n - 1]);
    printf("}");
}

int main(void)
{
    int x[] = {1, 2, 3};
    int y[] = {2, 4, 6, 8, 10};
                                                            A
    print_array(x, sizeof(x) / sizeof(x[0]));   putchar('\n');
    print_array(y, sizeof(y) / sizeof(y[0]));   putchar('\n');

    (print_array)("x", x, sizeof(x) / sizeof(x[0]));   putchar('\n');
    (print_array)("y", y, sizeof(y) / sizeof(y[0]));   putchar('\n');
                                                            B
    return 0;
}
```

実行結果

```
x = {1, 2, 3}
y = {2, 4, 6, 8, 10}
x = {1, 2, 3}
y = {2, 4, 6, 8, 10}
```

同じ名前のマクロと関数が定義されています。まずは関数版から理解していきましょう。

2 関数版 ***print_array***

左ページに示したものと同じ関数です。唯一の違いは、関数形式マクロの展開を抑制するために名前が () で囲まれている点です（p.7 で学習しました）。

1 関数形式マクロ版 ***print_array***

関数名を第1引数 a に、要素数を第2引数 n に受け取る関数形式マクロです。**関数名の文字列を受け取らない**ことが関数版とは異なります。

本マクロの呼出し print_array(a, n) は、(print_array)(#a, a, n) に展開されるように定義されています。#a の # は、**引数を文字列化する演算子**です。

▶ a に渡された配列が xyz であれば、#a は文字列 "xyz" に置きかわります。# 演算子と呼ばれますが、マクロ専用の特別な演算子です。

次は、呼出し側に着目しましょう。**A**は関数形式マクロ版 *print_array* の呼出しであり、次のように展開されます。

```
(print_array)("x", x, sizeof(x) / sizeof(x[0]));
(print_array)("y", y, sizeof(y) / sizeof(y[0]));
```

変数名（配列名）の x と y を文字列化した "x" と "y" が自動的に作られて、関数 *print_array* に第1引数として渡されることが分かるでしょう。これで、**名前用の文字列をプログラマがわざわざ用意して渡す必要性から解放されています。**

関数版の呼出し**B**は、左ページに示した呼出しと同じです（ただし、マクロの展開を抑制するために、関数名が ( ) で囲まれている点が異なります）。

なぜ関数形式マクロの名前は小文字なのか

オブジェクト形式マクロの名前は大文字とするのが一般的であるのに対し、関数形式マクロの名前は、小文字が使われることが多いようです。

実は、C言語の標準ライブラリである *printf* や *sin* などは関数として提供しなければならない、という規則はありません。事実、一部の処理系では、ライブラリの一部をマクロとして提供しています。

また、第3章で学習する標準ライブラリ *va_start* と *va_end* については、関数ではなく、マクロとして提供されなければならない、と標準Cで規定されてます。

関数を呼び出しているつもりが、実際にはマクロが呼び出されている、ということは少なくないのです。

見かけ上、関数と同じように（区別せずに）呼び出せるようにするために、名前を小文字とするスタイルが古くから使われています。

▶ 関数形式マクロを大文字とすることを推奨するコーディングスタイルもあります。

静的記憶域期間の応用（単一の変数）

次は、静的記憶域をもつ変数の実用的な使い方の基礎を学習します。

呼び出された回数を記憶する関数

最初に学習するのは **List 1-17** のプログラムです。関数 ***put_count*** の中で **static** 付きで定義された変数 ***count*** は、静的記憶域期間が与えられています。

▶ 初期化子として **0** が与えられていますが、初期化子を省略しても **0** で初期化されます。

List 1-17 chap01/put_count.c

```
// 呼び出された回数を表示する関数
#include <stdio.h>

//--- 呼び出された回数を表示する ---//
void put_count(void)
{
    static int count = 0;

    printf("put_count : %d回目\n", ++count);
}

int main(void)
{
    int n;

    printf("呼出し回数 : ");
    scanf("%d", &n);

    for (int i = 0; i < n; i++)
        put_count();

    return 0;
}
```

実行例

```
呼出し回数 : 3↵
put_count : 1回目
put_count : 2回目
put_count : 3回目
```

その変数 ***count*** の値は、関数 ***put_count*** が呼び出されるたびにインクリメントされますので、関数が呼び出された回数が記憶されます。

関数内で **0** で初期化され、呼び出されるたびにインクリメントされる変数を用意することで、関数が呼び出された回数を記憶できることを知っておきましょう。

前回とは異なる乱数の生成

次に学習するのは、右ページの **List 1-18** のプログラムです。

まずは実行しましょう。指定した回数だけ **0** ～ 9 の乱数が生成・表示されるのですが、同じ値の乱数が連続して生成されることはありません。

▶ 乱数の生成については、**Column 1-6**（p.37）で学習します。

関数 ***rand_0_9*** は、ただ単純に **0** ～ 9 の乱数を生成するのではなくて、前回生成した乱数とは異なる乱数を生成するように作られた関数です。

List 1-18 chap01/rand_0_9.c

```
// 乱数を生成（同一値を連続して生成しない）

#include <time.h>
#include <stdio.h>
#include <stdlib.h>

//--- 前回とは異なる0～9の乱数を生成 ---//
int rand_0_9(void)
{
    static int prev = -1;    // 前回生成した乱数     ―1
    int crnt;                // 今回生成する乱数

    do {
        crnt = rand() % 10;                         ―2
    } while (crnt == prev);

    prev = crnt;                                     ―3
    return crnt;
}

int main(void)
{
    int n;

    srand(time(NULL));

    printf("乱数を生成する回数：");
    scanf("%d", &n);

    for (int i = 0; i < n; i++)
        printf("%d\n", rand_0_9());

    return 0;
}
```

実行例

```
乱数を生成する回数：6
1
2
9
4
7
6
```

同一の乱数を連続して生成しないようにするために利用しているのが、静的記憶域期間が与えられた変数**prev**です。

乱数の生成後の3では、**今回生成した乱数crnt**を変数**prev**に代入します。そのため、次に関数が呼び出されたときには、変数**prev**には**前回生成した乱数**が格納されていることになっているわけです。

なお、乱数**crnt**を生成する2では、前回生成した乱数**prev**とは異なる値が得られるまで乱数の生成を**do**文によって繰り返します。

＊

さて、1で変数**prev**を**-1**で初期化している理由は何でしょうか。

もし、この初期値が**0**だったらどうなるかを考えます。関数**rand_0_9**が初めて呼び出されたときに、2で生成する乱数**crnt**の値として**0**が許されなくなるため、生成する乱数の範囲が**0**～**9**でなく**1**～**9**となってしまいます。

変数**prev**の初期値は、**0**～**9**以外の値でなければならないことが分かったでしょう。本プログラムでは**-1**としていますが、もちろん**10**や**20**でも構いません。

現在の時刻による乱数の種の設定

main 関数の冒頭では、次の関数呼出しを行っています。

```
srand(time(NULL));          // 現在の時刻に基づいて乱数の種を設定
```

これは、乱数の種(たね)をランダムにするための定石です。具体的に何を行っているのかを、きちんと理解しましょう。

▶ 日付と時刻の取得に関しては、**Column 1-8**（p.40）で学習します。

- まず、*time* 関数の呼出し *time*(NULL) によって**現在の暦時刻**を time_t **型**の値として取得します。
  得られる暦時刻の実体は、int 型や long 型などの加減乗除が可能な算術型の値（すなわち単一の数値）です。

- 次に、取得した値を *srand* 関数に渡します。このとき、現在の時刻を示す time_t 型の暦時刻の値が、*srand* 関数が受け取る unsigned int 型へと暗黙の内に型変換されます。
  呼び出された *srand* 関数は、受け取った値を乱数の種に設定します。

time 関数によって得られる**現在の暦時刻**は、プログラム実行のたびに変わるため、ランダムな値（現在の暦時刻を unsigned int 型に変換した値）が乱数の種に設定される、という仕組みです。

▶ 標準Cでは、*rand* 関数および *srand* 関数の移植可能な定義例が次のように示されています。

```
static unsigned long int next = 1;

int rand(void) // RAND_MAXを32767と仮定する
{
    next = next * 1103515245 + 12345;
    return (unsigned int)(next / 65536) % 32768;
}

void srand(unsigned int seed)
{
    next = seed;
}
```

このコードでは、種である変数 *next* に対して、加算と乗除算を適用することで乱数の生成を行っています。

その変数 *next* は、二つの関数の外で static 付きで宣言されています。

関数のユーザに存在を知らせる必要のない（知らせてはならない）変数は、このように static を与えて宣言することで**内部結合**を与えます（詳細は第３章で学習します）。

Column 1-6　乱数の生成について

■ 乱数の生成と種

乱数を生成する *rand* **関数**が返却するのは 0 以上 RAND_MAX 以下の値です。<stdlib.h> ヘッダで定義される RAND_MAX の値は処理系に依存しますが、少なくとも 32767 であることが保証されます。

次に示すのが、二つの乱数を生成・表示するコードの一例です（"chap01/random.c"）。

```
#include <stdio.h>
#include <stdlib.h>

// … 中略 …

int x = rand();          // 0以上RAND_MAX以下の乱数を生成
int y = rand();          // 0以上RAND_MAX以下の乱数を生成

printf("xの値は%dで、yの値は%dです。\n", x, y);
```

このプログラムを実行すると、x と y は異なる値として表示されます。

ところが、このプログラムを何度実行しても常に同じ値が表示されます（x と y の値は異なるのですが、x の値は毎回同じになり、y の値も毎回同じになります）。

このことは、生成される乱数の系列、すなわちプログラム中で1回目に生成される乱数、2回目に生成される乱数、3回目に生成される乱数、… が決まっていることを示しています。

たとえば、ある処理系では、常に次の順で乱数が生成されます。

16,838 ⇨ 5,758 ⇨ 10,113 ⇨ 17,515 ⇨ 31,051 ⇨ 5,627 ⇨ …

rand 関数は**種**を利用した計算によって乱数を生成しています。*rand* 関数の中に種の値が埋め込まれているため、毎回同じ系列の乱数が生成されるのです。

種の値を変更するのが *srand* **関数**です。たとえば、*srand*(50) とか *srand*(23) と呼び出すだけで、種の値を変更できます。

もっとも、このように定数を渡して *srand* 関数を呼び出しても、その後に *rand* 関数が生成する乱数の系列は決まったものとなってしまいます。

先ほど例を示した処理系では、種を 50 に設定すると、常に次の順で乱数が生成されます。

22,715 ⇨ 22,430 ⇨ 16,275 ⇨ 21,417 ⇨ 4,906 ⇨ 9,000 ⇨ …

乱数を生成する前に（少なくとも1回は）種の値を変更しない限り、同じ系列の乱数が生成されます。乱数の種をランダムにする方法の一つが、左ページで学習した *srand*(*time*(NULL)) の呼出しです。

なお、*rand* 関数が生成するのは、**擬似乱数**と呼ばれる乱数です。擬似乱数は、乱数のように見えますが、ある一定の規則に基づいて生成されます。擬似乱数と呼ばれるのは、次に生成される数値の予測がつくからです。本当の乱数は、次に生成される数値の予測がつきません。

■ 乱数の最大値

***rand* 関数が生成する乱数の最大値 RAND_MAX は、int 型で表現できる最大値 INT_MAX と一致するとは限らないことに注意する必要があります。**

たとえば Microsoft Visual C++ では、int 型は 32 ビットであって、負数を2の補数形式で表現するため、その表現範囲は -2147483648 ～ 2147483647 です。

一方、*rand* 関数が生成する乱数の最大値 RAND_MAX は 32767 です（int 型が 16 ビットであった頃の古いバージョンとの互換性を保つための仕様です）。

静的記憶域期間の応用（配列）

ここまでは、静的記憶域をもつ単一の変数でした。次は配列です。**List 1-19** のプログラムを実行しましょう。現在（プログラム実行時）の日付と時間が表示されます。

List 1-19 chap01/date_time1.c

```
// 現在の日付・時刻を表示

#include <time.h>
#include <stdio.h>

//--- 要素別の時刻を日付と時刻の文字列に変換 ---//
char *str_dt(const struct tm *timeptr)
{
    static char result[20];              // 文字列格納先は静的な領域

    sprintf(result, "%04d-%02d-%02d %02d:%02d:%02d",
            timeptr->tm_year + 1900,  timeptr->tm_mon + 1,  timeptr->tm_mday,
            timeptr->tm_hour,  timeptr->tm_min,  timeptr->tm_sec);
    return result;
}

int main(void)
{
    time_t now = time(NULL);     // 現在の時刻を取得

    printf("現在の日付・時刻は%sです。\n", str_dt(localtime(&now)));

    return 0;
}
```

実行例

```
現在の日付・時刻は2027-11-18 19:47:25です。
```

関数 ***str_dt*** は、引数に受け取った ***timeptr*** が指す **tm 構造体型（要素別の時刻）** のオブジェクトの値を **"yyyy-mm-dd hh:mm:ss"** 形式の文字列に変換した上で、その文字列の先頭文字へのポインタを返却する関数です。

▶ ポインタと文字列については、第 4 章と第 5 章で詳しく学習します。

この関数の中で静的記憶期間が与えられているのが、変換後の 19 文字の文字列を格納する配列 ***result*** です（文字列の末尾にはナル文字が置かれるため要素数は **20** です）。

ここに示す実行例では、2027 年 11 月 18 日 19 時 47 分 25 秒にプログラムを実行しており、配列 ***result*** には **"2027-11-18 19:47:25"** が格納されています。

次のことを理解しましょう。

- もし配列 ***result*** が自動記憶域期間であれば、関数 ***str_dt*** が終了した段階で破棄されてしまうため、その配列（文字列）は、**main** 関数からアクセスできない。

- 静的記憶域期間が与えられた配列 ***result*** は、プログラムの最初から最後まで存在し続ける。
  このことは、関数 ***str_dt*** が配列 ***result*** を何度も**使い回す**ことを意味している。
  呼び出されるたびに配列 ***result*** の値が書きかえられるため、呼出し側（本プログラムの場合は **main** 関数）では、必要があれば変換後の文字列を別途保存する必要がある。

▶ 関数 *str_dt* を2回目に呼び出した場合、1回目の変換で作られた文字列が上書きされる結果、失われてしまうということです。

文字列の複製をとって保存する方法は、第5章（p.190）と第6章（p.218）で学習します。

Column 1-7 文字列の配列と列挙と要素指示子

列挙体と要素指示子（p.25）を組み合わせると、文字列の配列の初期化やアクセスを行うコードの可読性を向上させることが可能です。**List 1C-4** に示すのが、そのプログラム例です。

List 1C-4 chap01/rgb.c

```
// 文字列の配列

#include <stdio.h>
#include <stdlib.h>
#include <string.h>

//--- 光の３原色を表す列挙体 ---//
enum rgb_id { red, green, blue, rgb_no };

//--- 光の３原色を表す文字列の配列 ---//
char *rgb[rgb_no] = {
  [red]   = "red",
  [green] = "green",
  [blue]  = "blue",
};

int main(void)
{
    int color;

    do {
        for (int i = 0; i < rgb_no; i++)
            printf("(%d)%s ", i, rgb[i]);
        printf(": ");
        scanf("%d", &color);
    } while (color < red || color >= rgb_no);

    switch (color) {
     case red:   printf("赤"); break;
     case green: printf("緑"); break;
     case blue:  printf("青"); break;
    }
    printf("を選びましたね。\n");

    return 0;
}
```

実行例

```
(0)red (1)green (2)blue : 2⏎
青を選びましたね。
```

列挙 *rgb_id* の列挙子 *red*、*green*、*blue*、*rgb_no* には、それぞれ、0、1、2、3 の値が与えられています（最初の3個が色で、最後の *rgb_no* は色の個数です）。

文字列（の先頭文字へのポインタ）の配列である *rgb* には、3個の初期化子が要素指示子として与えられています。

※ 文字列の配列については、第5章で学習します。

Column 1-8 現在の日付と時刻の取得

現在（プログラム実行時）の日付・時刻の取得は、標準ライブラリを呼び出すことで実現できます。その方法を、**List 1C-5** に示すプログラムで学習しましょう。

List 1C-5 chap01/date_time2.c

```
// 現在の日付・時刻を表示

#include <time.h>
#include <stdio.h>

int main(void)
{
    time_t current = time(NULL);                  // 現在の暦時刻              ―1
    struct tm *timer = localtime(&current);       // 要素別の時刻（地方時）    ―2
    char *wday_name[] = {"日", "月", "火", "水", "木", "金", "土"};

    printf("現在の日付・時刻は%d年%d月%d日 (%s) %d時%d分%d秒です。\n",
            timer->tm_year + 1900,          // 年（1900を加えて求める）
            timer->tm_mon + 1,              // 月（1を加えて求める）
            timer->tm_mday,                 // 日
            wday_name[timer->tm_wday],      // 曜日（0～6）                ―3
            timer->tm_hour,                 // 時
            timer->tm_min,                  // 分
            timer->tm_sec                   // 秒
          );
    return 0;
}
```

実行結果一例

```
現在の日付・時刻は2027年11月18日（木）21時17分32秒です。
```

▪ time_t 型：暦時刻

暦時刻（calendar time）と呼ばれる **time_t 型**は、long 型や double 型などの加減乗除が可能な**算術型**です。具体的に、どの算術型の同義語となるのかは、**<time.h>ヘッダ**で定義される仕組みとなっています。次に示すのが、定義の一例です。

```
typedef unsigned long time_t;      // 定義の一例：処理系によって異なる
```

なお、暦時刻は、型だけでなく、その具体的な値も処理系に依存します。

time_t 型を unsigned int 型または unsigned long 型の同義語とし、1970年1月1日0時0分0秒からの経過秒数を値とする処理系が多いようです。

▪ time 関数：現在の時刻を暦時刻で取得

現在の時刻を暦時刻として取得するのが **time 関数**です。求めた暦時刻を返却値として返すだけでなく、引数が指すオブジェクトにも格納します。

そのため、右に示すどの呼出しでも、変数 current に現在の時刻が格納されます。本プログラムで使っているのはBです。

```
A time(&current);
B current = time(NULL);
C current = time(&current);
```

▪ tm 構造体：要素別の時刻

暦時刻 time_t 型は、コンピュータにとって計算しやすい算術型の数値であって、私たち人間が直感的に理解できるものではありません。そこで、人間にとって理解しやすい**要素別の時刻**（broken-down time）と呼ばれる **tm 構造体型**が、もう一つの時刻の表現法として提供されます。

右ページに示すのが、その tm 構造体の定義の一例です。年・月・日・曜日などの日付や時刻に関する要素をメンバとしてもちます（各メンバが表す値は、注釈として記入しています）。

tm 構造体

```
struct tm {             // 定義の一例：処理系によって異なる
    int tm_sec;         // 秒 (0〜60)
    int tm_min;         // 分 (0〜59)
    int tm_hour;        // 時 (0〜23)
    int tm_mday;        // 日 (1〜31)
    int tm_mon;         // 1月からの月数 (0〜11)
    int tm_year;        // 1900年からの年数
    int tm_wday;        // 曜日：日曜〜土曜 (0〜6)
    int tm_yday;        // 1月1日からの日数 (0〜365)
    int tm_isdst;       // 夏時間フラグ
};
```

※ この定義は一例であり、メンバの宣言順序などの細かい点は処理系に依存します。

- メンバ `tm_sec` の値の範囲が 0 〜 59 ではなく 0 〜 60 となっています。これは、閏(うるう)秒が考慮されているためです（標準C第1版では 0 〜 61 でした）。
- メンバ `tm_isdst` の値は、夏時間が採用されていれば正、採用されていなければ 0、その情報が得られなければ負です（夏時間とは、夏期に 1 時間ほど時刻をずらすことであり、現在の日本では採用されていません）。

▪ localtime 関数：暦時刻から地方時要素別の時刻への変換

暦時刻の値を、地方時要素別の時刻に変換するのが ***localtime* 関数**です。

この関数の動作イメージを、**Fig.1C-5** に示しています。単一の算術型の暦時刻の値をもとにして、構造体の各メンバの値を計算して設定します。

なお、*localtime* という名前が示すとおり、変換によって得られるのは**地方時**（日本国内用に設定されている環境では日本の時刻）です。

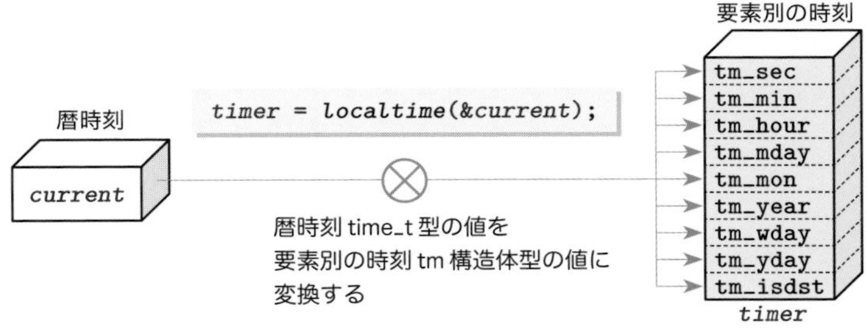

Fig.1C-5 localtime 関数による暦時刻から要素別の時刻への変換

それでは、プログラム全体を理解していきましょう。

1 現在の時刻を *time* 関数を用いて **`time_t` 型**の**暦時刻**として取得します。

2 その値を**要素別の時刻**である **`tm` 構造体型**の値に変換します。

3 要素別の暦時刻を西暦で表示します。その際、`tm_year` には 1900 を、`tm_mon` には 1 を加えます。曜日を表す `tm_wday` は、日曜日から土曜日が 0 から 6 に対応しているため、配列 `wday_name` を利用して文字列 "日"、"月"、… 、"土" に変換します。

第２章

型と処理系特性

　負の値の符号付き整数 -1 が、正の値の符号無し整数 1U より小さいかどうかの判定を行う

　　−1 < 1U

の判定結果が《偽》となることを知っていますか。

　本章では、式の評価、真偽の判定、プログラムの流れの制御、型変換、符号付き整数と符号無し整数の内部などの深奥を学習します。

　最後の節では、処理系特性ライブラリを自動生成するプログラムの開発を行います。

2-1 知らないではすまない型変換

符号付き整数の –1 が符号無し整数の 1U より小さいと判定されることを知っていますか。本節では、関係式、if 文、型変換などについて深く学習していきます。

–1 は 1 より大きい?

Bさんから、次のような質問をいただきました。

重大なバグにもつながりかねない現象が発生しています。

`-1 < 1U`

の判定を行うと《偽》になります。どうやら、

`int` 型の負値 `<` `unsigned int` 型の正値

の判定結果が《偽》となっているようです。

`if` 文や条件式の判定は、`int` 型に変換された上で行われますので、右辺の値が `int` 型の表現可能な最大値を超えない限り《真》になるはずですが。これは、私の勘違いでしょうか。それとも、私の利用しているコンパイラのバグなのでしょうか。

思いがけない挙動に驚いたBさんは、**List 2-1** のプログラムを作成して、その動作を確認されたとのことです。

List 2-1 chap02/compare1.c

```
// 符号付き整数と符号無し整数の比較
#include <stdio.h>

int main(void)
{
    int      m1 = -1;   // 符号付き整数
    unsigned p1 =  1;   // 符号無し整数

    printf("m1 < p1      ⇔ -1 < 1U      は %s\n", m1 < p1      ? "真" : "偽");

    printf("m1 < (int)p1 ⇔ -1 < (int)1U は %s\n", m1 < (int)p1 ? "真" : "偽");

    return 0;
}
```

実行結果

```
m1 < p1      ⇔ -1 < 1U      は 偽
m1 < (int)p1 ⇔ -1 < (int)1U は 真
```

▶ `signed` あるいは `unsigned` の型指定子を伴わない `short` 型、`int` 型、`long` 型、`long long` 型は、符号付き整数型となります（たとえば、単なる `int` 型は、`signed int` 型のことです）。

符号付き `int` 型変数 *`m1`* の値は `-1` で、符号無し `unsigned int` 型変数 *`p1`* の値は `1` です。

最初の条件式 *`m1 < p1`* は、問題が発生した判定の挙動を確認するものであり、その判定結果は**偽**であることが実行結果からも分かります。

２番目の条件式 *`m1 < (int)p1`* は、`unsigned int` 型の変数 *`p1`* を `int` 型にキャストした上で比較しています。その判定結果が**真**となることは実行結果からも確認できます。

なお、-1 と 1 ではなくて、-5 や 100 などに変更しても結果は変わりません。

Fig.2-1 に示す関係が成立することが分かります。

int 型の負値 < unsigned int 型の正値	⇨ 偽
int 型の負値 < int 型の正値	⇨ 真

Fig.2-1　符号付き／無し整数の大小関係

if 文の評価

プログラムの２番目の条件式と、『判定は、int 型に変換された上で行われますので…』との文面を合わせて考えると、Bさんは、『if 文の制御式の判定や条件式の判定では、両辺の値が int 型に変換された上で評価される。』と考えていらっしゃるようです。

▶　式の**評価**については、Column 2-2（p.47）で詳しく学習します。

しかし、それは**誤り**です。二つの浮動小数点値の比較を行う if 文を考えましょう。

```
if (3.14 < 3.21)
```

もし仮に、不等号の左右の式が int 型に変換された上で評価されるのであれば、次のように比較が行われて偽と判定されてしまいます。

```
if ((int)3.14 < (int)3.21)              // if (3 < 3)とみなされる？
```

これは、おかしいですね。

問題解決のために、いくつかのポイントに分けて学習していきます。それは、**関係式**に関すること、**if 文の制御式**と**条件式**に関すること、**型変換**に関することです。

Column 2-1　演算子とオペランド

プログラミング言語の世界では、+ や - などの演算を行う記号は**演算子**（operator）と呼ばれ、演算の対象となる式は**オペランド**（operand）と呼ばれます。

たとえば、加算を行う式

```
a + b
```

において、演算子は + であって、オペランドは a と b の２個です。

このように２個のオペランドをもつ演算子を**２項演算子**（binary operator）と呼びます。C言語の演算子には、２項演算子以外に、**単項演算子**（unary operator）と**３項演算子**（ternary operator）とがあります。二つの記号 ? と : を利用する**条件演算子**は、唯一の３項演算子です。

各演算子には、適切な**優先順位**（precedence）が与えられています。

たとえば、乗除を行う * と / が、加減を行う + や - より優先順位が高いのは、私たちが実生活で使う数学での規則と同じです。そのため、a + b * c は、(a + b) * c ではなく、a + (b * c) と解釈されます。すなわち、+ のほうが先に（左側に）置かれているにもかかわらず、優先順位の高い * の演算が優先されます。

関係演算子と関係式／等価演算子と等価式

オペランドの大小関係を判定する**関係演算子**（relational operator）には、<、>、<=、>=の４種類があります。いずれも２項演算子（**Column 2-1**：前ページ）であって、この演算子を利用した"α < β"形式の式は、**関係式**（relational expression）と呼ばれます。

関係式は、どのような値となるのでしょう。ここでは、二つのdouble型変数xとyが右のように宣言されているとして、次の関係式を考えましょう。真と偽が得られるように感じられます。

```
double x = 15.7;
double y = 32.8;
```

```
x < y          // 真：成立
x > y          // 偽：不成立
```

その**真と偽は、次のように数値として扱われます。**

重要 C言語では、0を偽とみなし、0以外の値を真とみなす。

すなわち、5でも-32でも3.14でも、とにかく0以外の値は**すべて真**です。

とはいえ、関係式を**評価**した結果が、5や-32や3.14といったバラバラの値となっては困ります。そこで、次のように決められています。

- 大小関係の判定を行った結果が成立すれば、int型の1となる。
- 大小関係の判定を行った結果が成立しなければ、int型の0となる。

Fig.2-2に示すのが、評価の具体例です。

式xの評価：double型の15.7が得られる
式yの評価：double型の32.8が得られる
式x < yの評価：int型の1が得られる

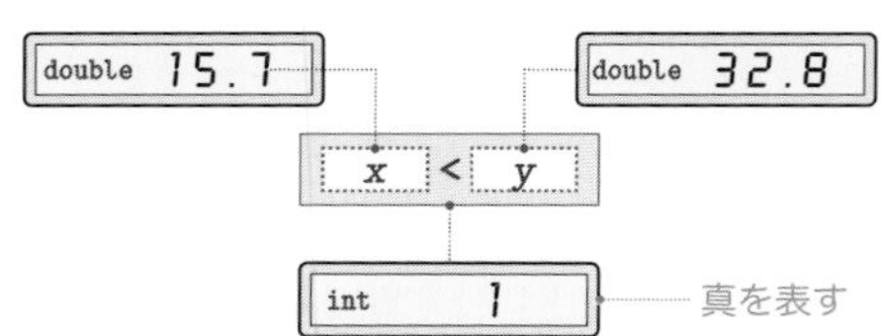

Fig.2-2　関係式を評価した値

さて、関係演算子に関しては、次の質問を何度もいただきました。

『bがaより大きく かつ cより小さいか』を、a < b < cと判定しても、うまくいきません。どうしてでしょうか。

関係演算子は**左結合性**をもつ２項演算子ですから、式a < b < cは(a < b) < cと解釈されます。式a < bの評価で得られるのが1か0ですから、式a < b < cを評価した値は、次のようになります。

- aがbより小さいとき… 1 < cすなわちcが1より大きければ1、そうでなければ0。
- aがb以上のとき　　… 0 < cすなわちcが0より大きければ1、そうでなければ0。

正しい判定は、a < b && b < cです。

なお、**等価演算子**（equality operator）と呼ばれる == 演算子と != 演算子も同様です。

等価式の評価で得られるのは、判定が成立すれば int 型の 1 で、そうでなければ int 型の 0 です。

List 2-2 のプログラムを実行して、6個の演算子が生成する値を確認しましょう。

List 2-2 chap02/evaluation.c

```
// 関係式と等価式を評価した値を表示
#include <stdio.h>

int main(void)
{
    int x, y;

    printf("x : ");  scanf("%d", &x);
    printf("y : ");  scanf("%d", &y);

    printf("x <  y : %d\n", x <  y);
    printf("x <= y : %d\n", x <= y);
    printf("x >  y : %d\n", x >  y);
    printf("x >= y : %d\n", x >= y);
    printf("x == y : %d\n", x == y);
    printf("x != y : %d\n", x != y);

    return 0;
}
```

実行例

```
x : 12
y : 7
x <  y : 0
y <= y : 0
x >  y : 1
x >= y : 1
x == y : 0
x != y : 1
```

演算子は値を返さない

さて、int 型の x が 12 で y が 7 であれば、関係式 x < y の評価で 0 が得られます。

これは、加算を行う式 x + y で 19 が得られるのと同じ理屈です。

書籍やサイトなどで、『x < y が 0 を返す』とか『x + y が 19 を返す』といった表現を見かけます。

関数であれば、呼び出されますし、そこから戻ってくる際に値が返されます。しかし、演算子は決して呼び出されません。

『演算子が値を返す』という表現は、完全な誤りです（標準Cでも、そのような表現は一切使われていません）。

▶ 日本では、多くのプログラマが、**評価**という極めて重要で基礎的な言葉すら知らない上に、『演算子が値を**返す**』と思い込んでいます。極めて大きな問題であると感じています。

Column 2-2 式と評価

C言語での**式**（expression）は、（正確な定義ではありませんが）次のものの総称です。

- 変数
- 定数
- 変数や定数を演算子で結合したもの

ここで、次の代入を考えましょう。

```
x = n + 52
```

代入演算子の右オペランド n + 52 に着目すると、変数 n、整数定数 52、それらを + 演算子で結んだ n + 52 の三つすべてが式です。もちろん、全体の x = n + 52 も式です。

一般に、○○**演算子**によって結合された式は、○○**式**と呼ばれます。そのため、代入演算子によって x と n + 52 が結び付けられた式 x = n + 52 は、**代入式**（assignment expression）です。

原則として、すべての式には**値**があります（特別な型である void 型の式だけは、例外的に値がありません）。その値は、プログラム実行時に調べられます。

式の値を調べることを**評価**（evaluation）といいます。**各式が次々と評価されることによって、プログラムが実行されるのです。**

左ページの **Fig.2-2** は、評価の具体的なイメージでした。本書では、ディジタル温度計のような図で評価値を示しています。左側の小さな文字が**型**で、右側の大きな文字が**値**です。

if 文の制御式と条件式

次は、判定とプログラムの流れの制御について検討します。変数 *n* に読み込んだ整数値が 0 であるかどうかの判定を行って、その結果を表示する **List 2-3** のプログラムで考えましょう。

List 2-3 chap02/if1.c

```
// 単純な制御式をもつif文の例
#include <stdio.h>

int main(void)
{
    int n;

    printf("nの値：");
    scanf("%d", &n);

    if (n)
        puts("0でない。");
    else
        puts("0である。");

    return 0;
}
```

実行例

```
1 nの値：15
  0でない。
2 nの値：0
  0である。
```

chap02/if1a.c

```
if (n != 0)
    puts("0でない。");
else
    puts("0である。");
```

chap02/if1b.c

```
if (n == 0)
    puts("0である。");
else
    puts("0でない。");
```

Fig.2-3 等価演算子を用いた別解

プログラムの流れを制御するために ( ) の中に置かれるのが**制御式**です。制御式は、関係式や等価式でなくても構いません。事実、本プログラムでは単なる *n* となっています。

もちろん、制御式がどのような式であっても、その評価で得られた値が 0 でなければ真とみなされ、0 であれば偽とみなされた上で、**プログラムの流れが制御されます。**

なお、**Fig.2-3** は等価演算子で実現した if 文ですが、プログラムが長くなります。

＊

さて、次に示す質問も、これまで何度もいただきました。

> **a と b の等価性を判定する if (a == b) を if (a = b) に書き間違えることがあります。if 文の条件判定で《代入》を行う文がエラーとならないのはどうしてですか。**

右ページの **List 2-4** で考えていきましょう。式 a = b は、等価式ではなく**代入式**であり、**代入式の評価で得られるのは、代入後の左オペランドの型と値です。**

プログラムの if 文は、a に b を代入して、代入後の左オペランド a の値が非 0 であるかどうかの判断を行っているわけですから、プログラムの流れは次のようになります。

■ 変数 b の値が 0 でないとき（実行例1）

変数 a に 0 ではない値が代入され、代入式 a = b を評価した値も 0 以外の値となります。最初の *printf* 関数が呼び出されるため、**##** のほうが表示されます。

■ 変数 b の値が 0 であるとき（実行例2）

変数 a に 0 が代入されますので、代入式 a = b を評価した値も 0 となります。後ろ側の *printf* 関数が呼び出されるため、**$$** のほうが表示されます。

List 2-4　chap02/if_assign.c

```
// 制御式が代入式となっているif文の例

#include <stdio.h>

int main(void)
{
    int a, b;

    printf("aの値：");   scanf("%d", &a);
    printf("bの値：");   scanf("%d", &b);

    if (a = b)
        printf("## a = %d\n## b = %d\n", a, b);
    else
        printf("$$ a = %d\n$$ b = %d\n", a, b);

    return 0;
}
```

実行例

```
①  aの値：7
    bの値：5
    ## a = 5
    ## b = 5

②  aの値：7
    bの値：0
    $$ a = 0
    $$ b = 0
```

if (a = b) 文　⇔ほぼ同じ⇔　a = b; if (a) 文

Fig.2-4　制御式が代入式となっているif文

Fig.2-4 のように理解するとよいでしょう。

エラーとならないのは、構文的に正しいからです（ただし多くの処理系はタイプミスの可能性を警告します）。

さて、『**a** と **b** の両方が **0** であるかどうか』の判定を、初心者が右のように実現するのを何度も見てきました（"**chap02/if2.c**"）。

```
if (a = b = 0) 文
```

単純代入演算子 **=** は右結合性ですから、制御式は **a = (b = 0)** と解釈されます。

まず **b** に **0** が代入されますので、代入式 **b = 0** を評価した値は **0** となります。その **0** が **a** に代入されますので、代入式 **a = 0** を評価した値も **0** となります。したがって、**文が実行されることはありません**。この **if** 文は、代入のみを行う **a = b = 0;** と同じです。

正しい判定は、**a == 0 && b == 0** です。

if 文の制御式を考えてきました。演算子 **? :** を使う**関係式**も、評価については同様です。

_Bool 型と bool 型

標準Cの第2版では、**真**と**偽**を表すための **_Bool 型**が導入されました。真と偽を **1** と **0** の2値で表す**符号無し整数型**です。

たとえば、次の宣言だと、**_Bool** 型の変数 **b** が **1** で初期化されます。

```
_Bool b = 5 > 3;          // 関係式5 > 3は成立するので変数bは1で初期化される
```

なお、**<stdbool.h> ヘッダ**をインクルードすることで、型名として **bool** が利用できるようになるとともに、偽と真を **false** と **true** で表せるようになります。

▶ ヘッダをインクルードしなければ、**bool**、**false**、**true** は使えません。標準Cの第2版が制定される以前に多くのプログラマによって作られてきたソースコード（プログラマによって定義された ***bool***、***true***、***false***）に影響を与えないように配慮されています。

　ただし、標準Cの第5版からは、ヘッダのインクルードを行うことなく、**bool**、**false**、**true** が使えるようになります。

暗黙の型変換

さて、“-1 < 1U” の判定が偽となるのは、“関係式 -1 < 1U を評価した値が 0 になる” ためですが、どうしてそうなるのでしょうか。

実は、異なる型の式の演算では、特定の規則が適用されます。基本に戻って、型が異なるオペランドの加算を考えましょう。

```
5 + 31.6            // int + double
```

Fig.2-5 に示すように、左側の int 型オペランドを double 型へと格上げする**暗黙の型変換**（implicit conversion）が適用された上で加算が行われます。

すなわち、次に示す演算と等価です。

```
(double)5 + 31.6     // double + double
```

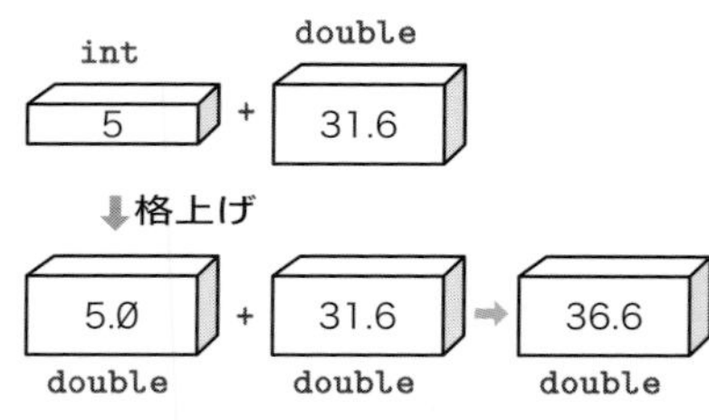

Fig.2-5 演算における暗黙の型変換

double 型どうしの加算ですから、その演算結果も double 型です。もちろん、5.0 + 31.6 の演算で生成されるのは、double 型の 36.6 です。

ここまで加算を考えましたが、減算や乗算であっても、まったく同様です。

演算の際には、暗黙の型変換が（こっそりと）行われることがありますので、気をつけねばなりません。

▶ 暗黙の型変換とは対照的に、キャスト演算子 () を適用した型変換は、**明示的な型変換**（explicit conversion）と呼ばれます。

Column 2-3 演算子の結合性

ここでは、演算子の**結合性**（associativity）について学習します。

たとえば、二つのオペランドを要する2項演算子を○と表した場合、式 a ○ b ○ c が

(a ○ b) ○ c　　　　**左結合**

とみなされるのが左結合の演算子であり、

a ○ (b ○ c)　　　　**右結合**

とみなされるのが右結合の演算子です。すなわち、同じ優先度の演算子が並んでいるときに、左右どちらの演算が結び付けられるのかを示すのが結合性です。

たとえば、減算を行う2項 - 演算子は左結合ですから、

5 - 3 - 1 ➡ (5 - 3) - 1　　　**左結合**

です。もしも、右結合だったら、5 - (3 - 1) と解釈され、答えも違うものとなってしまいます。代入を行う単純代入演算子 = は右結合ですから、次のようになります。

a = b = 1 ➡ a = (b = 1)　　　**右結合**

通常の算術変換

加算 `a + b` でも、比較 `a < b` でも、左右のオペランドの型が異なるときは、公平性を確保するために、それらのオペランドが同じ土俵にあげられた上で演算されます。

二つのオペランドが共通の型となるように適用されるのが、Fig.2-6 に示す**通常の算術変換**（usual arithmetic conversion）という規則です。

前ページで例にあげた、`int`型と`double`型の加算`5 + 31.6`で適用されるのは、ⓑの規則です。

ⓐ 一方のオペランドが `long double` 型であれば、他方のオペランドを `long double` 型に型変換する。

ⓑ そうでない場合、一方のオペランドが `double` 型であれば、他方のオペランドを `double` 型に型変換する。

ⓒ そうでない場合、一方のオペランドが `float` 型であれば、他方のオペランドを `float` 型に型変換する。

ⓓ そうでない場合、整数拡張を両オペランドに対して行い、拡張後のオペランドに次の規則を適用する。

1. 両方のオペランドが同じ型をもつ場合、それ以上の型変換は行わない。
2. そうでない場合、両方のオペランドが符号付き整数型をもつ、あるいは両方のオペランドが符号無し整数型をもつならば、整数変換順位の低い方の型を、高い方の型に変換する。
3. そうでない場合、符号無し整数型をもつオペランドが、他方のオペランドの整数変換順位より高いまたは等しい順位をもつならば、符号付き整数型をもつオペランドを、符号無し整数型をもつオペランドの型に変換する。
4. そうでない場合、符号付き整数型をもつオペランドの型が、符号無し整数型をもつオペランドの型のすべての値を表現できるならば、符号無し整数型をもつオペランドを、符号付き整数型をもつオペランドの型に変換する。
5. そうでない場合、両方のオペランドを、符号付き整数型をもつオペランドの型に対応する符号無し整数型に変換する。

浮動小数点型のオペランドの値および式の結果の値を、型が要求する精度や範囲を超えて表現してもよい。ただし、それによって型が変わることはない。

Fig.2-6 通常の算術変換

Bさんが直面した問題は、ⓓの**整数拡張**（integer promotion）と関わっています。

次節では、符号付き整数と符号無し整数の基本にいったん戻り、それから整数間の型変換について学習していきましょう。

2-2 符号付き整数と符号無し整数

整数の内部は、符号付きであっても、符号無しであっても、0と1を用いた固定基数記数法である純2進記数法によって表されます。

符号無し整数の内部表現

符号無し整数は、2進表現をそのままビットに対応させて表現されます。たとえば、10進数の25は2進数の11001ですから、**Fig.2-7**に示すように、上位側のビットすべてを0で埋めつくした0000000000011001が内部表現となります。

▶ ここでは、unsigned型の値が16ビットで表現されるとして考えました。

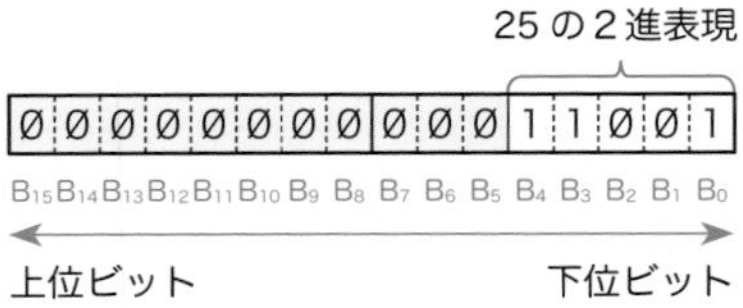

25の2進表現

0	0	0	0	0	0	0	0	0	0	0	1	1	0	0	1
B_{15}	B_{14}	B_{13}	B_{12}	B_{11}	B_{10}	B_9	B_8	B_7	B_6	B_5	B_4	B_3	B_2	B_1	B_0

上位ビット　下位ビット

Fig.2-7 符号無し整数の一例

nビットの符号無し整数の各ビットを、下位側からB_0、B_1、B_2、…、B_{n-1}と表すと、そのビットの並びによって表現される整数値は、次の式で得られます。

$$B_{n-1} \times 2^{n-1} + B_{n-2} \times 2^{n-2} + \cdots + B_1 \times 2^1 + B_0 \times 2^0$$

たとえば、ビット構成が0000000010101011の整数は、

$$0\times2^{15} + 0\times2^{14} + \cdots + 0\times2^{8} + 1\times2^{7} + 0\times2^{6} + 1\times2^{5} + 0\times2^{4} + 1\times2^{3} + 0\times2^{2} + 1\times2^{1} + 1\times2^{0}$$

であり、その値は10進数での171です。

なお、最下位から*pos*個上位に位置するB_{pos}ビットのことを、『第*pos*ビット』と呼びます。

Column 2-4 整数型で表現できる最小値と最大値

<limits.h>ヘッダでは、各整数型の最小値・最大値を表すマクロが定義されています。ここに示すのは一例であり、具体的な値は処理系に依存します。

```
#define UCHAR_MAX    255U                     // unsigned charの最大値

#define SCHAR_MIN    -127                     // signed charの最小値
#define SCHAR_MAX    +127                     // signed charの最大値

#define CHAR_MIN     0                        // charの最小値
#define CHAR_MAX     UCHAR_MAX                // charの最大値

#define SHRT_MIN     -32767                   // shortの最小値
#define SHRT_MAX     +32767                   // shortの最大値

#define INT_MIN      -32767                   // intの最小値
#define INT_MAX      +32767                   // intの最大値

#define LONG_MIN     -2147483647L             // longの最小値
#define LONG_MAX     +2147483647L             // longの最大値

#define LLONG_MIN    -9223372036854775807LL   // long longの最小値
#define LLONG_MAX    +9223372036854775807LL   // long longの最大値

#define USHRT_MAX    65535U                   // unsigned shortの最大値
#define UINT_MAX     65535U                   // unsignedの最大値
#define ULONG_MAX    4294967295UL             // unsigned longの最大値
#define ULLONG_MAX   18446744073709551615ULL  // unsigned long longの最大値
```

整数型が占有する記憶域のビット数は、多くの処理系で、8、16、32、… と 8 の倍数です。

それらのビット数で符号無し整数が表現可能な最小値と最大値の一覧が **Table 2-1** です。

Table 2-1　符号無し整数の表現範囲

ビット数	最小値	最大値
8	0	255
16	0	65535
32	0	4294967295
64	0	18446744073709551615

たとえば、`unsigned int` 型が 16 ビットであれば、`0` から `65535` までの 65,536 種類の数値が表現できます。その範囲の数値とビット構成の対応を示したのが、**Fig.2-8** です。

最小値 `0` は全ビットが `0` であり、最大値 `65535` は全ビットが `1` です。

一般に、n ビットの符号無し整数で表現できる数値は、`0` から 2^n - 1 までの 2^n 種類です。

▶　これは、n 桁の 10 進数で、`0` から 10^n - 1 までの 10^n 種類を表現できる（たとえば、3桁までの 10 進数で、`0` から `999` までの 1,000 種類を表現できる）のと同じ理屈です。

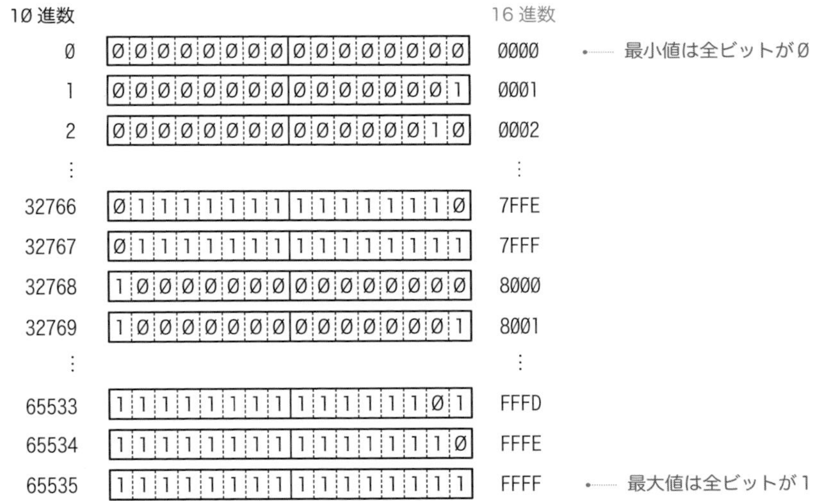

Fig.2-8　16 ビットの符号無し整数の値と内部表現のビット

▶　符号無し整数の演算では、演算結果が表現範囲を超えてもオーバフローのエラーが発生しません。

たとえば、`unsigned` 型の表現範囲の上限が `65535` であるときに、`30000U + 40000U` の加算を行っても実行時エラーが発生することはありません。

というのも、符号無し整数の演算結果が表現可能な範囲を超えた場合、**その型で表現できる最大値に 1 を加えた値で割った剰余が演算結果となる**という規則があるからです。

たとえば、次のようになります（`unsigned` で表現できる最大値が `65535` であるとします）。

- 数学的な演算結果が `65536` であれば、プログラムとしての演算結果は `0` となる。
- 数学的な演算結果が `65537` であれば、プログラムとしての演算結果は `1` となる。
- 数学的な演算結果が `65538` であれば、プログラムとしての演算結果は `2` となる。

符号無し整数型の演算では、最小値から最大値までの値が順繰りに循環的に使われます。

符号付き整数の内部表現

符号付き整数の内部表現には、**2の補数表現**、**1の補数表現**、**符号と絶対値表現**の3種類があり、どれを採用するのかが処理系にゆだねられています（**Column 2-8**：p.63）。

3種類の表現法の共通点は、**Fig.2-9** に示すように、**最上位ビットで符号を表す**ことです。

その**符号ビットは**、数値が負であれば **1** として、非負であれば **0** とします。

符号ビット以外のビットの意味が、内部表現の種類によって異なります。

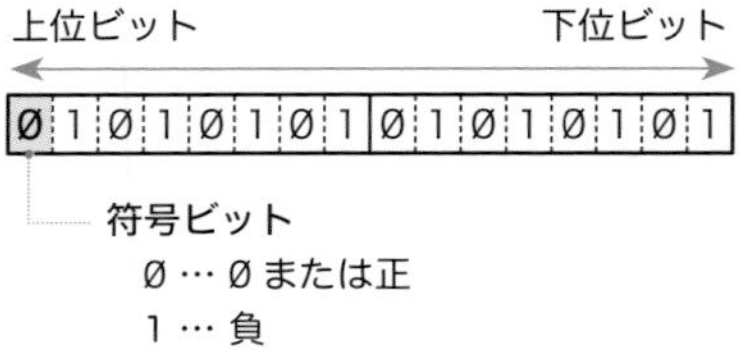

上位ビット　　下位ビット

0 1 0 1 0 1 0 1 0 1 0 1 0 1 0 1

符号ビット
0 … 0または正
1 … 負

Fig.2-9　符号付き整数の内部表現

Fig.2-10 を見ながら理解していきましょう。

全ビットが **0** のパターンから、全ビットが **1** のパターンまでが順に並べられています。

0 と正の値を表現するのが［点線枠］で囲んだ部分です。この範囲の数値の内部表現は、3種類の表現法で共通です（さらに、符号無し整数型とも共通です）。

	ビット	a 2の補数	b 1の補数	c 符号と絶対値
0と正の内部表現はすべて共通	0000000000000000	0	0	0
	0000000000000001	1	1	1
符号無し整数型とも共通	0000000000000010	2	2	2
	0000000000000011	3	3	3
		⋮	⋮	⋮
	0111111111111110	32766	32766	32766
	0111111111111111	32767	32767	32767
負値の内部表現は内部表現法ごとに異なる	1000000000000000	-32768	-32767	-0
	1000000000000001	-32767	-32766	-1
	1000000000000010	-32766	-32765	-2
	1000000000000011	-32765	-32764	-3
		⋮	⋮	⋮
	1111111111111010	-6	-5	-32762
	1111111111111011	-5	-4	-32763
	1111111111111100	-4	-3	-32764
	1111111111111101	-3	-2	-32765
	1111111111111110	-2	-1	-32766
	1111111111111111	-1	-0	-32767

Fig.2-10　16ビットの符号付き整数の値と内部表現のビット

負の値を表現するのが ⬚ で囲んだ部分であり、この範囲が表現法によって異なります。

▶ **1の補数表現と符号と絶対値表現**で"-0"としているビットパターンの扱いも、処理系によって異なります（数値の-0とみなさない処理系もあるため、このパターンを使うべきではありません）。

▪ 2の補数表現（2's complement representation）

Table 2-2 に示すように、ビット数が n であれば、-2^{n-1} から $2^{n-1}-1$ までの値を表せる表現法です。

`int` 型（すなわち `signed int` 型）が 16 ビットであれば、**-32768** ～ **32767** の 65,536 種類を表現できます。図**a**の ⬚ 内の並びは、先頭から順に **-32768** から **-1** までに対応します。

▶ この内部表現での値は、次のようになります。

$$-B_{n-1} \times 2^{n-1} + B_{n-2} \times 2^{n-2} + \cdots + B_1 \times 2^1 + B_0 \times 2^0$$

▪ 1の補数表現（1's complement representation）

Table 2-3 に示すように、ビット数が n であれば、$-2^{n-1}+1$ から $2^{n-1}-1$ までの値を表せる表現法です（2の補数表現よりも1個少なくなります）。

そのため、`int` 型が 16 ビットであれば、**-32767** ～ **32767** の 65,535 種類の数を表現でき、図**b**の ⬚ 内の並びは、先頭から順に **-32767** ～ **-0** に対応します。

▶ この内部表現での値は、次のようになります。

$$-B_{n-1} \times (2^{n-1}-1) + B_{n-2} \times 2^{n-2} + \cdots + B_1 \times 2^1 + B_0 \times 2^0$$

▪ 符号と絶対値表現（sign and magnitude representation）

表せる数値の範囲は、1の補数表現と同じです（**Table 2-3**）。図**c**の ⬚ 内の並びは、先頭から順に **-0** ～ **-32767** となります。

▶ この内部表現での値は、次のようになります。

$$(1 - 2 \times B_{n-1}) \times (B_{n-2} \times 2^{n-2} + \cdots + B_1 \times 2^1 + B_0 \times 2^0)$$

6-4 節では、符号付き整数型の内部表現を、**0** と **1** が並んだ文字列に変換するライブラリを作成します。

Table 2-2 符号付き整数型の表現範囲の一例（2の補数）

ビット数	最小値	最大値
8	-128	127
16	-32 768	32 767
32	-2 147 483 648	2 147 483 647
64	-9 223 372 036 854 775 808	9 223 372 036 854 775 807

Table 2-3 符号付き整数型の表現範囲の一例（1の補数／符号と絶対値）

ビット数	最小値	最大値
8	-127	127
16	-32 767	32 767
32	-2 147 483 647	2 147 483 647
64	-9 223 372 036 854 775 807	9 223 372 036 854 775 807

整数拡張

文字型と整数型の型変換は、思わぬ結果を生み出すことがあります。まずは、**List 2-5** のプログラムを例に考えます。

▶ 実行結果の*斜め文字*の値は char 型のビット数などに依存します。

List 2-5　chap02/uchar_int.c

```
// unsigned charとintの演算
#include <stdio.h>
#include <limits.h>

int main(void)
{
    // 符号無しcharの最大値
    unsigned char ch = UCHAR_MAX;

    printf("chの値は%dです。\n", ch);

    int x = ch + 1;

    printf("\nx = ch + 1;\n");
    printf("xの値は%dです。\n", x);

    x = ++ch;

    printf("\nx = ++ch;\n");
    printf("xの値は%dです。\n", x);

    return 0;
}
```

実行結果一例

```
chの値は255です。

x = ch + 1;
xの値は256です。

x = ++ch;
xの値は0です。
```

変数 *ch* が、unsigned char 型で表現可能な最大値 UCHAR_MAX で初期化されています（もし char 型が 8 ビットであれば 255 です）。

ch の値を表示した後に行われる *ch* + 1 の演算では、unsigned char 型の *ch* と、int 型の 1 との加算が行われます。

ここで適用されるのが、Fig.2-11 に示す**整数拡張**（integer promotion）です。

char 型と int 型のビット数が等しくない限り、unsigned char 型のすべての値は、int 型でも表現できますから、**整数拡張**によって、*ch* の値は int 型に変換されます。

そのため、次のように解釈されて、*x* は 256 で初期化されます。

```
int x = (int)ch + 1;          // x = 255 + 1
```

値を表示した後に行われる *x* への代入では、まず右オペランド ++*ch* の評価が行われます。増分演算子 ++ の定義により、"++*ch*" は、"*ch* = *ch* + 1" の代入と等価です。

この代入式の右オペランド *ch* + 1 は unsigned char 型と int 型の加算ですから、ここでも**整数拡張**が適用されます。

```
ch = (int)ch + 1          // ch = 255 + 1
```

その結果、255 + 1 すなわち 256 が求められて *ch* に代入されます。

> int 型もしくは unsigned int 型を使用してもよい式の中では、『それらの型よりも低い整数型のオブジェクトあるいは式』、『_Bool 型、int 型、signed int 型、unsigned int 型のビットフィールド』を使用できる。
> いずれの場合も、もとの型のすべての値を int 型で表現できるならば、値を int 型に変換し、それ以外は unsigned int 型に変換する。
> ※ 整数拡張は、符号を含めてその値を変えない。

Fig.2-11 整数拡張

符号付き整数と符号無し整数間の型変換

求められた値256は、代入先*ch*の型である`unsigned char`型の表現範囲を超えます。そのため、`int`型の値を`unsigned char`型へと**格下げ**する変換が行われます。

符号付き整数型と符号無し整数型の間での型変換の規則をFig.2-12に示しています。

> 整数型の値を、`_Bool`型以外の他の整数型に変換する場合、その値が変換後の型で表現可能ならば、値は変化しない。
>
> 変換後の型で表現できない場合、変換後の型が符号無し整数型であれば、変換後の型で表現できる最大の数に1加えた数を加えることまたは減じることを、新しい型の範囲に入るまで繰り返すことによって得られる値に変換する。
>
> そうでない場合、すなわち、変換後の型が符号付き整数型であって、値がその型で表現できない場合は、結果が処理系定義の値となるか、あるいは、処理系定義のシグナルを生成するかのいずれかとする。

Fig.2-12 符号付き整数と符号無し整数間の型変換

この代入では、水色部の規則が適用されます。そのため、変換後の値256から、`unsigned char`型の最大値である255に1を加えた値である256を引いた値である`0`に調整されて*ch*に代入されます。

代入式`x = ++ch`では、インクリメント後の*ch*の値`0`が`x`に代入されるため、最終的には、変数*ch*と`x`の両方が`0`となります。

Column 2-5　浮動小数点型と整数型間の型変換

浮動小数点型と整数型の型変換を行う際の規則をFig.2C-1に示します。

> 浮動小数点型の値を、`_Bool`型以外の整数型に型変換する場合、小数部は切り捨てる。整数部の値が整数型で表現できなければ、その動作は定義されない。
> 変換する値が変換後の型で正確に表現できれば、その値は変わらない。変換する値が表現しうる値の範囲内にあるが正確に表現できないならば、その値より大きく最も近い表現可能な値、あるいは、その値より小さく最も近い表現可能な値のいずれかを処理系定義の方法で選ぶ。変換する値が表現できる値の範囲外にある場合の動作は定義されない。

Fig.2C-1 浮動小数点型と整数型間の型変換

別の変換が行われる例を、**List 2-6** のプログラムで考えていきましょう。

変数 *ch* が、signed char 型の最大値 CHAR_MAX で初期化されています。char 型が 8 ビットであれば、その値は 127 です。

ch の値を表示した後に行われる *ch* + 1 を考えましょう。

signed char 型のすべての値は int 型で表現できるため、**整数拡張**によって *ch* の値は int 型へと変換されます。そのため、

```
int x = (int)ch + 1; // x = 127 + 1
```

と解釈されて、*x* は 128 で初期化されます。

その後の ++*ch* は、

```
ch = (int)ch + 1      // ch = 127 + 1
```

とみなされて、127 + 1 すなわち 128 が *ch* に代入されます。

もっとも、この値は signed char 型の表現範囲を超えますので、int 型の値を signed char 型へと**格下げ**する変換が行われます。

その際に適用されるのは、前ページの **Fig.2-12** に示した灰色部の規則です。

そのため、最終的な *ch* と *x* の値は、**処理系によって異なる**ことになります。

▶ 処理系によっては、実行時エラーとなってプログラムが強制終了する可能性もあります。

List 2-6 chap02/schar_int.c

```
// signed charとintの演算

#include <stdio.h>
#include <limits.h>

int main(void)
{
    // 符号付きcharの最大値
    signed char ch = CHAR_MAX;

    printf("chの値は%dです。\n", ch);

    int x = ch + 1;

    printf("\nx = ch + 1;\n");
    printf("xの値は%dです。\n", x);

    x = ++ch;

    printf("\nx = ++ch;\n");
    printf("xの値は%dです。\n", x);

    return 0;
}
```

実行結果一例

```
chの値は127です。
x = ch + 1;
xの値は128です。
x = ++ch;
xの値は0です。
```

Column 2-6 浮動小数点型間の型変換

浮動小数点型間の型変換を行う際の規則を **Fig.2C-2** に示します。

float 型を double 型もしくは long double 型に拡張する場合、または double 型を long double 型に拡張する場合、その値は変化しない。
double 型を float 型に変換する場合、または long double 型を double 型もしくは float 型に変換する場合、変換する値が変換後の型で正確に表現できれば、その値は変わらない。変換する値が表現しうる値の範囲内にあるが正確に表現できないならば、その値より大きく最も近い表現可能な値、あるいは、その値より小さく最も近い表現可能な値のいずれかを処理系定義の方法で選ぶ。変換する値が表現できる値の範囲外にある場合の動作は定義されない。

Fig.2C-2 浮動小数点型間の型変換

符号付き整数と符号無し整数間の型変換で得られる値

符号付き整数と符号無し整数間の型変換の規則は極めて複雑です。分かりやすくまとめた**Table 2-4** を見ながら理解していきましょう。

▶ この表のすべてを覚える必要はありません。必要なときに参照するとよいでしょう。

表の左端列の “X 型 ≦ Y 型” などの式は、X 型と Y 型のビット数を比較する式です。右端の欄に示すのが、X 型の値 *x* を Y 型へと変換した際の変換後の値です。

x と記入されている箇所は、変換前後で値が変化しないことを表します。

Y_MAX という表記は符号無し型で表現できる最大値を表します。**unsigned** Y 型が、**unsigned int** 型であれば **UINT_MAX**、**unsigned long int** 型であれば **ULONG_MAX**、**unsigned long long int** 型であれば **ULLONG_MAX** です。

Table 2-4 符号付き整数と符号無し整数間の型変換によって得られる値

条件		変換後の値	
signed X ➡ **signed** Y			
X 型 ≦ Y 型		*x*	
X 型 > Y 型	*x* が **signed** Y で表現可能	*x*	List 2-6
	x が **signed** Y で表現不能	処理系依存	1
unsigned X ➡ **signed** Y			
X 型 < Y 型		*x*	
X 型 ≧ Y 型	*x* が **signed** Y で表現可能	*x*	
	x が **signed** Y で表現不能	処理系依存	
signed X ➡ **unsigned** Y			
X 型 < Y 型	*x* ≧ 0	*x*	
	x < 0	(**signed** Y)*x* + (1 + Y_MAX)	
X 型 = Y 型	*x* ≧ 0	*x*	
	x < 0	*x* + (1 + Y_MAX)	List 2-5 A
X 型 > Y 型	*x* ≧ 0	*x* % (1 + Y_MAX)	2
	x < 0	(1 + Y_MAX) - (-*x* % (1 + Y_MAX))	
unsigned X ➡ **unsigned** Y			
X 型 ≦ Y 型		*x*	
X 型 > Y 型		*x* % (1 + Y_MAX)	

二つのプログラムの *x* = ++*ch* の代入で行われる型変換は、灰色部です。

- **List 2-5** **int** 型から **unsigned char** 型への変換が行われます。
  2の式に基づいて 256 % (1 + UCHAR_MAX) すなわち 256 % 256 で 0 となります。
- **List 2-6** **int** 型から **signed char** 型への変換1は、変換後の値が《処理系依存》です。

問題の解決

本章で問題となっている **-1 < 1U** のオペランドは **signed int** 型と **unsigned int** 型ですから、**通常の算術変換**（**Fig.2-6**：p.51）の④に示した、次の規則が適用されます。

一方のオペランドが unsigned 型をもつならば、他方のオペランドを unsigned 型に型変換する。

Bさんは、*m1* < *p1* の動作確認のために、次の判定を試されたということでした。

```
m1 < (int)p1                         // List 2-1の２番目のif文
```

しかし、実際には、次のように解釈されるのです。

```
(unsigned)m1 < p1
```

この型変換を明示的に行った **List 2-7** のプログラムで確認しましょう。

List 2-7 chap02/compare2.c

```
// 符号付き整数と符号無し整数の比較
#include <stdio.h>

int main(void)
{
    int      m1 = -1;   // 符号付き整数
    unsigned p1 =  1;   // 符号無し整数

    printf("m1 < p1           ⇔ -1 < 1U            は %s\n",
                             m1 < p1 ? "真" : "偽");

    printf("(unsigned)m1 < p1 ⇔ (unsigned)-1 < 1U は %s\n",
                             (unsigned)m1 < (unsigned)-1 ? "真" : "偽");

    return 0;
}
```

実行結果

```
m1 < p1           ⇔ -1 < 1U           は 偽
(unsigned)m1 < p1 ⇔ (unsigned)-1 < 1U は 偽
```

ここで行われる **int** 型から **unsigned int** 型への型変換は、前ページ **Table 2-4** の**A**の

---

signed X ➡ unsigned Y　…　X型 ＝ Y型　…　*x* < 0

の箇所に相当します。変換後の値を表す式は、*x* + (1 + Y_MAX) となっています。

このケースでは、**-1 + (1 + UINT_MAX)** です。**unsigned int** 型が 16 ビットであれば、変換後の値は **UINT_MAX** と同じ **65535** となります。

その結果、**-1 < 1U** は、

```
65535U < 1U                          // これが -1 < 1U の正体!!
```

とみなされますから、得られるのは偽です。これで、問題が解決しました。

List 2-8 に示すプログラムを実行すると、**-1** を **unsigned int** 型に変換した結果が **UINT_MAX** になることが確認できます。

List 2-8 chap02/minus_one.c

```
// -1をunsigned int型に変換した結果がUINT_MAXになることを確認

#include <stdio.h>
#include <limits.h>

int main(void)
{
    printf("(unsigned)-1 = %u\n", (unsigned)-1);
    printf("UINT_MAX     = %u\n", UINT_MAX);

    return 0;
}
```

実行結果一例

```
(unsigned)-1 = 65535
UINT_MAX     = 65535
```

Column 2-7 負数のシフト

<< 演算子（<< operator）と **>> 演算子**（>> operator）は、整数中の全ビットを左または右に**シフト**した（ずらした）値を生成する演算子です。なお、両者をまとめて、**ビット単位のシフト演算子**（bitwise shift operator）と呼びます。

シフトの対象が符号付き整数型で、値が負の場合の演算結果は、**処理系に依存します**（多くの処理系では、**論理シフト**と**算術シフト**のいずれかが行われます）。

いずれにせよ、プログラムの可搬性が損なわれるため、**負数のシフトは行うべきではありません。**

■ 論理シフト（logical shift）

Fig.2C-3 ⓐに示すように、符号ビットを特別に考慮することなく、まるごとシフトします。

負の整数値を右にシフトすると、符号ビットが 1 から 0 に変わるため、演算結果は、0 または正の値になります。

■ 算術シフト（arithmetic shift）

図ⓑに示すように、最上位の符号ビット以外のビットをシフトして、シフト前の符号ビットで空いたビットを埋めつくします。シフト前後で符号が変わることはありません。

1ビット左にシフトすると値が2倍になって、1ビット右にシフトすると値が 1 / 2 になります。

ⓐ 論理シフト

1001010010101001

0000100101001010

符号ビットを含めた全ビットをまるごとシフトする
負の値を右シフトすると 0 または正の値になる

ⓑ 算術シフト

1001010010101001

1111100101001010

符号ビット以外をシフトして、シフト前の符号ビットで空きビットを埋めつくす
左シフトすると値が2倍になり、右シフトすると値が 1/2 になる

Fig.2C-3 負の整数値の論理シフトと算術シフト

2の補数表現での符号付き整数から符号無し整数への型変換

Table 2-4（p.59）の規則の中で、特に複雑なのが、『符号付き整数から符号無し整数への型変換』です。もっとも、この型変換も、値そのものではなく、内部表現のビットで考えると、意外と容易に理解できます。

ここでは、**2の補数表現**での8ビット整数と16ビット整数を例に考えていきましょう。

同一ビットへの型変換

`int` から `unsigned int` へといった、同一ビットへの型変換は単純です。

重要 符号付き整数型から、同一ビット数の符号無し整数型への変換においては、ビットは変化しない。

8ビットの符号付き整数型である `0` と正値と負値を、同じ8ビットの符号無し整数型へと変換する例を示したのが、**Fig.2-13** です。

ビットは変化しない

0	00000000	42	00101010	-86	10101010
↓		↓		↓	
0	00000000	42	00101010	170	10101010

Fig.2-13 符号付き整数から符号無し整数への型変換（ビット数が同一）

より長いビットへの型変換

`int` から `unsigned long` へといった、より長いビットへの型変換では**符号拡張**が行われます。すなわち、変換後に新たに生まれる全ビットに、変換前の符号ビットの値が埋められます。

重要 符号付き整数型から、よりビット数が大きい符号無し整数型への変換においては、上位側のビットが変換前の符号ビットで埋められる**符号拡張**が行われる。

8ビットの符号付き整数型である正値と負値を、16ビットの符号無し整数型へと変換する例を示したのが、**Fig.2-14** です。

上位側のビットが変換前の符号ビットで埋められる（符号拡張）

Fig.2-14 符号付き整数から符号無し整数への型変換（より長いビットへの変換）

より短いビットへの型変換

long から **unsigned short** へ、あるいは **int** から **unsigned char** へといった、より短いビットへの型変換の際には、**上位側ビットの切捨て**が行われます。

> **重要** 符号付き整数型から、よりビット数が小さい符号無し整数型への変換においては、**上位側ビットの切捨て**が行われる。

16ビットの符号付き整数型である正値と負値を、8ビットの符号無し整数型へと変換する例を示したのが、**Fig.2-15** です。

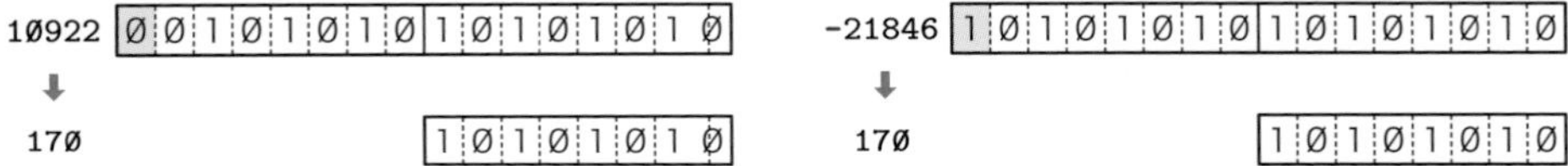

Fig.2-15 符号付き整数から符号無し整数への型変換（より短いビットへの変換）

Column 2-8 符号付き整数型の負値の内部表現とその求め方

符号付き整数型の負値の内部表現法として3種類あることを本文で学習しました。標準C第1版では、内部表現に関する規定は設けられていませんでした。3種類のいずれかで表現するように定められたのは、標準C第2版です。ただし、ほとんどの環境で2の補数表現が使われていることから、標準C第5版からは2の補数表現を使うように統一されます。

さて、正値の内部表現（ビット構成）から、それに対応する負値の内部表現を求める手順は、単純です。

具体例として、正値 **5** の内部表現から、それに対応する負値 **-5** の内部表現を求める手順を **Fig.2C-4** に示しています。

Ⓐ 符号と絶対値

符号ビットを **Ø** から **1** に変更します。それ以外のビットは変化させません。

Ⓑ 1の補数

全ビットを反転します。

Ⓒ 2の補数

Ⓑで求めた1の補数に対して **1** を加算します。

符号と絶対値での −5	1 Ø … Ø Ø Ø Ø 1 Ø 1
↑ Ⓐ符号ビットを反転	
符号無し整数の 5	Ø Ø … Ø Ø Ø Ø 1 Ø 1
↓ Ⓑ全ビットを反転	
1の補数での −5	1 1 … 1 1 1 1 Ø 1 Ø
↓ Ⓒ1を加算	
2の補数での −5	1 1 … 1 1 1 1 Ø 1 1

Fig.2C-4 負値のビット構成の求め方

2-3 処理系特性ライブラリの開発

C言語は、いろいろな意味で大きく処理系に依存します。ここでは、処理系特性を表すヘッダライブラリを開発します。

C言語は処理系に強く依存する

C言語は長い歴史をもつことや、その性格から、言語の本質と深くかかわる基盤的な部分の統一すら行われていません。たとえば、多くの型の中の『基本中の基本』である **int** 型のビット数や表現範囲が処理系に依存します。

そのため、単純で短いプログラムであるにもかかわらず、動作が処理系に依存する可搬性の乏しいプログラムが世界中にあふれているのが現状です。

すべてのプログラムを、処理系に依存することなく動作するように作るのは非現実的ですし、そこまでする必要もないでしょう。

しかし、ちょっとした工夫で可搬性の低下を抑えられるのであれば、その労力を惜しむべきではありません。

ここでは、次に示す処理系特性の差違の解決に利用できるライブラリを開発します。

- **符号付き整数型の負数の内部表現法が2の補数／1の補数／符号と絶対値のどれか**
- **整数型の精度**（**char** 型を除く）

これらの特性は、必要となった時点でプログラムで調べることも可能ですが、コードが長くなる上に、実行時の負担となります（計算に時間を要します）。

▶ 整数型の中でも **char** 型だけは、**<limits.h>** ヘッダ内のマクロ **CHAR_BIT** としてビット数が定義されています。次に示すのが、定義の一例です。

```
#define CHAR_BIT 8
```

この値は最低でも 8 と規定されています（**char** 型が 9 ビットや 32 ビットの処理系が実在します）。

ヘッダ自動生成プログラム

上記の特性をマクロ定義として提供する**ヘッダを自動生成するプログラム**を作ります。

1度実行してヘッダを生成しておけば、必要なときに**インクルードするだけで利用できるライブラリ**となるわけです。

▶ プログラムを動かすのは（各環境・処理系で）1回限りであって、ヘッダを作り終えると不要となります。しかも、実行速度などは要求されない性質のものです。

そのプログラムが、右ページの **List 2-9** です。実行すると、**"exlimits.h"** という名前のテキストファイルが生成されます。

▶ 本プログラムで行っている、ファイルのオープン、クローズ、*fprintf* 関数による書き込みなどは、第 8 章で学習します。

List 2-9 chap02/exlimits_generator.c

```
// <lib/exlimits.h>ヘッダ生成プログラム

#include <stdio.h>
#include <limits.h>

//--- short型の精度を返却 ---//
int short_bits(void)
{
    int count = 0;
    unsigned short x = USHRT_MAX;

    while (x) {
        count++;
        x >>= 1;
    }
    return count;
}

//--- int型の精度を返却 ---//
int int_bits(void)
{
    int count = 0;
    unsigned int x = UINT_MAX;

    while (x) {
        count++;
        x >>= 1;
    }
    return count;
}

//--- long型の精度を返却 ---//
int long_bits(void)
{
    int count = 0;
    unsigned long x = ULONG_MAX;

    while (x) {
        count++;
        x >>= 1;
    }
    return count;
}

//--- long long型の精度を返却 ---//
int llong_bits(void)
{
    int count = 0;
    unsigned long long x = ULLONG_MAX;

    while (x) {
        count++;
        x >>= 1;
    }
    return count;
}

int main(void)
{
    FILE *fp = fopen("exlimits.h", "w");

    if (fp == NULL) {
        fputs("ヘッダ<exlimits.h>の生成に失敗しました。\n", stderr);
        return 1;
    }

    fprintf(fp, "// <lib/exlimits.h> 処理系特性ライブラリ\n\n");

    fprintf(fp, "#ifndef __EXLIMITS__\n");
    fprintf(fp, "#define __EXLIMITS__\n\n");

    fprintf(fp, "#define SIGN_AND_MAGNITUDE 1   // 符号と絶対値\n");
    fprintf(fp, "#define ONE_S_COMPLEMENT   2   // 1の補数\n");
    fprintf(fp, "#define TWO_S_COMPLEMENT   3   // 2の補数\n\n");

    fprintf(fp, "#define NEGATIVE_INT  %d // 負数の内部表現\n\n", (-1) & 3);

    fprintf(fp, "#define SHRT_BIT  %d     // short     型の精度\n", short_bits());
    fprintf(fp, "#define INT_BIT   %d     // int       型の精度\n", int_bits());
    fprintf(fp, "#define LONG_BIT  %d     // long      型の精度\n", long_bits());
    fprintf(fp, "#define LLONG_BIT %d     // long long型の精度\n", llong_bits());

    fprintf(fp, "\n");
    fprintf(fp, "#endif\n");

    fclose(fp);

    printf("<exlimits.h>ヘッダを生成しました。\n");
    printf("適切なディレクトリにコピーしてください。\n");

    return 0;
}
```

処理系特性ライブラリ <lib/exlimits.h>

前ページの **List 2-9** の実行によって生成される "exlimits.h" を **Fig.2-16** に示します。

▶ ここに示すのは一例です。水色の数値は、処理系に依存します。

```
// <lib/exlimits.h> 処理系特性ライブラリ

#ifndef __EXLIMITS__
#define __EXLIMITS__

#define SIGN_AND_MAGNITUDE 1   // 符号と絶対値
#define ONE_S_COMPLEMENT   2   // 1の補数
#define TWO_S_COMPLEMENT   3   // 2の補数

#define NEGATIVE_INT  3 // 負数の内部表現

#define SHRT_BIT  16     // short     型の精度
#define INT_BIT   16     // int       型の精度
#define LONG_BIT  32     // long      型の精度
#define LLONG_BIT 64     // long long型の精度

#endif
```

Fig.2-16 生成される "exlimits.h" の一例

符号付き整数型の負数の表現法

NEGATIVE_INT は、負数の内部表現法を表すマクロです。

▶ この値が 1 すなわち SIGN_AND_MAGNITUDE であれば内部表現は**符号と絶対値**であり、2 すなわち ONE_S_COMPLEMENT であれば**1の補数**であり、3 すなわち TWO_S_COMPLEMENT であれば**2の補数**です。

各表現法における内部表現のビットパターンを **Fig.2-10**（p.54）に示していました。

その図から、負数 **-1** の最上位ビットと最下位側2ビットを抜き出したのが **Fig.2-17** です（負数ですから、どの表現でも符号ビットである最上位ビットは **1** です）。

最下位側2ビットは、整数型のビット数に依存せずに、ここに示すパターンとなります。そのため、**-1** と **3**（2進数の **11**）のビット単位の**論理積**をとって、**1** であれば符号と絶対値、**2** であれば1の補数、**3** であれば2の補数と判定できます。

符号と絶対値	1	…	0	1
1の補数	1	…	1	0
2の補数	1	…	1	1

Fig.2-17 −1 の内部表現

整数型の幅と精度

書籍や Web サイトなどで、**int** 型のビット数を次の式で求める方法が紹介されています。

```
CHAR_BIT * sizeof(int)          // int型のビット数（？）
```

この求め方は完全にNGです。たとえば **CHAR_BIT** が **8** で **sizeof(int)** が **4** だからといって、**int** 型の値は、必ずしも 32 ビットで表現されるとは限りません。

というのも、たとえばパリティ用にビットを割り当てておき、残りのビットで符号と値を表す、といった環境が存在するからです。

整数型のビットは、**符号ビット**（sign bit）、**値ビット**（value bit）、**詰め物ビット**（padding bit）の三つのパートで構成されます（前節では**符号ビット**と**値ビット**のみを学習しました）。

これら三つのビット数の合計は、**整数型の幅**と呼ばれます。そして、前者二つ、すなわち、符号ビットと値ビットのビット数の合計は、**整数型の精度**と呼ばれます。

各整数型の精度（値ビットと符号ビットの合計ビット数）を表すのが、次のマクロです。

SHRT_BIT	…	**short** 型の精度	少なくとも **16**
INT_BIT	…	**int** 型の精度	少なくとも **16**
LONG_BIT	…	**long** 型の精度	少なくとも **32**
LLONG_BIT	…	**long long** 型の精度	少なくとも **64**

ヘッダをインクルードするだけで、各整数型の精度が取得できるようになりました。

ヘッダの格納先

本プログラムの実行によって生成された **"exlimits.h"** の格納先を検討しましょう。ここでは、二つの方法を示します。

▪ ヘッダ "exlimits.h" を利用するプログラムと同じディレクトリにコピーする

この方法であれば、**#include "exlimits.h"** でインクルードすることになります。

なお、新規でプログラムを作成する際に、本ヘッダが必要であれば、そのたびに、そのディレクトリにヘッダをコピーする必要があります。同一のファイルが複数のディレクトリにコピーされて格納されるため、保守性も低下します。

▶ この方法で "exlimits.h" をインクルードして、その内容を表示するプログラムは "chap02/print_exlimits1.c" です。

▪ 標準ライブラリのヘッダ用ディレクトリのサブディレクトリにコピーする 推奨

標準ライブラリのヘッダ用ディレクトリ（すなわち **<stdio.h>** や **<stdlib.h>** などが格納されているディレクトリ）の中に、**lib** という名前のディレクトリを作って、そこにコピーします。

いったんコピーしておけば、すべてのプログラムで、**#include <lib/exlimits.h>** でインクルードできるようになります。

▶ この方法で "exlimits.h" をインクルードして、その内容を表示するプログラムは "chap02/print_exlimits2.c" です。

第 6 章では、この方法でインクルードを行います。なお、標準ライブラリ用のヘッダが格納されているディレクトリは、環境や処理系によってまったく異なりますので、御自身で調べましょう。

なお、ここに示した二つの方法以外にも、インクルード対象のディレクトリを環境変数やコンパイルオプションで指定する方法などがあります。

Column 2-9 拡張整数型

▪ 拡張整数型

本文で学習した、`char` から `long long` までの整数型は、**標準整数型**（standard integer type）と呼ばれます。標準Cの第２版からは、処理系が整数型を追加してもよいことになっていて、そのような整数型は**拡張整数型**（extended integer type）と呼ばれます。

▪ <stdint.h> ヘッダによる整数型と各種マクロ

標準Cの第２版から導入された **`<stdint.h>` ヘッダ**で、次のものが提供されます。

- 拡張整数型の**型の定義**
- 拡張整数型および他のヘッダで定義された整数型の限界値に関する各種のマクロ

▪ 幅指定整数型

`intN_t`	幅が *N* ビットの符号付き整数型に与えられる型名
`uintN_t`	幅が *N* ビットの符号無し整数型に与えられる型名

厳密に *N* の幅をもち、**詰め物ビットがなく、２の補数表現**で表現される整数型です。処理系が 8、16、32、64 ビットの整数型を提供していれば、該当の型名が定義されます（そのような整数型を提供していなければ、定義されるかどうかは処理系次第です）。

※ たとえば、16 ビットの（詰め物ビットがない、２の補数表現の）符号付き整数と符号無し整数が提供される処理系であれば、`<stdint.h>` をインクルードすることで、`int16_t` と `uint16_t` という二つの型名が使えるようになります。
　なお、*N* は、符号無しの 10 進整数です（これ以降も同様です）。

▪ 最小幅指定整数型

`int_leastN_t`	幅が少なくとも *N* ビットの符号付き整数型に与えられる型名
`uint_leastN_t`	幅が少なくとも *N* ビットの符号無し整数型に与えられる型名

少なくとも *N* ビットの幅をもつ整数型の中で、最小幅の整数型です。`int_least8_t`、`int_least16_t`、`int_least32_t`、`int_least64_t`、`uint_least8_t`、`uint_least16_t`、`uint_least32_t`、`uint_least64_t` は必ず定義されます。

▪ 最速最小幅指定整数型

`int_fastN_t`	幅が少なくとも *N* ビットの最も演算の速い符号付き整数型に与えられる型名
`uint_fastN_t`	幅が少なくとも *N* ビットの最も演算の速い符号無し整数型に与えられる型名

少なくとも *N* ビットの幅をもつ、最も演算の速い整数型です。なお、すべての場合で最も高速という保証はありません。`int_fast8_t`、`int_fast16_t`、`int_fast32_t`、`int_fast64_t`、`uint_fast8_t`、`uint_fast16_t`、`uint_fast32_t`、`uint_fast64_t` は必ず定義されます。

▪ オブジェクトを指すポインタを保持可能な整数型

`intptr_t`	ポインタを格納するのに適切な符号付き整数型に与えられる型名
`uintptr_t`	ポインタを格納するのに適切な符号無し整数型に与えられる型名

`void *` から変換できて、再び `void *` に変換した際に、元のポインタと等しくなる整数型です。これらの型の定義は任意です。

▪ 最大幅整数型

`intmax_t` 符号付き整数型の最も大きな幅を持つ符号付き整数型に与えられる型名
`uintmax_t` 符号無し整数型の最も大きな幅を持つ符号無し整数型に与えられる型名

これらの型は必ず定義されます。

▪ 幅指定整数型の限界値

`INTN_MIN` *N* ビットの符号付き整数型の最小値（-2^{N-1}）
`INTN_MAX` *N* ビットの符号付き整数型の最大値（$2^{N-1} - 1$）
`UINTN_MAX` *N* ビットの符号無し整数型の最大値（$2^{N} - 1$）

※ 符号付きの幅指定整数型は、詰め物ビットがない *N* ビットの2の補数表現であることが保証されるため、`INT16_MIN` は -32768、`INT16_MAX` は 32767、`UINT16_MAX` は 65535 です。

▪ 最小幅指定整数型の限界値

`INT_LEASTN_MIN`	最小幅指定符号付き整数型の最小値
`INT_LEASTN_MAX`	最小幅指定符号付き整数型の最大値
`UINT_LEASTN_MAX`	最小幅指定符号無し整数型の最大値

※ 符号付き整数型に関しては、同一の *N* であっても、内部表現によって値が異なります。

▪ 最速最小幅指定整数型の限界値

`INT_FASTN_MIN`	最速最小幅指定符号付き整数型の最小値
`INT_FASTN_MAX`	最速最小幅指定符号付き整数型の最大値
`UINT_FASTN_MAX`	最速最小幅指定符号無し整数型の最大値

※ 符号付き整数型に関しては、同一の *N* であっても、内部表現によって値が異なります。

▪ オブジェクトポインタを保持可能な整数型の限界値

`INTPTR_MIN`	オブジェクトポインタを保持可能な符号付き整数型の最小値
`INTPTR_MAX`	オブジェクトポインタを保持可能な符号付き整数型の最大値
`UINTPTR_MAX`	オブジェクトポインタを保持可能な符号無し整数型の最大値

※ それぞれの値は、少なくとも -32767、32767、65535 であることが保証されます。

▪ 最大幅整数型の限界値

`INTMAX_MIN`	符号付き整数型の最小値
`INTMAX_MAX`	符号付き整数型の最大値
`UINTMAX_MAX`	符号無し整数型の最大値

※ それぞれの値は、少なくとも -32767、32767、65535 であることが保証されます。

▪ 上記以外の整数型の限界値

`PTRDIFF_MIN`	`ptrdiff_t` の下限
`PTRDIFF_MAX`	`ptrdiff_t` の上限
`SIZE_MAX`	`size_t` の上限

第３章

ライブラリの開発

前章では、ヘッダライブラリを自動生成するプログラムの開発を行いました。本書の特徴の一つが、数多くのライブラリを開発することです。

本章では、ライブラリ開発の基礎となる、数多くの概念と技術（関数の宣言および定義と関数呼出し、入門書では解説されない引数の授受、分割コンパイル、結合、ヘッダの実現法など）を学習します。

最後の節では、コンソール画面の消去、色の設定、カーソル位置の設定を行うライブラリを開発します。

3-1 関数の定義と呼出し

本章の目的はライブラリ開発のテクニックを身につけることです。その導入となる本節では、関数の定義と呼出しについて学習します。

宣言されていない関数の取扱い

Cさんが、熱心に2回にもわたって、お手紙を送ってこられました。

> ある書籍に掲載されているライブラリをコンパイルすると、『宣言されていないので int 型とみなす。』との警告が発せられます。また、他の書籍に掲載されているライブラリの移植も試みているのですが、いくつかの関数に対して『矛盾した宣言がされています。』というエラーが発生します。どうすればよいでしょう。

ソースコードを見たところ、問題の本質は、**関数の定義と宣言**にまつわるものでした。

まずは、キーボードから読み込んだ実数の２乗を求めて表示する **List 3-1** と **List 3-2** を例に**関数の定義と宣言**について学習していきましょう。二つの関数 *sqr* と main で構成されるプログラムであり、相違点は関数定義の順序のみです。

▶ 関数 *sqr* は、受け取った double 型引数 x の２乗値を求めて、double 型の値として返します。

List 3-1 chap03/sqr1.c

```
// 関数sqrを先頭側に配置

#include <stdio.h>

//--- ２乗値を求める ---//
double sqr(double x)
{
    return x * x;
}

int main(void)
{
    double x;

    printf("実数値：");
    scanf("%lf", &x);

    printf("２乗は%.3f\n", sqr(x));

    return 0;
}
```

実行例

```
実数値：5.5⏎
２乗は30.250
```

List 3-2 chap03/sqr2.c

```
// 関数sqrを末尾側に配置

#include <stdio.h>

int main(void)
{
    double x;

    printf("実数値：");
    scanf("%lf", &x);

    printf("２乗は%.3f\n", sqr(x));

    return 0;
}

//--- ２乗値を求める ---//
double sqr(double x)
{
    return x * x;
}
```

実行結果

コンパイルエラーとなるため実行できません。

関数 *sqr* が main 関数よりも先頭側で定義されている **List 3-1** は、正しくコンパイル・実行できます。

一方、配置を反転させた **List 3-2** は実行できません。コンパイルすると、灰色部の関数呼出し式 *sqr*(*x*) に対して、

> **警　告** 宣言されていない関数 *sqr* を呼び出しています。

という警告メッセージが発せられます。

さらに、水色部の関数定義に対しては、次のエラーメッセージが発せられます。

エラー 関数 *sqr* の定義が矛盾しています。

▶ 処理系によっては、これら二つ以外の警告やエラーも出力されます。

関数定義の順序を変えるだけで、プログラムが正しくなったり不正となったりするのは、

重要 コンパイラは、プログラムを前から後ろへと読みながら（読んでいる箇所より後ろ側の宣言や定義を知らない状態で）コンパイル作業を行う。

からです。そのため、**sqr(x)** は宣言されていない関数の呼出しとみなされます。その際、

重要 ある関数 *func* の呼出しに先立って、その関数に関する宣言がなければ、
```
extern int func();
```
と暗黙の内に宣言されたものとみなされる。

という規則に基づいて、関数 *sqr* は次の形式であると仮定されます。

```
extern int sqr();          // コンパイラがこのように仮定する
```

警告メッセージは、次のことを伝えようとしていたのです。

警　告 関数 *sqr* は宣言されておらず返却値型が不明です。返却値型を **int** 型と仮定してコンパイルします（ちゃんとソースプログラムを確認してくださいね）。

さて、返却値型が異なれば、返却値の格納領域の大きさ、内部表現、返却のメカニズムなどが異なります。**double** 型を返す関数 *sqr* を、**int** 型を返す関数との仮定でコンパイルしても、期待する実行結果は得られません。

▶ 関数の返却値の機械語レベルでの受渡し法は、処理系によってさまざまです。さらに、同じ処理系でも型によって異なることがあります。たとえば、**double** 型の返却値は主記憶経由で受け渡すものの、（小さくて取り扱いやすい）**int** 型の返却値はCPUのレジスタ経由で受け渡して速度アップと省メモリを図る、という処理系があります。

ところが、その後で、関数 *sqr* が **double** 型を返却する仕様で定義されているため、つじつまが合わなくなります。エラーメッセージは、次のことを伝えようとしていたのです。

エラー 関数 *sqr* の返却値型を **int** 型と仮定していたのに、**double** 型として定義されているため矛盾が生じました。残念ながらコンパイル作業を続行できません。

List 3-1 の実現のほうが好ましいようです。

重要 呼び出される側の関数を先頭側で、呼び出す側の関数を末尾側で定義する。

ただし、この方針は、採用不可能あるいは困難な文脈があります。

関数原型宣言

次に検討する **List 3-3** は、べき乗値を求める関数 ***power*** と、それを呼び出す **main** 関数とで構成されるプログラムです。

▶ 関数 ***power*** は、実数値 ***x*** の ***n*** 乗（***n*** は整数）を求める関数です。

水色部は関数 ***power*** の仕様をコンパイラに知らせる**関数原型宣言**（function prototype declaration）です。

▶ 関数原型宣言は、**関数プロトタイプ宣言**とも呼ばれます。
関数定義内の関数頭部と同じ形式の
返却値型 関数名（仮引数並び）
にセミコロン ; が後置された形式です。

List 3-3　chap03/power.c

```
// 関数原型宣言を呼出しより前に配置

#include <stdio.h>

double power(double x, int n);

int main(void)
{
    double x;
    int k, n;

    printf("実数x : ");  scanf("%lf", &x);
    printf("整数k : ");  scanf("%d",  &k);
    printf("整数n : ");  scanf("%d",  &n);

    printf("xのn乗＝%f\n", power(x, n));
    printf("kのn乗＝%f\n", power(k, n));

    return 0;
}

//--- 実数値xのk乗を求める ---//
double power(double x, int n)
{
    double tmp = 1.0;

    for (int i = 1; i <= n; i++)
        tmp *= x;    // tmpにxを掛ける

    return tmp;
}
```

実行例

```
実数x : 5.5
整数k : 5
整数n : 3
xのn乗＝166.375000
kのn乗＝125.000000
```

関数 ***power*** の関数原型宣言を読んだコンパイラは、返却値型や、個々の引数の型を知った上で、その後のコンパイル作業を進められるようになります。

呼び出される側の関数（この例では関数 ***power***）の定義を、呼出しの箇所より後方に配置する場合は、関数原型宣言を、呼出しの箇所よりも前方に配置しておくと都合よいことが分かりました。

重要 呼び出される側の関数を後方で定義するのであれば、呼出しのコードより前方に関数原型宣言を置く。

＊

次は、2箇所の関数呼出しに着目します。

```
power(x, n) // power(double, int)
power(k, n) // power(int,    int)
```

int 型の ***k*** は、関数 ***power*** が受け取る仮引数 ***x*** の型である **double** と食い違います。

ただし、これは問題とはなりません。引数の受渡しに関して、次の規則があるからです。

重要 関数間での引数の受渡しは、あたかも仮引数の値が実引数へと**代入**されるかのように行われる。

int 型の値を **double** 型の変数に代入する際は、暗黙の型変換によって、整数値から実数値へと変換されます。これと同じ変換が、引数に対しても行われるため、**int** 型の ***k*** を渡しても、関数 ***power*** が受け取る ***x*** は **double** 型に変換された値となります。

▶ 実行例では、**int** 型の ***k*** の値 **5** が渡されますが、**double** 型の仮引数 ***x*** は **5.0** となります。

古いスタイルの宣言

関数原型宣言は、標準Cで導入されたものでした。

それ以前の『古いスタイル』について学習しましょう。

List 3-4 は、二つの整数値を加算した値を返却する関数 **add** を、古いスタイルで定義したプログラムです。

古いスタイルの関数定義では、関数頭部で仮引数の名前だけを () 内に列挙しておいて、それらの型を水色部すなわち) と { のあいだで宣言します。

List 3-4 chap03/add.c

```
// 古いスタイルの関数定義

#include <stdio.h>

//--- xとyの和を求める ---//
int add(x, y)
int x, y;
{
    return x + y;
}

main()
{
    int a, b;

    printf("a : ");  scanf("%d", &a);
    printf("b : ");  scanf("%d", &b);

    printf("a + b = %d\n", add(a, b));
}
```

実行例

```
a : 55
b : 17
a + b = 72
```

▶ 互換性を保つため、標準Cでもこのスタイルを利用できるようになっています（ただし、標準Cの第5版で廃止されます）。

Column 3-1　再帰的な関数の定義と宣言

Fig.3C-1 ⓐのように、自身と同じ関数を呼び出すのが**直接的な**（direct）**再帰**です。自身と同じ関数を呼び出すため、独立した関数原型宣言は不要です。

一方、図ⓑのように、関数 **x** が関数 **y** を呼び出して、その関数 **y** が関数 **x** を呼び出す構造であれば、関数 **x** は、**間接的な**（indirect）**再帰**です。

関数 **x** の定義を先頭側に置いて、関数 **y** の定義を末尾側に置くとします。その場合、**x** の関数定義より前に **y** の関数原型宣言が必要となります（❶）。なお、関数定義の順序が逆であれば、**x** の関数原型宣言が必要となります（❷）。

ⓐ 直接的な再帰

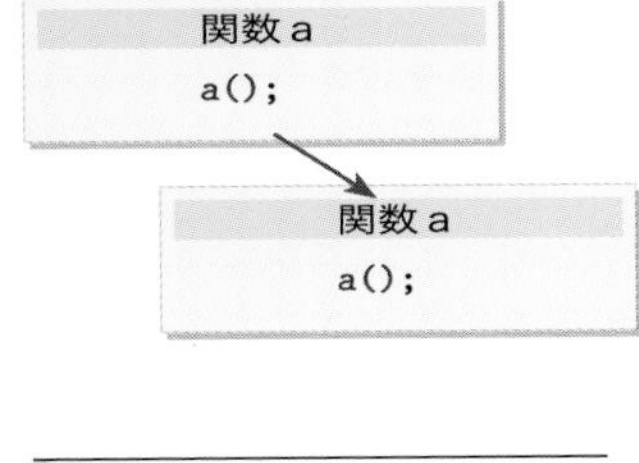

関数 a の関数定義

ⓑ 間接的な再帰

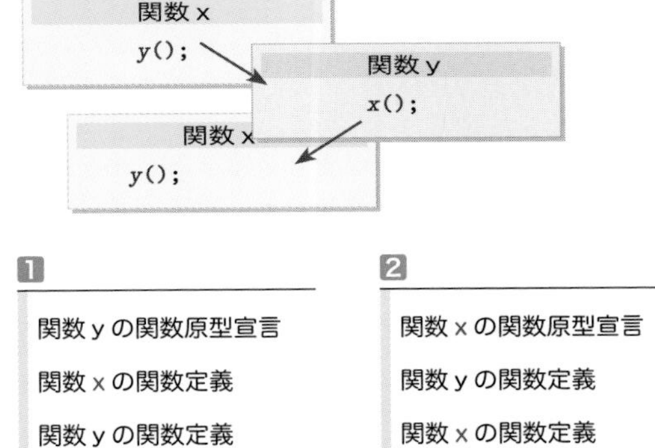

Fig.3C-1　直接的な再帰と間接的な再帰

既定の実引数拡張

関数原型宣言が欠如すると、警告やエラーにつながるだけではなく、別の問題が誘発されます。**List 3-5** のプログラムを例に考えていきましょう。

List 3-5 chap03/function.c

```
// 関数呼出しと引数の変換（古いスタイル）
#include <stdio.h>

void iprint(), lprint(), fprint(), dprint();

int main(void)
{
    int    a = 11111;
    long   b = 44444;
    float  c = 55555;
    double d = 66666;
                                   //        仮引数→実引数
    puts("-- a(int) --");
    iprint(a);                         // (1) ◎ int → int
    lprint(a);                         // (2) □ int → long

    puts("\n-- b(long) --");
    iprint(b);                         // (3) □ long → int
    lprint(b);                         // (4) ◎ long → long

    puts("\n-- c(float) --");
    fprint(c);                         // (5) ◎ float → float
    dprint(c);                         // (6) □ float → double

    puts("\n-- d(double) --");
    fprint(d);                         // (7) □ double → float
    dprint(d);                         // (8) ◎ double → double
}

//--- int引数の値を出力 ---//
void iprint(x)
int x;
{
    printf("iprint -> %d\n", x);
}

//--- long引数の値を出力 ---//
void lprint(x)
long x;
{
    printf("lprint -> %ld\n", x);
}

//--- float引数の値を出力 ---//
void fprint(x)
float x;
{
    printf("fprint -> %.1f\n", x);
}

//--- double引数の値を出力 ---//
void dprint(x)
double x;
{
    printf("dprint -> %.1f\n", x);
}
```

実行結果一例

```
-- a(int)--
iprint -> 11111
lprint -> 97789712

-- b(long)--
iprint -> -25536
lpirnt -> 444444

-- c(float)--
fprint -> 55555.0
dprint -> 55555.0

-- d(double)--
fprint -> 66666.0
dprint -> 66666.0
```

main 関数を除く4個の関数が、古いスタイルで定義されています。いずれも **int** 型、**long** 型、**float** 型、**double** 型の引数を受け取って、その値を表示するだけの単純な関数です。

main 関数では、それらの関数を (1) ～ (8) の8通りのパターンで呼び出しています。プログラム中の注釈に◎と□の記号で示すように、これらのパターンは大きく二つに分類されます。

◎ … 実引数と仮引数の型が一致

(1)、(4)、(5)、(8) では、実引数として渡した値が、そのまま表示されます。期待どおりの実行結果です。

□ … 実引数と仮引数の型が不一致

- (2) と (3) では、実引数として渡した値とは異なる値が表示されています。関数が受け取るのを期待する型ではない型の値を実引数として渡している（押し付けている）のですから、仕方のないことです。

  ▶ `sizeof(int)` と `sizeof(long)` が等しくて、内部表現が同一であって、かつ、引数の受渡しも内部的に同じ方法で行う処理系であれば、実引数として渡した値が表示されます。

- (6) と (7) では、**型が異なるにもかかわらず、実引数で与えた値が正しく表示されています。** こうなるのは、どうしてでしょうか？

実は、**Fig.3-1** に示す二つの関数は等価です。これらの関数に引数として `float` 型の値を渡しても `double` 型の値を渡しても、内部では `double` 型として扱われます。

```
func(x)
float x;
{
    // 中略
}
```

```
func(x)
double x;
{
    // 中略
}
```

Fig.3-1 古いスタイルの等価な関数

このような言語仕様となっているのには、歴史的な背景があります。

標準C以前の浮動小数点数の演算は、`double` 型で行われるのが基本でした。たとえば、`float` 型の変数 `x` と `y` に対する次の演算

```
x + y                   // xとyがfloat型であっても、double + double
```

では、`x` も `y` も暗黙の内に型変換され、`double + double` の演算となっていました。

すなわち、`float` 型と `double` 型は、ひとたび演算を行うと、**いったん `double` 型に変換されていた**のです。当然、関数に `float` 型の引数を渡す際も、自動的に `double` 型へと変換されていました。

そのため、関数の定義で、受け取る引数を `double` 型と宣言しても、`float` 型と宣言しても、結局は `double` 型とみなされていたのです。

同様のことは、**標準Cでも、引数の受渡し時に部分的に適用されます。**

`char` 型、`short` 型、`int` 型を受け取る関数に、これらのどの型の値を渡しても実質的に `int` 型として扱われます。

宣言されていない関数や、古いスタイルで宣言された関数の呼出しでは、**Fig.3-2** に示している**既定の実引数拡張**（default argument promotion）が適用されるからです。

> 呼び出される関数を表す式が、関数原型を含まない型をもつ場合、各実引数に対して整数拡張を行い、`float` 型をもつ実引数は `double` 型に拡張する。この操作を**既定の実引数拡張**と呼ぶ。

Fig.3-2 既定の実引数拡張

既定の実引数拡張とscanf関数

次の質問は、これまでに何度もいただきました。

> ***scanf*** 関数での読取りでは、**float** 型を **"%f"**、**double** 型を **"%lf"** と区別します。それに対して、***printf*** 関数での書込みは、両者とも **"%f"** と共通なのは、どうしてですか。

おなじみの ***printf*** 関数は、次の形式であり、第1引数に書式文字列を受け取ります。

```
int printf(const char * restrict format, ...);
```

... は、引数の個数が可変であること（0個以上の任意の個数の引数を受け取る）ことを表す**省略記号**（ellipsis）です。

その **...** 部の引数に対しては、**既定の実引数拡張**が適用されます。

重要 可変個数の引数に対しては、**既定の実引数拡張**が適用される。

そのため、**Fig.3-3** に示すように、実引数が **float** 型であっても（もちろん **double** 型の場合も）***printf*** 関数は、**double** 型の値を受け取ります。

float 型も **double** 型も **"%f"** によって出力する仕様となっているのは、両者を区別できないからです。

▶ 標準Cの第2版では、***printf*** 関数での **float** 型と **double** 型の表示を、**"%f"** だけではなく、**"%lf"** でも行えるように拡張されています。

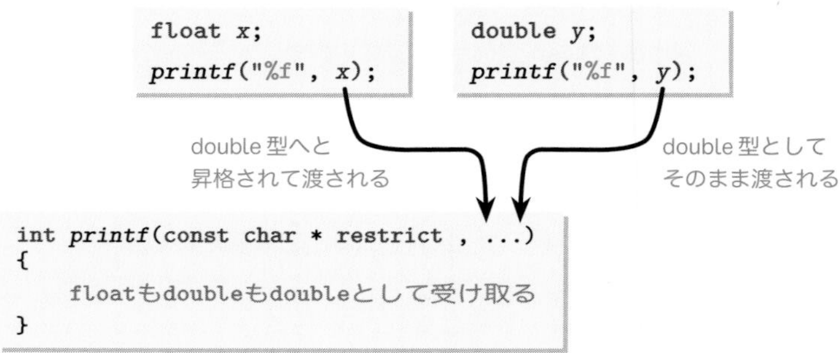

Fig.3-3 printf関数の呼出しにおける既定の実引数拡張

一方、読込みを行う ***scanf*** 関数では、事情がまったく異なります。

float 型が4バイトで **double** 型が8バイトであるとして考えましょう。

"%f" による読込みでは、読み込んだ数値を4バイトの領域に **float** 型として格納する必要があります。また、**"%lf"** による読込みでは、読み込んだ数値を **double** 型として8バイトの領域に格納する必要があります。そのため、**"%f"** と **"%lf"** の区別が必要です。

▶ **float** 型と **double** 型の内部表現が同一の環境では、**"%f"** と **"%lf"** を区別しなくても、プログラムは動作します。ただし、そのことに依存するプログラムは、可搬性がないことに注意しましょう。

実引数と仮引数

関数の引数について理解が深まってきました。ここで、実引数と仮引数という用語の定義をはっきりさせておきましょう。**Fig.3-4** に示すのが、標準Cの定義です。

- **実引数**（argument）
  関数呼出し式において、括弧で囲み、コンマで区切った並びの中の式、または関数形式のマクロ呼出しにおいて、括弧で囲み、コンマで区切った並びの中の前処理字句の列。"actual argument" として知られている。
- **仮引数**（parameter）
  関数宣言もしくは関数定義の一部として宣言され、関数に入る時点で値を得るオブジェクト、または関数形式マクロ定義におけるマクロ名の直後の括弧で囲まれコンマで区切られた並びに現れる識別子。"formal parameter" として知られている。

Fig.3-4 実引数と仮引数

▶ 実引数には actual argument の他に actual parameter という別名もあって、仮引数には formal parameter の他に formal argement という別名もあります（標準Cの改訂に伴って廃止されました）。

Column 3-2 **定義ずみ識別子 __func__**

標準Cの第2版以降では、定義ずみ識別子 **__func__** によって、現在実行中の関数の名前を取り出せるようになっています。**List 3C-1** に示すのが、プログラムの一例です。

List 3C-1 chap03/func_name.c

```
// 関数名とソースファイル名と行番号を表示

#include <stdio.h>

void func(void)
{
    printf("__func__ = %s\n", __func__);
    printf("__FILE__ = %s\n", __FILE__);
    printf("__LINE__ = %d\n", __LINE__);
}

int main(void)
{
    func();

    printf("__func__ = %s\n", __func__);
    printf("__FILE__ = %s\n", __FILE__);
    printf("__LINE__ = %d\n", __LINE__);

    return 0;
}
```

実行結果一例

```
__func__ = func
__FILE__ = func_name.c
__LINE__ = 10
__func__ = main
__FILE__ = func_name.c
__LINE__ = 19
```

__FILE__ と **__LINE__** は、標準Cの第1版から利用できるマクロです（多くの環境で、**__FILE__** は、ソースファイルの単純な名前ではなく、パス名となります）。

Column 3-3 C++での関数原型宣言

初期のC言語は、型に対してユルユルだったのですが、C言語から派生したC++は、当初から型に対して厳格でした。そもそも、**関数原型宣言**はC++で発明されたものです（標準Cの制定に際してC++を参考にして取り入れられました）。

ただし、C言語とC++の関数原型宣言は、仕様が微妙に異なります。

▪ 引数を受け取らないことを示す宣言

C言語では、()の中にvoidを置いて宣言します。

```
void func(void);
```

C++では、次のいずれかの宣言とします。

```
void func();                // 原則として、こちらの形式を利用
void func(void);
```

引数を1個でも受け取るのであれば、必ず()の中でそれを宣言する決まりとなっているため、わざわざvoidを置かなくても、引数を受け取らないことが明確になります。

▪ 可変個引数の宣言

C言語では、コンマ,と省略記号...を使って、次のように宣言します。

```
int func(const char * explict, ...);     // C：第2引数以降が可変個
```

なお、可変個となる引数は、第2引数以降に限られています。

C++では、次のいずれでも構いません。

```
int func(const char *, ...);
int func(const char * ...);
```

すなわち、...の直前のコンマは省略可能です。

なお、C++では、先頭の第1引数を含めて可変個にできます。第1引数も含めて可変個であれば、次のように宣言します。

```
void func(...);                          // C++：第1引数以降が可変個
```

▪ 引数型の整合性のチェックを行わないことを示す宣言

受け取ろうとする仮引数とは異なる型の実引数を、呼出し時に渡せるようにしたい場合、C言語では、次のように宣言します。

```
void func();
```

さきほど説明したように、この宣言は、C++では仮引数を受け取らないことを示す宣言とみなされます。二つの言語での意味が異なるため、要注意です。

なお、C++では、受け取ろうとする仮引数とは異なる型の実引数を、呼出し時に渡せるようにする宣言は、次のようになります。

```
void func(...);
```

前の項目で学習したように、第1引数も含めて引数が可変であることと共通の宣言です。

可変個引数の宣言

printf 関数のように、可変個の引数を受け取る関数の自作法を学習していきましょう。最初は、**List 3-6** に示すプログラムです。

List 3-6　chap03/vsum.c

```
// 可変個引数を受け取ってアクセスする関数

#include <stdio.h>
#include <stdarg.h>

//--- 第1引数の指定に応じて第2以降の引数の和を求める ---//
double vsum(int sw, ...)
{
    double  sum = 0.0;
    va_list ap;

    va_start(ap, sw);    // 可変部引数アクセス開始

    switch (sw) {
     case 0: sum += va_arg(ap, int);     // vsum(0, int, int)
             sum += va_arg(ap, int);
             break;

     case 1: sum += va_arg(ap, int);     // vsum(1, int, long)
             sum += va_arg(ap, long);
             break;

     case 2: sum += va_arg(ap, int);     // vsum(2, int, long, double)
             sum += va_arg(ap, long);
             sum += va_arg(ap, double);
             break;
    }
    va_end(ap);           // 可変部引数アクセス終了

    return sum;
}

int main(void)
{
    printf("10 + 2          = %.2f\n", vsum(0, 10, 2));

    printf("57 + 300000L    = %.2f\n", vsum(1, 57, 300000L));

    printf("98 + 2L + 3.14 = %.2f\n", vsum(2, 98, 2L, 3.14));

    return 0;
}
```

実行結果

```
10 + 2         = 12.00
57 + 300000L   = 300057.00
98 + 2L + 3.14 = 103.14
```

可変個の引数を受け取る関数 **vsum** は、第2引数以降の引数の和を求めて **double** 型で返す関数です。

各引数を、どのように加算するのかは、第1引数で次のように指定します。

- **0** … **int** 型の第2引数と **int** 型の第3引数を加算。
- **1** … **int** 型の第2引数と **long** 型の第3引数を加算。
- **2** … **int** 型の第2引数と **long** 型の第3引数と **double** 型の第4引数を加算。

va_start マクロ：可変個引数アクセスの準備

可変個引数をアクセスする手順を、**Fig.3-5** を見ながら理解していきます。

この図に示すのは、*sw* の値が 2 の例であって、呼び出される際に、第1引数 *sw* と、それ以降の **int** 型、**long** 型、**double** 型の三つの引数が積まれています。

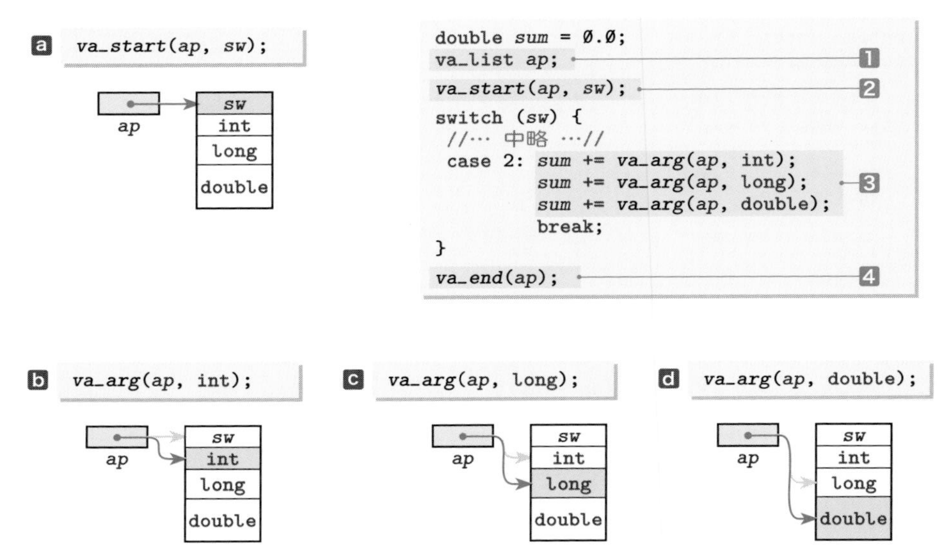

Fig.3-5 可変個引数のアクセス

1で宣言されている変数 **ap** の型は、**<stdarg.h>** ヘッダで定義されている **va_list 型**です。これは、**関数呼出し時に積まれた引数をアクセスするための特殊な型です。**

可変ではない引数 *sw* を指すように、変数 **ap** を設定するのが、2の *va_start* **マクロ**の呼出しです。これで、図aの状態となります。

	va_start
ヘッダ	`#include <stdarg.h>`
形　式	`void va_start(va_list ap, 最終引数);`
機　能	本マクロは、名前無しの実引数にアクセスする前に呼び出さなければならない。 以降に行われる *va_arg* および *va_end* の呼出しにそなえて **ap** を初期化する。 仮引数最終引数は、関数定義中で可変個数の仮引数並びの最右端に位置する仮引数の識別子、すなわち省略記号 **,...** の直前の識別子とする。仮引数最終引数が次の型として宣言されている場合は、その動作は定義されない。 ▪ **register** 記憶域クラス　▪ 関数型　▪ 配列型 ▪ 既定の実引数拡張を適用した結果の型と適合しない型

va_arg マクロ：可変個引数の取出し

va_start の呼出しによって、可変個部の引数をアクセスするための準備が完了しました。

次に行うのは、可変個部の引数を一つずつ取り出すことであり、引数の取出しに使うライブラリが **va_arg マクロ**です。

	va_arg
ヘッダ	#include <stdarg.h>
形　式	型 va_arg(va_list ap, 型);
機　能	関数呼出しにおける、一つ次の実引数の型および値をもつ式に展開する。仮引数 ap は、va_start によって初期化された va_list ap と同じでなければならない。次に va_arg を呼び出したときに、次の実引数の値が返されるように ap を更新する。仮引数型は、指定された型を示す型名とする。ただし、その型のオブジェクトへのポインタ型が、型の後ろに * を置くだけで得られなければならない。次の実引数がない場合、または型が実際の（既定の実引数拡張にしたがって拡張された）次の実引数の型と適合しない場合、その動作は定義されない。
返却値	va_start マクロの呼出し後の最初の本マクロの呼出しは、最終引数によって指定された実引数の次の実引数の値を返す。その後の一連の呼出しは、残りの実引数の値を順番に返す。

sw が 2 の場合に実行される**3**では、**va_arg** マクロを３回呼び出しています。これで、図**b**、**c**、**d**に示すように、ポインタ **ap** が次々と更新されて、引数の値が順に取り出されます。

▶　**va_arg** を呼び出すたびに、一つ後ろの引数を指すように **ap** が更新されていきます。

va_end マクロ：可変個引数アクセスの終了

可変個部分の引数のアクセスが終了して、その後片付けのために呼び出すのが、**va_end マクロ**です。

4では、このマクロを呼び出して、可変個引数のアクセス処理の後始末を行っています。

	va_end
ヘッダ	#include <stdarg.h>
形　式	void va_end(va_list ap);
機　能	va_list ap を初期化した va_start の展開によって参照された可変個数の実引数並びをもつ関数からの正常な復帰を可能にする。処理系は、va_end マクロが ap を更新して使用できないようにしてもよい（もう一度 va_start を呼び出さない限り）。対応する va_start マクロの呼出しがない場合、または va_end マクロが復帰の前に呼び出されない場合、その動作は定義されない。

▶　標準Cでは、**va_start** と **va_arg** は、マクロとして定義されなければならないと規定されています。
ただし、**va_end** をマクロとして定義するのか、あるいは、外部結合をもつ識別子とするのかは規定されていません（処理系に依存します）。

vprintf関数／vfprintf関数：ストリームへの出力

可変個の引数を展開・整形して出力する標準ライブラリとしては、標準出力ストリーム（コンソール画面）に出力する ***printf*** 関数の他に、任意のストリームに出力する ***fprintf*** 関数があります。

これらの関数とほぼ同じ機能をもつ ***vprintf*** **関数**と ***vfprintf*** **関数**という、特別なライブラリが提供されます。

	vprintf
ヘッダ	#include <stdio.h> #include <stdarg.h>
形　式	int *vprintf*(const char * restrict *format*, va_list *arg*);
機　能	可変個数の実引数並びを *arg* で置きかえた *printf* と等価である。本関数を呼び出す前に、*va_start* マクロ（さらに、*va_arg* 呼出しが続いても構わない）で *arg* を初期化しておかなければならない。なお、本関数は、*va_end* マクロを呼び出さない。
返却値	転送された文字数を返す。出力エラーが発生したときは、負の値を返す。

	vfprintf
ヘッダ	#include <stdio.h> #include <stdarg.h>
形　式	int *vfprintf*(FILE * restrict *stream*, const char * restrict *format*, va_list *arg*);
機　能	可変個数の実引数並びを *arg* で置きかえた *fprintf* と等価である。本関数を呼び出す前に、*va_start* マクロ（さらに、*va_arg* 呼出しが続いても構わない）で *arg* を初期化しておかなければならない。なお、本関数は、*va_end* マクロを呼び出さない。
返却値	転送された文字数を返す。出力エラーが発生したときは、負の値を返す。

これらの関数の引数は可変個引数ではありません。その代わりとして、末尾の引数 **arg** の型が **va_list** 型となっています。

vprintf 関数を利用する、右ページの **List 3-7** のプログラムで理解していきます。

まずは実行しましょう。表示とともに警報が発せられます。本プログラムで定義している関数 ***alert_printf*** は、"**警報を発する機能が付加された *printf* 関数**" といったところです。

▶ 2と3では、本プログラムで定義している関数 *alert_printf* を、*printf* 関数とまったく同じ感じで呼び出しています（関数の名前が *printf* でなく、*alert_printf* となっているだけです）。

それでは、関数 ***alert_printf*** の中身を理解していきましょう。1で ***vprintf*** 関数を呼び出しています。この呼出しは、右ページの **Fig.3-6** に示すように、

ポインタ ap が指すところの後方に、可変個の引数が積まれていますから、それを使って表示してください。

という依頼と考えれば、理解しやすくなります。

可変個引数を自ら一つ一つアクセスするのではなく、***vprintf*** 関数に「丸投げ」して、処理を依頼するわけです。

List 3-7 chap03/alert_printf.c

```
// 警報を発する書式付き出力関数

#include <stdio.h>
#include <stdarg.h>

//--- 警報を発する書式付き出力関数 ---//
int alert_printf(const char *format, ...)
{
    va_list ap;

    putchar('\a');
    va_start(ap, format);
    int count = vprintf(format, ap);     // 可変個引数の処理をvprintfに一任  ―1
    va_end(ap);
    return count;
}

int main(void)
{
    alert_printf("Hello!\n");                            ―2
    alert_printf("%d %ld %.2f\n", 2, 3L, 3.14);          ―3

    return 0;
}
```

実行結果

```
♪Hello!
♪2 3 3.14
```

▶ 図に示すのは、プログラムの3で関数 **alert_printf** が呼び出されたときの動作イメージです。

関数 **alert_printf** は、第1引数をそのまま **vprintf** 関数に渡し、積まれた引数を指す **ap** を第2引数として渡します。『**ap** が指す先の後ろに可変個引数が積まれていますから、後はヨロシク!!』といった感じで **vprintf** 関数に処理を頼んでいる、と理解すればよいでしょう。

vprintf 関数と **vfprintf** 関数をうまく使うと、**printf** 関数と **fprintf** 関数に細工を加えた出力が簡単に行えることが分かりました。

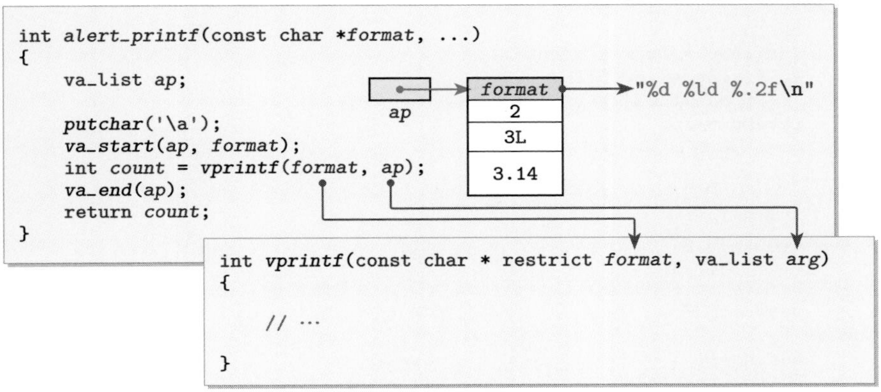

```
int alert_printf(const char *format, ...)
{
    va_list ap;                     [ap] → | format | → "%d %ld %.2f\n"
                                           | 2      |
    putchar('\a');                         | 3L     |
    va_start(ap, format);                  | 3.14   |
    int count = vprintf(format, ap);
    va_end(ap);
    return count;
}

int vprintf(const char * restrict format, va_list arg)
{

    // …

}
```

Fig.3-6 可変個引数の他の関数への引渡し

3-2 ライブラリ開発

ライブラリ開発のためには、ソースファイルの分割と結合についての学習が必要不可欠です。しっかりと理解しましょう。

1文字入出力ライブラリ

プログラムは、ある程度以上の規模となれば、単一のソースファイルのみで実現することは保守性（メンテナンスの容易性）などの面で非現実的です。

本節では、プログラムを複数のソースファイルで構築する手法や、ライブラリ開発の基礎を学習します。例題として取り上げるのは《1文字入出力ライブラリ》です。**List 3-8** に示すように、二つの関数 ***getchr*** と関数 ***ungetchr*** とで構成されます。

List 3-8 chap03/ver1/get_unget.c

```
// 1文字入出力ライブラリ（第1版）

#include <stdio.h>

#define BUFSIZE  256          // バッファの大きさ

char buffer[BUFSIZE];         // バッファ
int buf_no = 0;               // 現在の要素数
int front = 0;                // 先頭要素カーソル
int rear  = 0;                // 末尾要素カーソル

//--- 1文字取り出す ---//
int getchr(void)
{
    if (buf_no <= 0)              // バッファが空であれば
        return getchar();         // キーボードから読み込んで返す
    else {
        buf_no--;
        int temp = buffer[front++];
        if (front == BUFSIZE)
            front = 0;
        return temp;
    }
}

//--- 1文字押し戻す ---//
int ungetchr(int ch)
{
    if (buf_no >= BUFSIZE)        // バッファが満杯であれば
        return EOF;               // これ以上押し戻せない
    else {
        buf_no++;
        buffer[rear++] = ch;
        if (rear == BUFSIZE)
            rear = 0;
        return ch;
    }
}
```

このライブラリが効果的に利用できるのは、たとえば次のようなケースです。

数字を１文字ずつ読み込んでいく処理（関数 **getchr**）を行う。その過程で、数字以外の文字を読み込んだときに、『しまった！ 文字を余分に読み込んでしまった。この文字を入力に押し戻して（関数 **ungetchr**）、知らんぷりを決め込もう。』と、文字を読み込まなかったことにする。

二つの関数は、**Fig.3-7** に示すように、配列 **buffer** に格納されるバッファを共有して処理を行います。

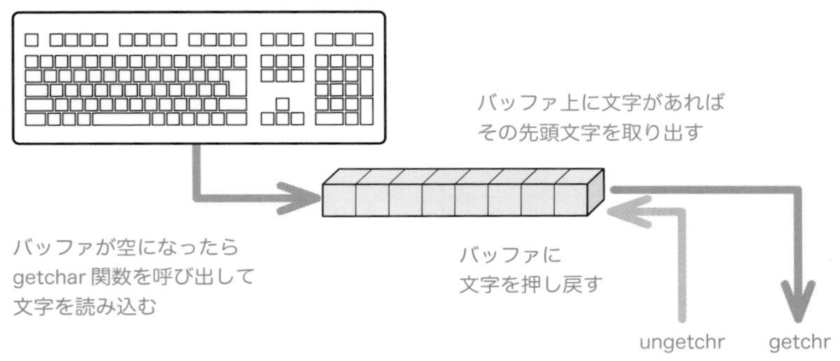

Fig.3-7　１文字入出力ライブラリ

■ 文字の取出し … 関数 getchr

１個の文字を読み込んで、その値を返す関数です。次のように、バッファの状態に応じて動作を選択的に変えます。

- ▫ バッファが空のとき　… キーボード（標準入力ストリーム）から文字を読み込みます。
- ▫ バッファが空でないとき … 押し戻されている文字をバッファから取り出します。

▶ キーボードからの読込みは、標準ライブラリ **getchar** 関数で行います。

■ 文字の押戻し … 関数 ungetchr

読み込んだ文字をバッファに押し戻して、その文字を返却します。

押し戻せる文字数の上限は、配列 **buffer** の要素数である ***BUFSIZE*** すなわち 256 です。それ以上の文字を押し戻そうとすると、エラーを表す **EOF** を返します。

▶ 二つの関数で構成される本ライブラリは、あくまでもライブラリ開発の原理を理解するための例題です（これら二つの関数のみで入出力を行うことを前提としており、**printf** 関数、**putchar** 関数、**scanf** 関数などと交互に呼び出したときの動作については考慮されていません）。

キュー

バッファに複数の文字が押し戻されている状態では、文字の取出しは、最初に押し戻された文字から行う（古い文字を優先的に取り出す）ことになります。すなわち、バッファの形式は、**先入れ先出し**（FIFO ／ First-In First-Out）である**キュー**（queue）です。

▶ 銀行の待ち行列で、より早く到着して待っているお客さんから（受付番号が小さいほうから）順に、サービスを受けられるのと同じ要領です。

キューに対してデータを押し込む操作が**エンキュー**（enqueue）で、データを取り出す操作が**デキュー**（dequeue）です。

配列をそのままキューとして利用する（配列の先頭をキューの先頭として利用する）ことは、現実的ではありません。その理由を **Fig.3-8** で考えましょう。

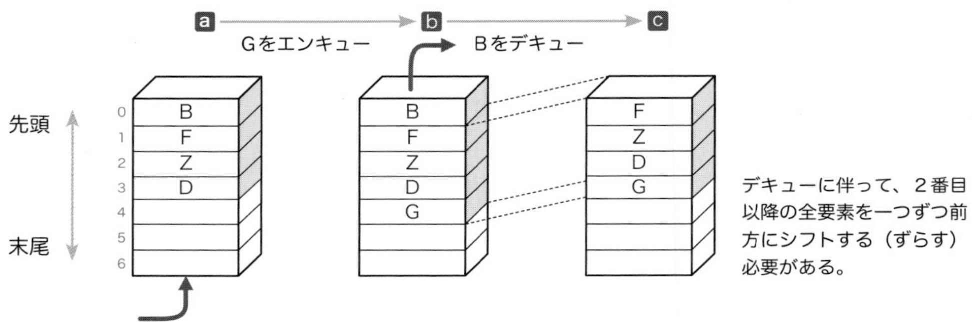

Fig.3-8 単純な配列によるキューの実現

a 4個のデータ {'B', 'F', 'Z', 'D'} が、この順でエンキューされた状態です。配列名を `buffer` とすると、データは `buffer[0]` から `buffer[3]` に格納されています。

b データ 'G' をエンキューすると、`buffer[4]` に 'G' が代入されます。

c デキューを行うと、先頭の 'B' を取り出すのに伴って、2番目以降の全要素の値を**一つずつ前方にずらす**ことになります。

このような処理を、デキューのたびに行っていては、高い実行効率は望めません。

本プログラムでは、キュー本体の配列 `buffer` とは別に、三つの変数を用意することによって、要素をずらすことなく実現しています（**Fig.3-9**：右ページ）。

- `front` キューに蓄えられている先頭データの添字
- `rear` 〃 末尾データの一つ後ろの要素の添字
- `buf_no` 〃 データの個数

配列の物理的イメージが右側の図（長方形）で、論理的なイメージが左側の図（円）です。末尾要素の後ろに、先頭要素がつながっている循環構造とみなします。

a　7個のデータ{'B', 'R', 'K', 'Q', 'M', 'V', 'H'}がエンキューされていて、それらのデータが順に **buffer[7]**、**buffer[8]**、…、**buffer[11]**、**buffer[0]**、**buffer[1]** に格納されている状態です。

b　'W' をエンキューすると、**buffer[2]** に格納して **rear** をインクリメントします。

c　デキューを行うと、**buffer[7]** から 'B' を取り出して **front** をインクリメントします。

なお、**front** と **rear** の値が等しいときに、キューが空なのか満杯なのかの区別が付かなくなるのを避けるため、データの個数を表す変数 **buf_no** が別途必要となっています。

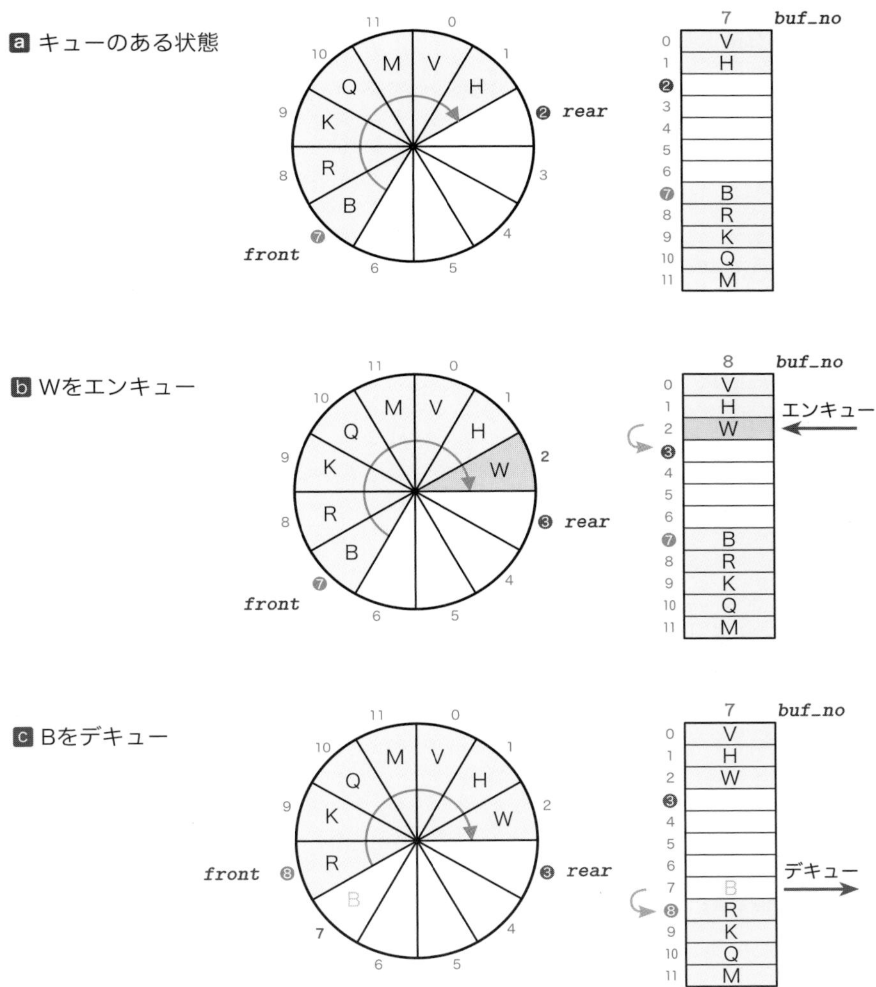

▶　配列の要素数＝キューの容量は、本図では12としていますが、プログラムでは256です。

Fig.3-9 キューの実現と操作の例

分割コンパイル

１文字入出力ライブラリを利用するプログラム例を **List 3-9** に示します。

整数値とみなせる数字の並びを読み込むと、その２倍の値を出力し、数字以外の文字を読み込むと、そのまま出力するプログラムです。

List 3-9 chap03/ver1/get_unget_test.c

```
// １文字入出力ライブラリ（第１版）の利用例

#include <ctype.h>
#include <stdio.h>

int getchr(void);
int ungetchr(int ch);

//--- 整数（数字の列）を読み込んで２倍の値を表示 ---//
int getnum(void)
{
    int c = 0;
    int x = 0;
    int ch;

    while ((ch = getchr()) != EOF && isdigit(ch)) {
        x = x * 10 + ch - '0';
        c++;
    }
    if (ch != EOF)
        ungetchr(ch);
    if (c) printf("%d\n", x * 2);

    return ch;
}

//--- 文字を読み込んでそのまま表示 ---//
int getnnum(void)
{
    int ch;

    while ((ch = getchr()) != EOF && !isdigit(ch))
        putchar(ch);
    if (ch != EOF)
        ungetchr(ch);
    putchar('\n');

    return ch;
}

int main(void)
{
    while (getnum() != EOF)
        if (getnnum() == EOF)
            break;

    return 0;
}
```

実行例

```
123abc5d78⏎
246
abc
10
d
156

Ctrl+Z
```

▶ 関数 getnum は、整数を読み込んで２倍の値を表示する関数です。読み込んだ文字が数字文字である限り、次々と数字文字を読み込んでいきます。

読み込んだ文字の並びを変換した整数を格納するのが変数 `x` です。その時点までに得られた数値を10倍した上で、読み込んだ数を加えます。

たとえば、3個の文字を '1'、'3'、'4' と読み込んだ場合は、1 ➡ 10 + 3 ➡ 130 + 4 によって 134 を得ます。関数の最後では `x` を2倍した値を表示します。

本プログラムは、単独では実行できません。**List 3-8**（p.86）と組み合わせる**リンク**を行うことで、一つの完成したプログラムとなります。

プログラムを構成するソースファイルが2個（以上）になった場合の、プログラム構築の手順の概要を一般化して示したのが **Fig.3-10** です。

▶ 具体的なコンパイルやリンクの操作法などは、お使いの処理系のマニュアルをご覧ください。

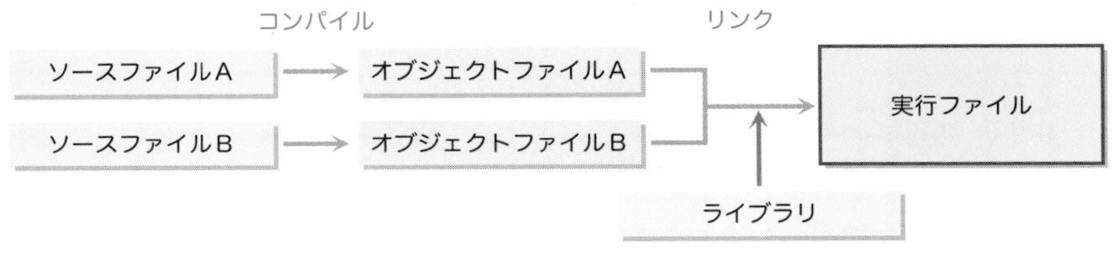

Fig.3-10 分割コンパイルと実行プログラムの作成

各ソースファイルは、個別にコンパイルされて、それぞれに対してオブジェクトファイルが作成されます。それらのオブジェクトファイルと、ライブラリから抽出された `printf` などの関数をリンクすることで、最終的な実行ファイル（実行プログラム）が完成します。

本プログラムにおける、各ソースファイルと、その中で定義されている関数や、呼び出されているライブラリ関数の関係は、**Fig.3-11** のようになっています。

▶ ここでは関数についてのみ言及しました。実際には、広域的な変数 `buffer` などもリンクされます。

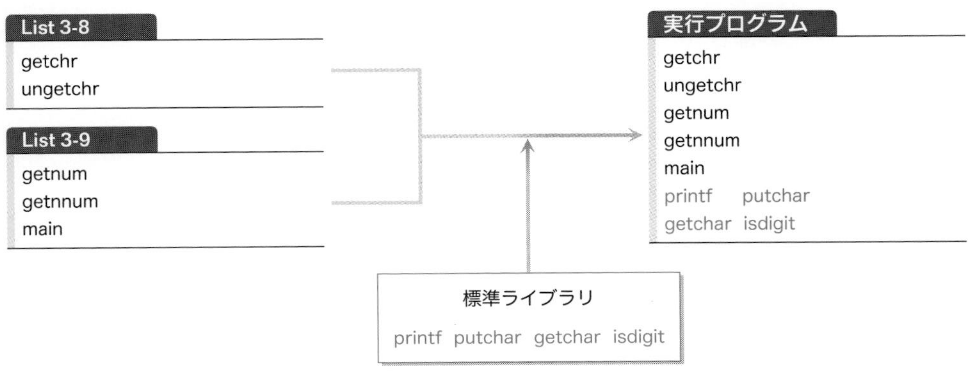

Fig.3-11 プログラムの構成

結合

複数のソースファイルで構成されるプログラムを開発するためには、**結合**（linkage）の概念をマスターする必要があります。**Fig.3-12** の例で考えていきましょう。

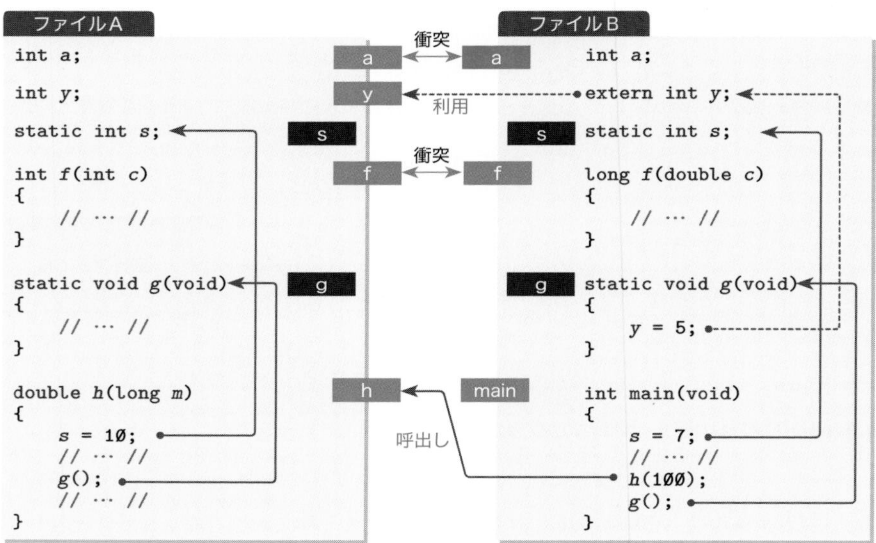

Fig.3-12 ソースファイルと結合

外部結合（external linkage）

水色で示すように、staticを付けずに定義された、関数とファイル有効範囲をもつ変数に与えられるのが**外部結合**です。外部結合をもつ識別子（名前）は、ソースファイルの外部に対して**公開**される**外部名**（external name）となります。

重要 外部結合をもつ識別子は、ソースファイルの外部に公開される**外部名**となる。

たとえば、ソースファイルBの**main** 関数から、ソースファイルAの関数 ***h*** を呼び出せるのは、関数 ***h*** が外部結合をもつからです。

なお、変数 **a** と関数 ***f*** に関しては、外部結合をもつ同名の識別子が複数のソースファイルに存在しますので、リンクの段階で**名前衝突**のエラーが発生します。

▶ 外部名は、処理系によっては、大文字／小文字の区別が無視されたり、識別可能な文字数が制限されたりすることがありますので、要注意です。
　標準Cの第1版では、識別が保証されるのが先頭の6文字のみでした。***printf*** や ***strcpy*** などの標準ライブラリの名前が短いのは、この制限を受けている（いた）からです。

内部結合（internal linkage）

黒色で示すように、**static** 付きで定義された、関数とファイル有効範囲をもつ変数に与えられるのが**内部結合**です。ソースファイルの内部だけで通用する内輪（うちわ）のものであり、外部に対して**非公開**な**内部名**（internal name）となります。

> **重要** **内部結合**をもつ識別子は、そのソースファイル内でのみ通用し、外部に対しては公開されない**内部名**となる。

ソースファイルAの変数 *s* と関数 *g*、ソースファイルBの変数 *s* と関数 *g* は内部結合をもちますから、他のソースファイルから利用したり呼び出したりすることができません。もちろん、他のソースファイルに存在する同一名の識別子と**名前衝突**のエラーが発生することはありません。

なお、（この例にはありませんが）マクロの名前も内部名となります。

無結合（no linkage）

関数の中で定義する変数名、関数の引数名、ラベル名などは、**その場限り**のものであって、（たとえ同一のソースファイル内でも）関数外からアクセスできません。

> **重要** **無結合**をもつ識別子は、それを含む関数などの宣言の内部でのみ通用し、外部に対して公開されない。

さて、ここまでの学習で、ライブラリ中の識別子に関して、次の方針を採用すべきであることが分かりました。

> **重要** ライブラリ内部でのみ利用して、外部であるユーザに存在を知らせるべきでない／知らせる必要のない関数や変数には**内部結合**を与える。

１文字入出力ライブラリの内部でのみ利用する変数 ***buffer***、***buf_no***、***front***、***rear*** に内部結合を与えましょう（同じ識別子の変数をユーザが定義しても、エラーになりません）。

そのように改良したプログラムを **List 3-10** に示します（宣言に **static** を付けるだけです）。

List 3-10 chap03/ver2/get_unget.c

```
// １文字入出力ライブラリ（第２版）

#include <stdio.h>

#define BUFSIZE  256          // バッファの大きさ

static char buffer[BUFSIZE];     // バッファ
static int buf_no = 0;           // 現在の要素数
static int front = 0;            // 先頭要素カーソル
static int rear = 0;             // 末尾要素カーソル

//--- 以下省略（第１版と同じ）---//
```

▶ 第２版のテストプログラムは "chap03/ver2/get_unget_test.c" です。

ソースファイルの分割

ライブラリの規模が大きくなると単一のソースファイルのみで実装するのは現実的でなくなります。１文字入出力ライブラリを二つのファイルに分割しましょう。

それが **List 3-11** の "getchr.c" と、**List 3-12** の "ungetchr.c" です。

List 3-11 chap03/ver3/getchr.c

```
// １文字入出力ライブラリ（第３版）"getchr.c"

#include <stdio.h>

#define BUFSIZE  256          // バッファの大きさ

char buffer[BUFSIZE];         // バッファ
int buf_no = 0;               // 現在の要素数
int front = 0;                // 先頭要素カーソル
int rear = 0;                 // 末尾要素カーソル

//--- １文字取り出す ---//
int getchr(void)
{
    if (buf_no <= 0)              // バッファが空であれば
        return getchar();         // キーボードから読み込んで返す
    else {
        buf_no--;
        int temp = buffer[front++];
        if (front == BUFSIZE)
            front = 0;
        return temp;
    }
}
```

List 3-12 chap03/ver3/ungetchr.c

```
// １文字入出力ライブラリ（第３版）"ungetchr.c"

#include <stdio.h>

#define BUFSIZE  256              // バッファの大きさ

extern char buffer[BUFSIZE];      // バッファ
extern int  buf_no;               // 現在の要素数
extern int  front;                // 先頭要素カーソル
extern int  rear;                 // 末尾要素カーソル

//--- １文字押し戻す ---//
int ungetchr(int ch)
{
    if (buf_no >= BUFSIZE)        // バッファが満杯であれば
        return EOF;               // これ以上押し戻せない
    else {
        buf_no++;
        buffer[rear++] = ch;
        if (rear == BUFSIZE)
            rear = 0;
        return ch;
    }
}
```

▶ 第３版のテストプログラムは "chap03/ver3/get_unget_test.c" です。

この実現は、大きく三つの問題点を含んでいます。一つずつ学習していきましょう。

①内部的な変数名の透過性

*buffer*や*buf_no*などの変数は、**List 3-11**の"getchr.c"で定義・公開して、**List 3-12**の"ungetchr.c"で参照・利用しています。ソースファイルをまたがって利用するために、外部結合が与えられており、せっかく第2版で改良した点が、第1版と同等な状態に戻されています。

▶ というのも、**List 3-11**の定義にstaticを付けると、**List 3-12**から参照できなくなるからです。

これらの変数名は、ライブラリの外部に対しても**公開**されます。そのため、もしライブラリを利用するプログラム内で、それらと同じ名前の変数を（外部結合をもつものとして）使うと、リンクエラーとなります（**Fig.3-13**）。

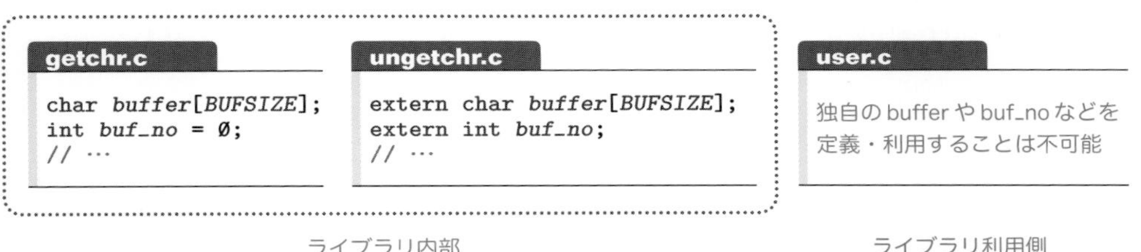

Fig.3-13 ライブラリ内の変数と結合

1文字入出力ライブラリの内部である"getchr.c"と"ungetchr.c"だけに通用して、その外部には公開しない識別子を作ることは不可能です。

このことは、ライブラリ利用者に対して、**利用者が自由に使用できるはずの変数名に制限を与える**ことを意味します。

*buffer*などの外部結合をもつ変数名の一覧を作って、それらがユーザのプログラムでは使えないことを、マニュアルなどを通じて利用者に伝える必要性も発生します。

識別子の有効範囲や結合は、ソースファイル単位、あるいは、ソースファイル中の位置といった物理的な面からの制約を受けます。これは、次のことを表しています。

重要 C言語は、モジュール型プログラミングを言語レベルでサポートしない。

プログラムが小規模であれば、第2版のように、単一のソースファイルで実現したほうが都合よい、というのが本当のところです。

②プログラムの拡張性に関する問題

バッファの先頭文字および末尾文字を指す変数 ***front*** と ***rear*** を、添字を表す整数値から、バッファ内の文字を指すポインタへと仕様変更することを考えましょう。

変更後の二つの変数の宣言は、次のようになります。

```
char *front = buffer;        // frontはbuffer[0]を指すポインタ
char *rear  = buffer;        // rear はbuffer[0]を指すポインタ
```

しかし、このような変更を、プログラムの隅々まで確実に行うのは、意外と大変です。

Fig.3-14 に示すように、"getchr.c" では ***front*** と ***rear*** を **int** 型から **char *** 型に変更しているのに、もう一方の "ungetchr.c" では変更を忘れて **int** 型にしたまま、ということも起こり得るからです。

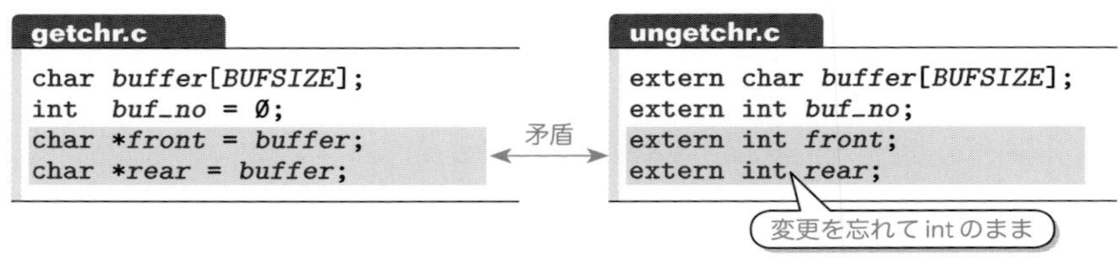

Fig.3-14 誤った実現

このような、複数のソースファイルにまたがった《矛盾した宣言》を発見するのは容易ではありません。

多くの処理系では、コンパイルやリンクが（見かけ上は）正常に終了して実行プログラムが作成されるからです（いざプログラムを実行したら異常な動作をします）。

重 要 ソースファイルをまたがった宣言の矛盾には気付きにくい。

▶ C++ では矛盾した宣言を確実に発見できる仕組みが導入されています（**Column 3-4**：右ページ）。

③不用意な初期化の可能性

"ungetchr.c" の変数宣言には **extern** が付いています。これは、外部（別のソースファイル）である "getchr.c" 内で定義された変数を利用するための指定です。

この宣言に初期化子を与えると、どうなるのかを実験してみましょう（**Fig.3-15**）。

プログラムをコンパイルするところまではうまくいきますが、オブジェクトファイルをリンクする段階でエラーが発生します。

エラー "getchr.c" で定義されている ***buf_no*** と ***front*** と ***rear*** が、"ungetchr.c" で重複定義されています。

getchr.c

```
char buffer[BUFSIZE];
int buf_no = 0;
int front = 0;
int rear = 0;
```

重複定義

ungetchr.c

```
extern char buffer[BUFSIZE];
extern int buf_no = 0;
extern int front = 0;
extern int rear = 0;
```

初期化子が付くと定義になる

Fig.3-15 誤った extern 宣言

もともと **extern** 宣言は、"どこか別の箇所で定義されているものを参照する宣言"、すなわち "実体を定義しない宣言" です。ところが、ひとたび初期化子が与えられると、"実体を定義する宣言" となるのです。

重要 初期化子を伴う **extern** 宣言は、実体の定義となる。

重複定義による名前衝突のエラーがリンク時に発生するのは、同一名の変数 ***buf_no***、***front***、***rear*** の実体の定義が、**"getchr.c"** と **"ungetchr.c"** の両方で行われるからです。

▶ 英語の extern は、『外部の』という意味の単語です。

Column 3-4 C++ の型安全結合

プログラムのコンパイルは、ソースファイル単位で行います。そのため、ソースファイルをまたがった関数や変数などの型に関する整合性は、リンク時にしかチェックできません（しかも、通常は不完全なチェックとなります）。

一般的なC言語のコンパイラは、リンカに関数や変数の名前を渡しますが、それらの型に関する情報は渡しません。そのため、特殊なツールなどを用いない限り、ソースファイルをまたがった型の整合性に関するチェックは行えないのが現状です。

一方、C++ では**型安全結合**（type-safe linkage）のメカニズムによって整合性のチェックを可能にしています。コンパイル時に、関数名や変数名に型名を埋め込んで、内部的に名前を変えてしまうという、ちょっとした細工を行います。

たとえば、あるソースファイルで ***front*** が **int** として定義されていたら、その変数名を ***front__int*** といった名前に変更します。また、別のソースファイルで ***front*** が **extern char *** として宣言されていたら、その変数名を ***front__char_p*** に変更します（ここに示した名前は、あくまでも一例です）。

リンカは、これらの変更された名前を受け取るわけですから、型が一致しないと判定できる、という仕組みです。

C++ の処理系であれば、**Fig.3-14** のように誤って実現されたプログラムに対しても、リンク時にエラーを発しますので、デバッグも容易です。

ライブラリ化

検討してきた3点の問題点を改良した実現例を示します。ヘッダは **List 3-13** と **List 3-14** の二つに分割されています（ファイルの総数は4個です）。

List 3-13 chap03/ver4/getchr.h

```
// 1文字入出力ライブラリ《公開ヘッダ》"getchr.h"

#ifndef __GETCHR
#define __GETCHR

//----- 関数原型宣言 -----//
int getchr(void);                       // 1文字取り出す
int ungetchr(int __ch);                 // 1文字押し戻す

#endif
```

List 3-14 chap03/ver4/_getchr.h

```
// 1文字入出力ライブラリ《内部ヘッダ》"_getchr.h"

#ifndef __GETCHR_
#define __GETCHR_

#define __BUFSIZE  256

extern char __buffer[__BUFSIZE];      // バッファ
extern int __buf_no;                  // 現在の要素数
extern int __front;                   // 先頭要素カーソル
extern int __rear;                    // 末尾要素カーソル

#endif
```

公開ヘッダ "getchr.h"

ライブラリの**利用者**に対してライブラリが提供する構造体などの型の定義や、マクロの定義、関数原型宣言などを提供するヘッダです。

"getchr.h" では、**getchr** と **ungetchr** の関数原型宣言のみが置かれています。

内部ヘッダ "_getchr.h"

ライブラリの**内部**で利用する構造体などの型の定義、マクロの定義、変数を参照するための宣言、関数原型宣言などを記述したヘッダです。

ライブラリの実体を定義する《実現ファイル》からインクルードされるものであって、ライブラリの利用者に対しては非公開です。

重要 ライブラリ内部でのみ利用する変数・関数・マクロなどの宣言を集めた内部ヘッダを用意し、ライブラリの実体を定義するプログラムでインクルードする。

"_getchr.h" では、マクロの定義と変数を参照するための宣言が置かれています。

なお、変数名は、先頭に2個の下線文字を与えた **__buffer** や **__buf_no** に変更しています。

ライブラリの利用者が独自に定義する名前や、C言語の処理系自身が利用する名前と衝突しないようにするための配慮です。

実現ファイル "getchr.c" と "ungetchr.c"

ライブラリの本体となる関数や変数を定義する実現プログラムは、**List 3-15** と **List 3-16** の二つです。これらのプログラムでは、《内部ヘッダ》と《公開ヘッダ》の両方をインクルードしています。

▶ **List 3-15** の "getchr.c" には、関数 ***getchr*** の定義と、4個の変数の定義が含まれています。また、**List 3-16** の "ungetchr.c" には、関数 ***ungetchr*** の定義が含まれています。

List 3-15 chap03/ver4/getchr.c

```
// 1文字入出力ライブラリ《実現ファイル》"getchr.c"

#include <stdio.h>
#include "_getchr.h"
#include "getchr.h"

char __buffer[__BUFSIZE];       // バッファ
int __buf_no = 0;               // 現在の要素数
int __front = 0;                // 先頭要素カーソル
int __rear = 0;                 // 末尾要素カーソル

//--- 1文字取り出す ---//
int getchr(void)
{
    if (__buf_no <= 0)          // バッファが空であれば
        return getchar();       // キーボードから読み込んで返す
    else {
        __buf_no--;
        int temp = __buffer[__front++];
        if (__front == __BUFSIZE)
            __front = 0;
        return temp;
    }
}
```

List 3-16 chap03/ver4/ungetchr.c

```
// 1文字入出力ライブラリ《実現ファイル》"ungetchr.c"

#include <stdio.h>
#include "_getchr.h"
#include "getchr.h"

//--- 1文字押し戻す ---//
int ungetchr(int ch)
{
    if (__buf_no >= __BUFSIZE)      // バッファが満杯であれば
        return EOF;                 // これ以上押し戻せない
    else {
        __buf_no++;
        __buffer[__rear++] = ch;
        if (__rear == __BUFSIZE)
            __rear = 0;
        return ch;
    }
}
```

もし返却値型や引数などの関数の仕様に変更を加えるのであれば、実現ファイルとヘッダの両方の更新が必要です。

▶ たとえば、関数 `int ungetchr(int)` を、`char ungetchr(char)` の形式に仕様変更するのであれば、実現ファイル "ungetchr.c" と、公開ヘッダ "getchr.h" の両方を更新します。
　また、**Fig.3-14**（p.96）で検討した変更を行うのであれば、内部ヘッダ "_getchr.h" と、実現ファイル "getchr.c" と "ungetchr.c" の更新が必要です。

プログラマは面倒を強いられることになる反面、大きな**メリット**を享受できます。

それは、実現ファイルとヘッダのいずれかの変更を失念しても、コンパイルエラーが発生することから**誤りの発見をコンパイル時に確実に行えること**です。

重要 ライブラリの実体を定義する実現ファイルでは、ライブラリ内部用の《内部ヘッダ》と、ユーザ向けの《公開ヘッダ》の両方をインクルードする。

本ライブラリを利用するプログラム例を、**List 3-17** に示します。もちろん、このプログラムからインクルードするのは《公開ヘッダ》のみです。

List 3-17 chap03/ver4/get_unget_test.c

```
// 1文字入出力ライブラリの利用例

#include <ctype.h>
#include <stdio.h>
#include "getchr.h"

//--- 整数（数字の列）を読み込んで２倍の値を表示 ---//
int getnum(void)
{
    int c = 0;
    int x = 0;
    int ch;

    while ((ch = getchr()) != EOF && isdigit(ch)) {
        x = x * 10 + ch - '0';
        c++;
    }
    if (ch != EOF)
        ungetchr(ch);
    if (c) printf("%d\n", x * 2);

    return ch;
}

//--- 文字を読み込んでそのまま表示 ---//
int getnnum(void)
{
    int ch;

    while ((ch = getchr()) != EOF && !isdigit(ch))
        putchar(ch);
    if (ch != EOF)
        ungetchr(ch);
    putchar('\n');

    return ch;
}
```

実行例

```
123abc5d78⏎
246
abc
10
d
156

Ctrl + Z
```

```
int main(void)
{
    while (getnum() != EOF)
        if (getnnum() == EOF)
            break;

    return 0;
}
```


▶ 本節の最初に示したライブラリ用に作られた **List 3-9** （p.90）を、ライブラリの仕様変更に伴って作り変えたプログラムです。

Fig.3-16 に示すのが、ライブラリとユーザプログラムの一般的な関係です。

ライブラリのユーザに公開されるのは、`"public.h"` だけです。`"private.h"` はライブラリ内部でのみインクルードされます。

なお、`"libsrc1.c"` と `"libsrc2.c"` は、ソースプログラムとしても提供できますが、コンパイルずみのオブジェクトファイルとしての供給も可能です（多くのライブラリは、オブジェクトファイルのみが提供されます）。

▶ オブジェクトファイルの形式のままではなく、ライブラリファイルの形式に変換したものとして供給されるのが一般的です。

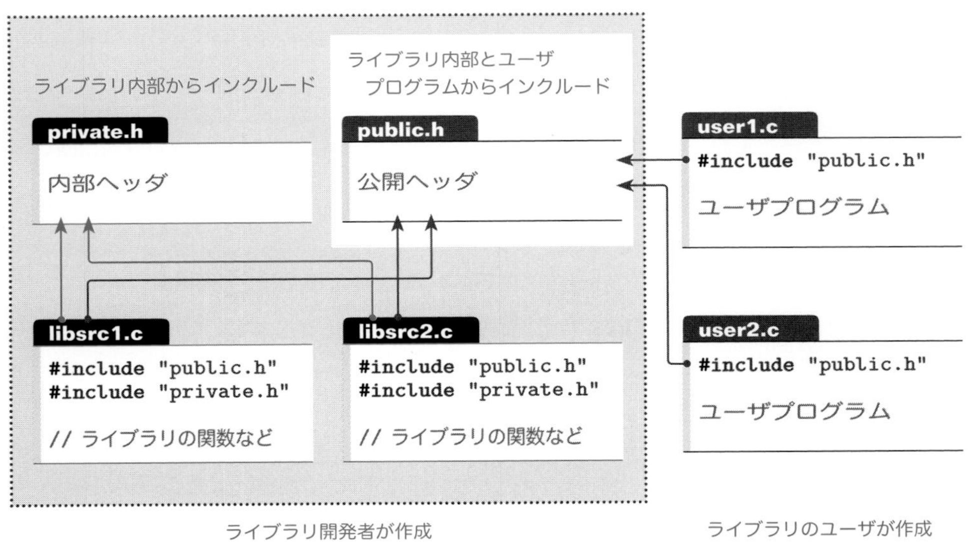

Fig.3-16 一般的なライブラリの構成（開発と利用）

本節では、規模の小さい1文字入出力ライブラリを例に、ライブラリ開発の基礎を学習しました。ライブラリの規模が大きくなると、ヘッダの構成を階層的にするなどの工夫が必要となります。みなさん自身でライブラリを設計・開発して、腕を磨くといいでしょう。

引数の名前

関数宣言の仮引数の命名法に関して、1～max の和（すなわち1 + 2 + … + max）を求める関数 sum を例にとって考察していきます。

関数原型宣言を含むヘッダが **List 3-18** で、その定義が **List 3-19** です。そして、**List 3-20** に示すのが、関数 sum を利用するプログラムです。

List 3-18 chap03/sum_error/sum.h

```
// 1～maxの和を求める関数sum（ヘッダ）

#ifndef __SUM
#define __SUM

int sum(int max);

#endif
```

List 3-19 chap03/sum_error/sum.c

```
// 1～maxの和を求める関数sum（定義）

int sum(int max)
{
    int s = 0;

    for (int i = 1; i <= max; i++)
        s += i;
    return s;
}
```

List 3-20 chap03/sum_error/sum_test.c

```
// メインプログラム（関数sumを利用）

#define max  10

#include <stdio.h>
#include "sum.h"

int main(void)
{
    int n;

    do {
        printf("1～%dの整数値：", max);
        scanf("%d", &n);
    } while (n < 1 || n > max);

    printf("1～%dの和は%dです。\n",
                    n, sum(n));

    return 0;
}
```

実行結果
コンパイルエラーとなるため実行できません。

プログラム "sum_test.c" をコンパイルすると、そこからインクルードされる "sum.h" の水色部の関数 sum の関数原型宣言に対して、

エラー 不正な識別子です。

とのエラーが発生します。というのも、灰色部の #define 指令で定義されているオブジェクトマクロによって、**Fig.3-17** に示す置換が行われるからです。

```
#ifndef __SUM
#define __SUM

int sum(int max);

#endif
```

➡ 置換

```
#ifndef __SUM
#define __SUM

int sum(int 10);

#endif
```

Fig.3-17 List 3-18 のマクロを置換

単独では問題のないコードが、他のプログラムからインクルードされることでエラーにつながることが分かりました。

多くの処理系は、ヘッダ内の関数原型宣言の仮引数には、2個（以上）の下線文字 __ で始まる名前を与えています。

```
double sin(double __x);                 // __xの正弦を求める
double pow(double __x, double __y);     // __xの__y乗を求める
```

先頭の下線を1個でなく2個（以上）とするのは、利用者が独自に定義するマクロ名などと衝突しないように、という配慮です。というのも、**1個の下線で始まる名前は**、処理系が独自の目的で利用できるように**予約されている**からです。

もっとも、関数原型宣言では、仮引数の個数と、それぞれの型が分かればよいので、引数の名前は**省略できます**。たとえば、次のように宣言されています。

```
double sin(double);                    // 引数の正弦を求める
double pow(double, double);            // 第１引数の第２引数乗を求める
```

仮引数の名前を記述するメリットとデメリットは、次のとおりです：

■ メリット

▫ 適切な名前を与えることによって、その引数がどういうものであるかを、自然言語に近い形で伝えられる（たとえば **s** は文字列で、**a** は配列など）。

▫ 仮引数とは型の合わない実引数を渡して呼び出そうとするプログラムに対して、コンパイラがエラーメッセージや警告メッセージを表示する際に、仮引数の名前を使って説明できるため、メッセージの意図が伝わりやすくなる。

■ デメリット

▫ 仮引数名が、プログラマが独自に定義するマクロ名などと衝突する可能性がある。

仮引数に名前を与えるのであれば、先頭に __ を付加するなどして、他の名前と衝突しないように留意しましょう。

重要 関数原型宣言の引数には注意して名前を与える。

▶ ヘッダの仮引数名を修正したプログラムは、"chap03/sum/sum.h"、"chap03/sum/sum.c"、"chap03/sum/sum_test.c" です。

インライン関数

List 3-21 に示すように、定義に **inline** 指定子が付加された関数は、**インライン関数**（inline function）となります。インライン関数は、関数形式マクロと同様に、展開されて埋め込まれます。関数呼出しに伴うオーバヘッドがないため、**マクロ版と同等な高速性**が期待できます。

▶ 本ヘッダのテストプログラムは "chap03/max2_inline_test.c" です。

List 3-21 chap03/max2_inline.h

```
// インライン関数max2を定義するヘッダ

//--- インライン関数 ---//
inline int max2(int a, int b)
{
    return a > b ? a : b;
}
```

マクロとは異なり、インライン関数では、実引数が複数回評価されることによる**副作用の問題は生じない**ことが保証されます。

第１章で作成した関数形式マクロ版 **max2** が、**>** 演算子で比較可能なすべての型の引数に対して有効であるのとは異なり、ここに示す **max2** は、処理対象が **int** 型に限定されます。

▶ インライン関数には（**static** を指定しなくても）**内部結合**が与えられます。
なお、繰返し文を含むような、複雑あるいは大規模な関数は、インラインに展開されない可能性があります。その場合は、通常の関数と同じようなコードが生成されます。

3-3 画面制御ライブラリ

本節では、文字の表示色やカーソルの位置を自由に設定できるコンソール画面制御ライブラリを開発します。

エスケープシーケンス

コンソール画面の制御に関する質問を、Dさんからいただきました。

過去に開発したプログラムを、コンパイルし直して動かそうとしていますが、うまくいきません。エスケープシーケンスを用いて、画面の消去、表示文字色の指定、カーソルの位置付けを行うプログラムです。
どうやら、MS-Windowsのシェルでは、エスケープシーケンスが使えないみたいで、困っています。どうにかならないでしょうか。

相談に添えられていたプログラムは、多くのOSでサポートされている**エスケープシーケンス**の一部を利用してコンソール画面を制御するものです。

▶ エスケープシーケンスは、ISO/IEC 6429 “Information technology − Control functions for coded character sets”、JIS X0211『符号化文字集合用制御機能』で定義されています。

Dさんのプログラムを整理したプログラムは "chap03/escape.c" です。

エスケープシーケンスは、コンソール画面やプリンタなどの周辺機器装置に対して、制御文字ESCで始まる数バイト程度の情報を送信することで動作を指定するものであり、プログラムでは、**Table 3-1** に示す3種類のエスケープシーケンスが使われていました。

Table 3-1 エスケープシーケンス

① 画面の消去	ESC[2J	画面を消去する。
② カーソル位置の設定	ESC[y;xH	yは縦方向の座標、xは横方向の座標。 画面の左上隅の(x, y)を、(1, 1)とする。
③ 表示様式の設定	ESC[p;p;…m	pは以下に示すパラメータであり、セミコロン;で区切って複数個を指定できる。 0…既定の状態。 1…太字または高輝度。 30…黒色表示。 31…赤色表示。 32…緑色表示。 33…黄色表示。 34…青色表示。 35…赤紫色表示。 36…水色表示。 37…白色表示。 40…黒色背景。 41…赤色背景。 42…緑色背景。 43…黄色背景。 44…青色背景。 45…赤紫色背景。 46…水色背景。 47…白色背景。

① 画面の消去

ASCII コード／JIS コード体系では、制御文字 ESC のコードは、16 進数で `1B` であるため、コンソール画面に対して `"\x1B[2J"` を出力すると、画面が消去されます。

通常、標準出力ストリームはコンソール画面に割り当てられていますので、画面の消去は、***printf*** 関数を次のように呼び出す関数として実現できます。

```
void cls(void)
{
    printf("\x1B[2J");                    // 画面の消去
}
```

② カーソル位置の設定

カーソル位置の設定は、左上隅の座標を (1, 1) とする座標系におけるX座標値とY座標値の指定で行います。カーソルを任意の位置 (*x*, *y*) に設定する関数は、次のようになります。

```
void locate(int x, int y)
{
    printf("\x1B[%d;%dH", y, x);          // カーソル位置を(x, y)に設定
}
```

たとえばカーソルを (5, 8) に位置付けたい場合は、*locate*(5, 8) と呼び出します。

③ 表示様式の設定

表示様式として指定できる色は、文字色、背景色ともに8色です。ただし、文字色として《太字または高輝度》を指定できる環境では、《赤》と《明るい赤》、《緑》と《明るい緑》…、というように、実質的に16色が使えます。

文字色と背景色を設定する関数、背景色を黒にして文字色のみを設定する関数は、次のように実現できます。

```
//--- 文字色をfgに背景色をbgに設定 ---//
void colorx(int fg, int bg)
{
    int col[] = {30, 34, 31, 32, 35, 36, 33, 37};

    printf("\x1B[0;");
    if (fg > 7)                       // 高輝度
        printf("1;");
    printf("%d;%dm", col[fg % 8], col[bg % 8] + 10);
}

//--- 文字色をcolに設定 ---//
void color(int col)
{
    colorx(col, BLACK);                   // 文字色はcolで背景色は黒
}
```

▶ 通常の色は 0 ～ 7、太字または高輝度の色は 8 ～ 15 です（この値は、次ページの **List 3-22** 中の列挙子の値と一致します）。ただし、《太字または高輝度》が指定できるのは文字色のみです。

なお、出力のために使うのは、***printf*** 関数ではなく ***fprintf*** 関数とすべきです（第8章で学習しますが、***printf*** 関数の出力先である標準出力ストリームが、リダイレクトによって変更される可能性があるからです）。

Windows-APIの利用

MS-Windowsの前身のMS-DOSなどを含め、多くのOSでエスケープシーケンスがサポートされています。ところが、MS-Windowsでは（標準のままでは）使えません。

重要 MS-Windowsの標準状態では、エスケープシーケンスは利用できない。

これが、Dさんの陥った、落とし穴だったのです。

MS-Windowsでは、APIを呼び出すことによって、画面の消去や、表示色の変更などを行えます。MS-Windowsでは**Windows-API**を呼び出して、それ以外の環境ではエスケープシーケンスを出力するライブラリを開発することで、問題を解決しましょう。

▶ APIは、application program interfaceの略であり、OSなどのプラットフォーム上で動作するソフトウェアで利用できる命令や関数の集合です。アプリケーションから呼び出すと、プラットフォームが用意する各種機能が利用できるようになります。

画面制御ライブラリのヘッダを**List 3-22**に、プログラムを**List 3-23**に示します。

List 3-22 chap03/display.h

```
// <lib/display.h> 画面制御ライブラリ（エスケープシーケンス／Windows-API）ヘッダ

#ifndef __DISPLAY
#define __DISPLAY

enum {
    BLACK,              // 黒
    BLUE,               // 青
    RED,                // 赤
    GREEN,              // 緑
    MAGENTA,            // 赤紫
    CYAN,               // 水色
    YELLOW,             // 黄色
    WHITE,              // 白
    GRAY,               // 灰色
    BRIGHT_BLUE,        // 明るい青
    BRIGHT_RED,         // 明るい赤
    BRIGHT_GREEN,       // 明るい緑
    BRIGHT_MAGENTA,     // 明るい赤紫
    BRIGHT_CYAN,        // 明るい水色
    BRIGHT_YELLOW,      // 明るい黄色
    BRIGHT_WHITE        // 輝く白
};

//--- 画面消去 ---//
void cls(void);

//--- カーソル位置を(__x, __y)に設定 ---//
void locate(int __x, int __y);

//--- 文字色を__fgに背景色を__bgに設定 ---//
void colorx(int __fg, int __bg);

//---  文字色を__colに設定 ---//
void color(int __col);

#endif
```

▶ List 3-23 の水色部でマクロ *ESCAPE_SEQUENCE* が 0 と定義されていますので、Visual C++ などによって提供される **<windows.h>** ヘッダがインクルードされます。

エスケープシーケンスをサポートする環境でコンパイルする際は、

```
#define ESCAPE_SEQUENCE  1        // 1：エスケープシーケンス／0：Windows-API
```

に書きかえる必要があります。

List 3-23 chap03/display.c

```
// 画面制御ライブラリ（エスケープシーケンス／Windows-API）

#include <stdio.h>
#include "display.h"

#define ESCAPE_SEQUENCE   0       // 1：エスケープシーケンス／0：Windows-API

#if (ESCAPE_SEQUENCE==0)
    #include <windows.h>
#endif

//--- 画面消去 ---//
void cls(void)
{
#if (ESCAPE_SEQUENCE==1)
    fprintf(stdout, "\x1B[2J");
#else
    HANDLE hStdout = GetStdHandle(STD_OUTPUT_HANDLE);

    if (hStdout != INVALID_HANDLE_VALUE) {
        static COORD                coordScreen;
        DWORD                       dwCharsWritten;
        DWORD                       dwConsoleXY;
        CONSOLE_SCREEN_BUFFER_INFO csbi;

        if (GetConsoleScreenBufferInfo(hStdout, &csbi) == FALSE)
            return;

        dwConsoleXY = csbi.dwSize.X * csbi.dwSize.Y;
        FillConsoleOutputCharacter(hStdout,
                    ' ', dwConsoleXY, coordScreen, &dwCharsWritten);
        FillConsoleOutputAttribute(hStdout,
                    csbi.wAttributes, dwConsoleXY, coordScreen, &dwCharsWritten);
        locate(1, 1);
    }
#endif
}

//--- カーソル位置を(x, y)に設定 ---//
void locate(int x, int y)
{
#if (ESCAPE_SEQUENCE==1)
    fprintf(stdout, "\x1B[%d;%dH", y, x);
#else
    HANDLE hStdout = GetStdHandle(STD_OUTPUT_HANDLE);
    COORD  coord;

    if (hStdout != INVALID_HANDLE_VALUE) {
        coord.X = x - 1;
        coord.Y = y - 1;
        SetConsoleCursorPosition(hStdout, coord);
    }
#endif
}
```

```
//--- 表示色をfgに背景色をbgに設定 ---//
void colorx(int fg, int bg)
{
#if (ESCAPE_SEQUENCE==1)
    int col[] = {30, 34, 31, 32, 35, 36, 33, 37};

    fprintf(stdout, "\x1B[0;");
    if (fg > WHITE)
        printf("1;");        // 高輝度
    printf("%d;%dm", col[fg % 8], col[bg % 8] + 10);

#else
    int col[] = {0, 1, 4, 2, 5, 3, 6, 7, 8, 9, 12, 10, 13, 11, 14, 15};
    HANDLE hStdout = GetStdHandle(STD_OUTPUT_HANDLE);
    WORD   attr;

    if (hStdout == INVALID_HANDLE_VALUE)
        return;

    attr = (col[bg % 16] << 4) | col[fg % 16];

    SetConsoleTextAttribute(hStdout, attr);
#endif
}

//--- 文字色をcolに設定 ---//
void color(int col)
{
    colorx(col, BLACK);      // 文字色はcolで背景色は黒
}
```

本ライブラリが提供する関数の仕様は、次のとおりです。

■ **void cls(void)**

画面を消去するとともに、画面の左上隅である座標 (1, 1) にカーソルを位置付けます。なお、関数 colorx で背景色が変更されている場合は、画面全体がその背景色となります。

▶ たとえば、背景色が RED に指定されている状態で本関数を実行すると、画面全体が RED すなわち赤色になります。

■ **void locate(int x, int y)**

カーソルを (x, y) に移動します。座標 (x, y) は（横座標 , 縦座標）であり、コンソール画面の左上隅が (1, 1) です。

■ **void colorx(int fg, int bg)**

文字の表示色を fg に、背景色を bg に設定します。右ページの **Table 3-2** に示すのが、指定できる色の一覧です。

■ **void color(int col)**

文字の表示色を col にするとともに、背景色を黒に設定します。

▶ すなわち、color(col) は colorx(col, BLACK) と同等です。

本ライブラリを利用するプログラムを作成する際は、次の手続きを踏みます。

- **List 3-22** の "display.h" をインクルードする。
- **List 3-23** の "display.c" をコンパイルしたものをリンクする。

▶ ダウンロードプログラムには、カーソル表示のオンとオフを行う関数 *cursor* が追加されています。
cursor(0) と呼び出すとカーソルが非表示となり、*cursor*(1) と呼び出すとカーソルが表示されます。

Table 3-2 色を表す列挙子の一覧

識別子	色	識別子	色
BLACK	黒	*GRAY*	灰色
BLUE	青	*BRIGHT_BLUE*	明るい青
RED	赤	*BRIGHT_RED*	明るい赤
GREEN	緑	*BRIGHT_GREEN*	明るい緑
MAGENTA	赤紫	*BRIGHT_MAGENTA*	明るい赤紫
CYAN	水色	*BRIGHT_CYAN*	明るい水色
YELLOW	黄色	*BRIGHT_YELLOW*	明るい黄色
WHITE	白	*BRIGHT_WHITE*	輝く白

clearscreen ユーティリティ

関数 *cls* を利用して、コンソール画面を消去するユーティリティ "clearscreen" を作成しましょう。**List 3-24** に示すのが、そのプログラムです。

List 3-24 chap03/clearscreen.c

```
// コンソール画面の消去 "clearscreen.c"
#include <stdio.h>

#include "display.h"

int main(void)
{
    cls();

    return 0;
}
```

Column 3-5 **画面制御ライブラリの格納**

第2章では、ヘッダのみの**処理系特性ライブラリ**を作るとともに、標準ライブラリ用のヘッダのサブディレクトリ lib にヘッダを置く方法を学習しました。

ヘッダ "display.h" を標準ライブラリ用のヘッダのサブディレクトリ lib に置けば、あらゆるプログラムから #include <lib/display.h> でインクルードできるようになります。

さらに、"display.c" をコンパイルしたオブジェクトファイル（あるいは、それをライブラリファイルに変換したもの）を、標準ライブラリ用のディレクトリにコピーする、あるいは、そのファイルがリンクされるようなオプションの設定を行います。

いったん設定を行えば、<lib/display.h> のインクルードだけで（"display.c" のオブジェクトファイルのリンクを指定することなく）ライブラリが使えるようになります。

処理系のマニュアルをご覧になって、挑戦しましょう。

setcolorユーティリティ

関数 *colorx* を利用して、コンソール画面の文字色・背景色を変更するユーティリティを作成しましょう。**List 3-25** に示すのが、そのプログラムです。

List 3-25 chap03/setcolor.c

```
// コンソール画面の文字色・背景色を設定 "setcolor.c"

#include <ctype.h>
#include <stdio.h>
#include <stdlib.h>

#include "display.h"

//--- 色の文字列 ---//
char *color_str[] = {
    "BLACK", "BLUE", "RED", "GREEN", "MAGENTA", "CYAN", "YELLOW", "WHITE",
    "GRAY", "BRIGHT_BLUE", "BRIGHT_RED", "BRIGHT_GREEN", "BRIGHT_MAGENTA",
    "BRIGHT_CYAN", "BRIGHT_YELLOW", "BRIGHT_WHITE"
};

//--- 文字列を比較（大文字と小文字を区別しない） ---//
int strcmpx(const char *s1, const char *s2)
{
    while (toupper(*s1) == toupper(*s2)) {
        if (*s1 == '\0')            // 等しい
            return 0;
        s1++;
        s2++;
    }
    return toupper((unsigned char)*s1) - toupper((unsigned char)*s2);
}

//--- 色の文字列をコードに変換 ---//
int get_color(char *str)
{
    for (int i = 0; i < sizeof(color_str) / sizeof(color_str[0]); i++)
        if (!strcmpx(str, color_str[i]))
            return i;
    return -1;                  // 該当色はない
}

//--- エラーメッセージと使い方を表示して強制終了 ---//
void error(int code)
{
    switch (code) {
     case 1: fprintf(stderr, "文字色・背景色を指定してください。\n"); break;
     case 2: fprintf(stderr, "文字色の指定が正しくありません。\n");   break;
     case 3: fprintf(stderr, "背景色の指定が正しくありません。\n");   break;
    }
    fprintf(stderr, "----------------------------------------\n");
    fprintf(stderr, "SETCOLOR 文字色 [背景色]\n");
    fprintf(stderr, "----------------------------------------\n");
    fprintf(stderr, "文字色には以下に示す16色を、\n");
    fprintf(stderr, "背景色には左側の8色を指定してください。\n");
    fprintf(stderr, "背景色を省略すると黒とみなします。\n");
    fprintf(stderr, "----------------------------------------\n");
    fprintf(stderr, "BLACK          GRAY\n");
```

```
    fprintf(stderr, "BLUE          BRIGHT_BLUE\n");
    fprintf(stderr, "RED           BRIGHT_RED\n");
    fprintf(stderr, "GREEN         BRIGHT_GREEN\n");
    fprintf(stderr, "MAGENTA       BRIGHT_MAGENTA\n");
    fprintf(stderr, "CYAN          BRIGHT_CYAN\n");
    fprintf(stderr, "YELLOW        BRIGHT_YELLOW\n");
    fprintf(stderr, "WHITE         BRIGHT_WHITE\n");

    exit(1);                     // 強制終了
}

int main(int argc, char *argv[])
{
    int fg;                // 文字色
    int bg = BLACK;        // 背景色

    if (argc < 2)          // 文字色も背景色も指定されていない
        error(1);
    if (argc >= 2)
        if ((fg = get_color(argv[1])) == -1) error(2);
    if (argc >= 3)
        if ((bg = get_color(argv[2])) == -1) error(3);

    colorx(fg, bg);        // 文字色と背景色を設定

    return 0;
}
```

本プログラム **setcolor** は、次のように実行します。

```
> setcolor 文字色 背景色↵
```

なお、背景色は省略可能であり、その場合は黒となります。

＊

色の名前の文字列は、配列 ***color_str*** に入れられている "BLACK"、"BLUE"、… です。

コマンドラインから色を指定する際は、大文字でも小文字でも構いません。すなわち、黒であれば、"black"、"Black"、"blACK"、"BLACK" など、どれでも OK です。

関数 ***strcmpx*** は、二つの文字列を比較する ***strcmp*** 関数とほぼ同等の処理（判定）を行いますが、大文字と小文字の区別をしない点が異なります。

なお、プログラムの起動時に色が指定されていない場合や、綴りが誤っている場合は、エラーメッセージと本プログラムの使い方を表示して、プログラムを強制終了します。

プログラムの強制終了を行うために呼び出しているのが、標準ライブラリの **exit** 関数です。

数当てゲーム

もう少し楽しいプログラムを作りましょう。**List 3-26** に示すのは、0 ～ 999 の数を当てさせる**数当てゲーム**のプログラムです。

List 3-26 chap03/kazuate.c

```
// 数当てゲーム

#include <time.h>
#include <stdio.h>
#include <stdlib.h>

#include "display.h"

int main(void)
{
    int no;                        // 読み込んだ値
    int ans;                       // 当てさせる数
    const int max_stage = 10;      // 最大入力回数
    int remain = max_stage;        // 残り何回入力できるか？

    srand(time(NULL));             // 乱数の種を設定
    ans = rand() % 1000;           // 0～999の乱数を生成

    printf("0～999の整数を当ててください。\n\n");

    do {
        color(BRIGHT_WHITE);
        printf("残り%d回。いくつかな：", remain);
        scanf("%d", &no);
        remain--;              // 残り回数をデクリメント

        if (no > ans) {
            color(BRIGHT_CYAN);
            printf("\aもっと小さいよ。\n");
        } else if (no < ans) {
            color(BRIGHT_GREEN);
            printf("\aもっと大きいよ。\n");
        }
    } while (no != ans && remain > 0);

    if (no != ans) {
        color(BRIGHT_RED);
        printf("\a残念。正解は%dでした。\n", ans);
    } else {
        color(BRIGHT_CYAN);
        printf("正解です。\n");
        printf("%d回で当たりましたね。\n", max_stage - remain);
    }

    color(WHITE);

    return 0;
}
```

実行例

```
0～999の整数を当ててください。

残り10回。いくつかな：500↵
もっと小さいよ。
残り9回。いくつかな：250↵
もっと小さいよ。
残り8回。いくつかな：125↵
正解です。
3回で当たりましたね。
```

打ち込まれた数値が、当てるべき数値と比較して大きいか、小さいか、正解かで、表示する色を変えています（色の変更には `color` 関数を使っています）。

▶ ダウンロードファイルには、この他に、"chap03/color_test1.c" と "chap03/color_test2.c" が含まれています。

第４章

動的なアクセスと生成

ポインタを使う大きな理由が《オブジェクトの動的なアクセス》を行うことです。

本章の前半では、ポインタを活用できるように、基礎から応用までを徹底的に学習していきます。

後半では、《オブジェクトの動的な生成》へと進みます。多次元配列を動的に生成するための高度なテクニックなどを身につけましょう。

4-1 オブジェクトの動的なアクセス

本章では、オブジェクトの動的なアクセスにかかせないポインタについて、きちんと学習していきます。

アドレス演算子によるポインタの生成

オブジェクトは、記憶域の一部として存在します。オブジェクトの格納場所＝**番地**を表すのが**アドレス**（address）です。

オブジェクトの先頭アドレスの取得は、**アドレス演算子**（address operator）と呼ばれる**単項&演算子**（unary & operator）で行います。

それでは、オブジェクトのアドレスを表示するList 4-1のプログラムを実行しましょう。

List 4-1 chap04/adrs_var.c

```
// オブジェクトのアドレスを表示
#include <stdio.h>

int main(void)
{
    int  x;
    int  y;
    long z;

    printf("xのアドレス＝%p\n", &x);
    printf("yのアドレス＝%p\n", &y);
    printf("zのアドレス＝%p\n", &z);

    return 0;
}
```

実行結果一例
```
xのアドレス＝122
yのアドレス＝124
zのアドレス＝128
```

Fig.4-1に示すように、3個のオブジェクト**x**と**y**と**z**が、122番地、124番地、128番地を先頭に格納されていることが実行結果から分かります。

▶ 実行例と図に示すアドレスは、あくまでも一例です（処理系、環境、実行するタイミングなどで異なります。これ以降のプログラムの実行結果や図なども同様です）。

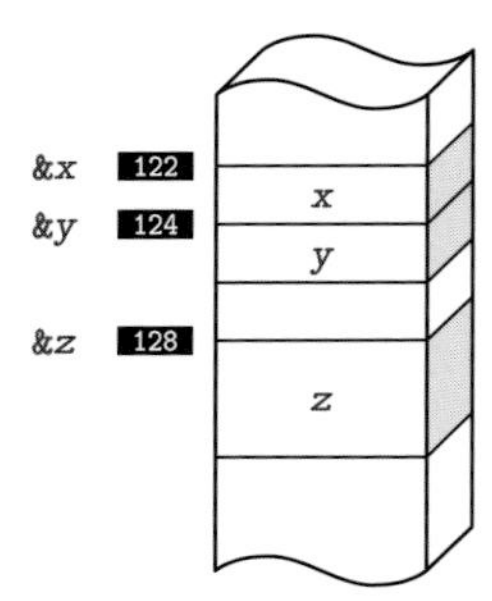

Fig.4-1 アドレス演算子

*printf*関数に与える書式指定"%p"の出力形式は、処理系によって異なります（4桁～16桁程度の16進数が一般的です）。

もちろん、**p**はpointerの頭文字です。この後で学習しますが、アドレス演算子**&**は**『オペランドのアドレスを取得する演算子』**というよりも、**『オペランドへのポインタを生成する演算子』**と表現すべき演算子です。

式**&x**の評価によって**x**へのポインタが生成されて、その生成されたポインタの具体的な値が**x**のアドレス、というわけです。

配列の要素もオブジェクトですから、アドレス演算子を適用することで個々の要素の先頭アドレスが取得できます。右ページの**List 4-2**に示すのが、プログラムの一例です。

配列**a**の要素が**a[0]**～**a[4]**の5個であるにもかかわらず、**&a[0]**～**&a[5]**の6個のアドレスを表示していますが、プログラムのミスではありません。

いうまでもなく、配列**a**の要素数が**n**であれば、

要素は、**a[0]**から**a[n - 1]**までの**n**個

です（本プログラムでは5個です）。

ところが、要素へのポインタについては、

&a[0] から **&a[*n*]** までの ***n* + 1** 個が有効

という規則があります（本プログラムでは6個です）。

そのため、存在しない **a[5]** に **&** を適用したアドレス式 **&a[5]** はエラーとはなりません。

このような規則が採用されているのには、ちゃんとした理由があります。

配列要素の走査における終了条件（末尾要素を通り越えたかどうか）の判定の際に、末尾要素の１個後方の要素へのポインタが**番兵**的に活用できるからです。

List 4-2 chap04/adrs_ary.c

```
// 配列内の要素の
// アドレスを表示
// &a[5]も取得可能

#include <stdio.h>

int main(void)
{
    int a[5];

    printf("&a[0]=%p\n", &a[0]);
    printf("&a[1]=%p\n", &a[1]);
    printf("&a[2]=%p\n", &a[2]);
    printf("&a[3]=%p\n", &a[3]);
    printf("&a[4]=%p\n", &a[4]);
    printf("&a[5]=%p\n", &a[5]);

    return 0;
}
```

実行結果一例

```
&a[0]=240
&a[1]=242
&a[2]=244
&a[3]=246
&a[4]=248
&a[5]=250
```

重 要 要素数 *n* の配列 a の要素は a[0] ～ a[*n* - 1] の *n* 個であるが、要素へのポインタとしては &a[0] ～ &a[*n*] の *n* + 1 個を生成できる。

さて、あらゆるオブジェクトに適用できるはずのアドレス演算子ですが、**register** 記憶域クラス指定子（p.20）を伴って宣言されたオブジェクトは例外です。

というのも、そのようなオブジェクトは、通常の記憶域ではなく、CPU 内のレジスタに格納される可能性があるからです。**List 4-3** で確認しましょう。

List 4-3 chap04/adrs_reg.c

```
// register宣言されたオブジェクトのアドレスは取得できないことを確認

#include <stdio.h>

int main(void)
{
    register int x;

    printf("xのアドレス = %p\n", &x);    // エラー

    return 0;
}
```

実行結果

コンパイルエラーとなるため実行できません。

▶ アドレス演算子 **&** は、オブジェクトだけでなく関数にも適用できます（その場合、関数へのポインタが生成されます：第７章で詳しく学習します）。

Column 4-1 **C++ における register 記憶域クラス指定子とアドレス演算子**

C++ では、**register** 記憶域クラス指定子は、C 言語との互換性のために残されているものの、その意味が薄れています。

register 付きで宣言されたオブジェクトのアドレスも取得可能となっていますので、**List 4-3** に相当する C++ のプログラム（"chap04/adrs_reg.cpp"）は正しく動作します。

ポインタを通じたオブジェクトの動的なアクセス

List 4-4 のプログラムで、ポインタの学習を進めていきます。int 型の変数 x と y の値が**サークルに所属する人数**を表していて、sw に読み込まれた値をもとに、どちらか一方の人数をインクリメントするプログラムです。

List 4-4 chap04/dynamic.c

```
// ポインタを通じてオブジェクトの値を動的かつ間接的に変更

#include <stdio.h>

int main(void)
{
    int x = 5;       // サークルxは5人
    int y = 3;       // サークルyは3人
    int sw;

    printf("入会サークル[0…x/1…y] : ");
    scanf("%d", &sw);

    int *p = (sw == 0) ? &x : &y;    ――1
    ++(*p);                          ――2

    printf("x  = %d\n", x);
    printf("y  = %d\n", y);
    printf("p  = %p\n", p);      // pが指すアドレス
    printf("*p = %d\n", *p);     // pが指す変数の値

    return 0;
}
```

実行例

```
1 入会サークル[0…x/1…y] : 0↵
  x = 6
  y = 3
  p = 122
  *p = 6

2 入会サークル[0…x/1…y] : 1↵
  x = 5
  y = 4
  p = 126
  *p = 4
```

変数 p の宣言1に着目します。初期化子を取り除くと、次のようになっています。

```
int *p;                        // pはint *型のポインタ
```

この宣言によって、変数 p は**ポインタ**（pointer）となります。その型は、**『int 型オブジェクトへのポインタ型』**ですが、**『int へのポインタ型』**もしくは**『int * 型』**と省略して呼ぶのが一般的です（ただし、単なる『ポインタ型』では決してありません）。

そのポインタ p には、次の初期化子が与えられています。

```
(sw == 0) ? &x : &y       // swが0であれば&x、そうでなければ&y
```

二つの実行例と、右ページの **Fig.4-2** を見比べながら、理解していきましょう。

変数 x は 122 番地に格納されて、変数 y は 126 番地に格納されています。そのため、もし読み込んだ sw が 0 であれば、ポインタ p は &x（すなわち 122 番地）で初期化されます。

このとき、p と x の関係は、次のように表現されます。

重要 ポインタ p の値が x のアドレスであるとき、**『p は x を指す』**という。

▶ p を『int へのポインタ型』としたのは、int 型オブジェクトを指せるようにするためです。もし、double 型オブジェクトを指すのであれば、『double へのポインタ型』でなければなりません。

ポインタ p が &x で初期化されることで、『p は x を指す』状態となります。これを表すのが図aに示している、p から x に向かう矢印→です。

さて、**間接演算子**（indirection operator）と呼ばれる**単項 * 演算子**（unary * operator）をポインタに適用すると、**そのポインタが指すオブジェクト**にアクセスできます。

重要 ポインタ p が x を指すとき、**間接演算子 *** を適用した**間接式** *p は、x そのものを間接的に表す**エイリアス**（alias）となる。

オブジェクト x と点線で結ばれた箱があります。その箱の名前 *p が、x に与えられた**エイリアス**（別名／あだ名）です。この図は、『変数 x』が『*p としてアクセスできる』状態を表しています（x の値が 5 であれば、式 *p を評価した値も 5 となります）。

このように、ポインタに間接演算子 * を適用することによって、ポインタが指すオブジェクトを間接的にアクセスすることを、**参照外し**といいます。

プログラム2では、ポインタ p が指すオブジェクト *p の値をインクリメントしています。ここで行われる処理をまとめると次のようになります。

実行例①＝図a：ポインタ p が &x で初期化される結果、p は x を指しています。その状態で *p をインクリメントするため、x の値が 5 から 6 になります。

実行例②＝図b：ポインタ p が &y で初期化される結果、p は y を指しています。その状態で *p をインクリメントするため、y の値が 3 から 4 になります。

プログラム上で直接的には値が代入されていない変数 x あるいは y の値が更新されます。

アクセス先（読み書き先）の決定が、プログラムのコンパイル時に静的（スタティック）に行われるのではなく、プログラムの実行時に動的（ダイナミック）に行われているのです。

重要 ポインタを利用すると、**アクセス先の決定を、プログラムの実行時に動的に行うコード**が実現できる。

▶ “**静的な**（static）”は、時間が経過しても変化しないことを、“**動的な**（dynamic）”は、時間の経過とともに変化することを意味します。

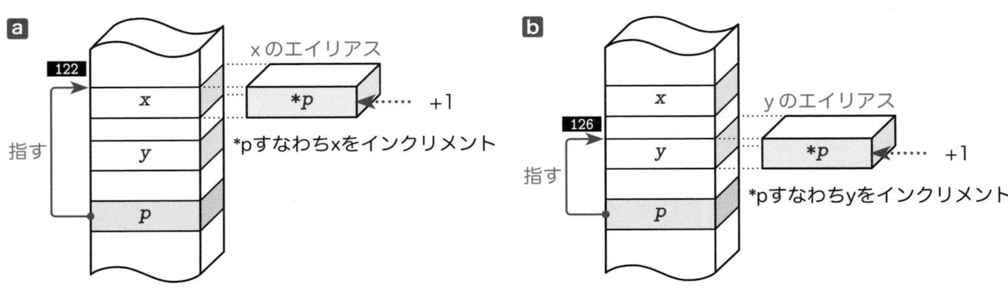

Fig.4-2 間接演算子を通じたオブジェクトの動的かつ間接的なアクセス

4-2 ポインタと関数呼出し

関数呼出しの際に引数としてポインタを与えることによって、オブジェクトの動的なアクセスを関数にゆだねることができます。

ポインタの値渡し

List 4-5 と **List 4-6** は、サークルの人数の増加と減少を独立した関数で実現する意図で作られたプログラムです。これらを対比して学習を進めていきます。

List 4-5 chap04/inc_dec_wrong.c

```
// サークル人数の増減（誤り）
#include <stdio.h>

//--- 人数増加 ---//
void increment(int no)
{
    ++no;    // noの値をインクリメント
}

//--- 人数減少 ---//
void decrement(int no)
{
    --no;    // noの値をデクリメント
}

int main(void)
{
    int x = 5;         // xは5人
    int y = 3;         // yは3人

    increment(x);      // xが1人増えた？
    decrement(y);      // yが1人減った？

    printf("x = %d\n", x);
    printf("y = %d\n", y);

    return 0;
}
```

実行結果

```
x = 5
y = 3
```

List 4-6 chap04/inc_dec.c

```
// サークル人数の増減
#include <stdio.h>

//--- 人数増加 ---//
void increment(int *no)
{
    ++*no;    // *noの値をインクリメント
}

//--- 人数減少 ---//
void decrement(int *no)
{
    --*no;    // *noの値をデクリメント
}

int main(void)
{
    int x = 5;         // xは5人
    int y = 3;         // yは3人

    increment(&x);     // xが1人増えた
    decrement(&y);     // yが1人減った

    printf("x = %d\n", x);
    printf("y = %d\n", y);

    return 0;
}
```

実行結果

```
x = 6
y = 2
```

■ **List 4-5** … 誤ったプログラム

関数 **increment** と関数 **decrement** を呼び出した後に、x は 5 から 6 に増えて、y は 3 から 2 に減ることを期待しているのですが、残念ながら x と y の値は**変化しません**。

関数呼出しでの引数の受渡しが**値渡し**（pass by value）で行われるからです。

受け取る側の**仮引数**（parameter）は、渡す側の**実引数**（argument）**の値のコピー**にすぎません。実引数 x を**オリジナルの紙**とすると、関数 **increment** の仮引数 **no** は、その紙の**コピー**です。コピーに何か書き込んでも、オリジナルの紙は何の影響も受けません。

関数 **increment** と関数 **decrement** の中で仮引数 **no** の値を書きかえても、実引数 x の値が更新されない理由が分かりました。

重要 引数は**値渡し**でやりとりされ、仮引数は**実引数の値のコピー**を受け取る。関数内で仮引数の値を変更しても、実引数には何の影響も与えない。

■ **List 4-6** … 正しいプログラム

ポインタを利用して修正されたプログラムです。関数 ***increment*** への引数の受渡しの様子を表した **Fig.4-3** を見ながら理解していきましょう。

呼出し側では、『122 番地に格納されているサークル **x** に新規入会者があって１人増えたのですが … 』と伝えるために、サークル **x** へのポインタ **&x** を渡します。

```
increment(&x);          // 関数incrementに渡すのはxへのポインタ
```

&x の値を受け取ったポインタ ***no*** は **x** を指します。間接演算子を適用した間接式 ****no*** は **x** のエイリアスですから、****no*** の値のインクリメントは、**x** の値のインクリメントを意味します。

▶ この例からも、単項 * 演算子が間接演算子と呼ばれる理由がよく分かるはずです。

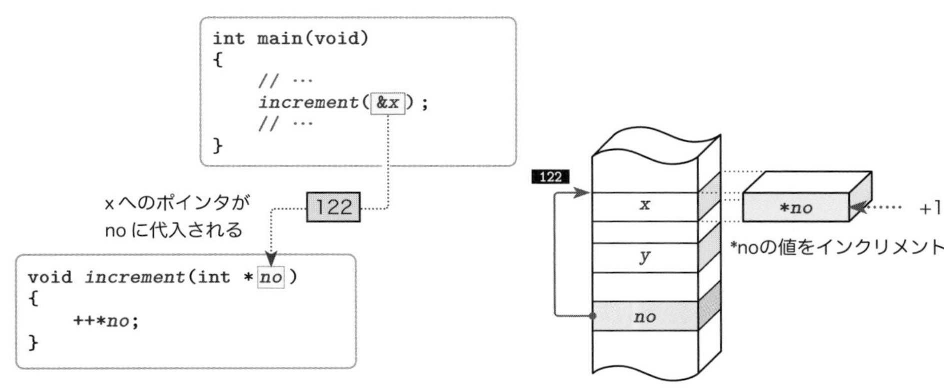

Fig.4-3 関数間のポインタの受渡し

なお、関数間で引数としてポインタの受け渡しを行うことを**参照渡し**と解説している書籍やサイトがありますが、完全な誤りです（**Column 4-2**：p.123）。

重 要 オブジェクトの値の変更を関数に依頼するには、ポインタを**値渡し**する。

＊

ある読者の方から、次の質問をいただきました。

ポインタ変数 *ptr* に対する ++**ptr* と (**ptr*)++ とは同じですか？

最終的な結果は同じです。（ポインタでない）変数 **x** に対する **++x** が **(x)++** と等しいのと同じ理由です。ただし、後置形式の **(*ptr)++** であれば **()** は**省略できません**。***** と **++** が同一の優先順位をもつ右結合の演算子だからです。

▶ **List 4-4**（p.116）では、インクリメントを **++(*p)** で行っていました。**()** は省略できます。

関数間でのポインタへのポインタの受渡し

int 型の値の変更を関数に依頼する場合は、**int *** 型の引数としてやりとりすることが分かりました。一般的に表すと、次のようになります。

> **重要** Type型の値の変更を関数に依頼する場合、Typeへのポインタ型（Type * 型）の引数として関数間でやりとりする。

この規則は、Type そのものがポインタであっても成立します。たとえば、**int *** 型のポインタ値の変更を依頼するのであれば、**int *** 型へのポインタ型（**int **** 型）の引数としてやりとりすることになります。

List 4-7 のプログラムで検証します。

List 4-7 chap04/swap.c

```c
// 二つのポインタを交換

#include <stdio.h>

//--- int型の整数を交換（aが指す整数とbが指す整数を交換）---//
void swap_int(int *a, int *b)
{
    int temp = *a;
    *a = *b;
    *b = temp;
}

//--- int *型のポインタを交換（aが指すポインタとbが指すポインタを交換）---//
void swap_intptr(int **a, int **b)
{
    int *temp = *a;
    *a = *b;
    *b = temp;
}

int main(void)
{
    int x, y;
    int *p1 = &x;
    int *p2 = &y;

    puts("p1はxを指してp2はyを指しています。");
    printf("整数x：");    scanf("%d", &x);
    printf("整数y：");    scanf("%d", &y);

    swap_int(&x, &y);                     // 整数であるxの値とyの値を交換

    puts("整数xとyの値を交換しました。");
    printf("p1が指す値は%dです。\n", *p1);
    printf("p2が指す値は%dです。\n", *p2);

    swap_intptr(&p1, &p2);                // ポインタであるp1の値とp2の値を交換

    puts("ポインタp1とp2の値を交換しました。");
    printf("p1が指す値は%dです。\n", *p1);
    printf("p2が指す値は%dです。\n", *p2);

    return 0;
}
```

実行例

```
p1はxを指してp2はyを指しています。
整数x：15
整数y：37
整数xとyの値を交換しました。
p1が指す値は37です。
p2が指す値は15です。
ポインタp1とp2の値を交換しました。
p1が指す値は15です。
p2が指す値は37です。
```

本プログラムは、『**int** 型の整数値の交換』と『**int *** 型のポインタ値の交換』を行います。

▶ main 関数の *p1* と *p2* は、それぞれ *x* と *y* を指しています。まず、*x* と *y* の値の交換を関数 *swap_int* で行って、その後、ポインタ値 *p1* と *p2* の交換を関数 *swap_intptr* で行います。

Fig.4-4 を見ながら理解していきましょう。

a 関数 *swap_int*（2個の int 値を交換：引数は int * 型）

関数 *swap_int* の仮引数 **a** と ***b*** の型は **int *** 型です。この関数は、**a** が指す **int** 型の整数値と ***b*** が指す **int** 型の整数値を交換します。

main 関数では、**&x** と **&y** を渡すことで変数 *x* と *y* の値の交換を依頼しています。その結果、*x* と *y* の値 **15** と **37** が、**37** と **15** に更新されます。

b 関数 *swap_intptr*（2個の int * 値を交換：引数は int ** 型）

関数 *swap_intptr* の仮引数 **a** と ***b*** の型は **int **** 型です。この関数は、**a** が指す **int *** 型のポインタ値と ***b*** が指す **int *** 型のポインタ値を交換します。

main 関数では、**&p1** と **&p2** を渡すことによってポインタ *p1* と *p2* の値の交換を依頼しています。交換前後の状態をまとめると、次のようになります。

- 交換前：*p1* は 212 番地の *x* を指し、*p2* は 216 番地の *y* を指す。
- 交換後：*p1* は 216 番地の *y* を指し、*p2* は 212 番地の *x* を指す。

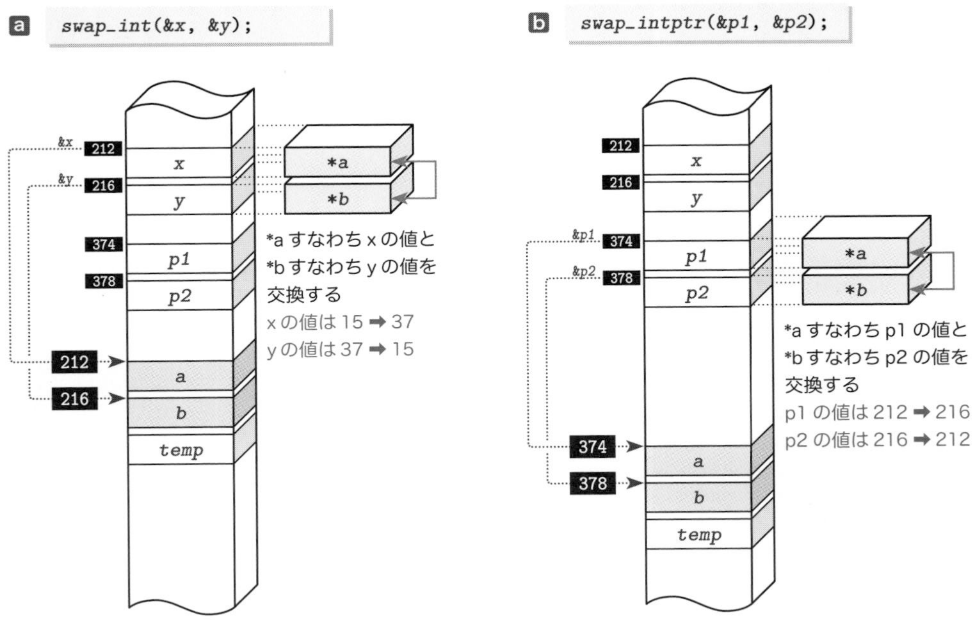

Fig.4-4 int 値の交換を行う関数と int * 値の交換を行う関数

以前、ある方から次の相談をいただきました。

ファイルをコピーするプログラムのファイル名の読込みとオープンを関数として独立させたところ（List 4-8）、プログラムが正しく動かなくなりました。どうしてでしょうか。

List 4-8 chap04/filecopy_wrong.c

```
// テキストファイルのコピー（誤り）

#include <stdio.h>

//--- 入力ファイルと出力ファイルをオープン ---//
void open_files(FILE *inp, FILE *out)
{
    char fname[FILENAME_MAX];

    printf("入力ファイル："); scanf("%s", fname); inp = fopen(fname, "r");
    printf("出力ファイル："); scanf("%s", fname); out = fopen(fname, "w");
}

int main(void)
{
    FILE *input, *output;

    open_files(input, output);

    int ch;
    while ((ch = fgetc(input)) != EOF)
        fputc(ch, output);

    return 0;
}
```

FILE * 型の値の変更の依頼を行うのであれば、引数は FILE ** 型でなければなりません。**List 4-9** に示すのが正しいプログラムです（実行例の提示は省略します）。

List 4-9 chap04/filecopy.c

```
// テキストファイルのコピー

#include <stdio.h>

//--- 入力ファイルと出力ファイルをオープン ---//
void open_files(FILE **inp, FILE **out)
{
    char fname[FILENAME_MAX];

    printf("入力ファイル："); scanf("%s", fname); *inp = fopen(fname, "r");
    printf("出力ファイル："); scanf("%s", fname); *out = fopen(fname, "w");
}

int main(void)
{
    FILE *input, *output;

    open_files(&input, &output);

    int ch;
    while ((ch = fgetc(input)) != EOF)
        fputc(ch, output);

    return 0;
}
```

▶ 『関数にポインタを渡せば値を変更してもらえる。』との短絡的な考えは禁物です。
　なお、本プログラムはファイルのクローズを行っていません。ファイルをクローズするプログラムは "chap04/filecopy1.c" です。このプログラムをよく読んで理解しましょう。

Column 4-2 C++の参照渡し

C++では、引数を（実質的に）実体としてやり取りする**参照渡し**（call by reference）がサポートされます。**List 4C-1** に示すのがプログラム例であり、仮引数の宣言に **&** が置かれています。

List 4C-1 chap04/reference.cpp

```
// C++の参照渡しの例

#include <iostream>

using namespace std;

//--- 人数増加 ---//
void increment(int& no)
{
    ++no;                   // noの値をインクリメント
}

int main(void)
{
    int x = 5;              // サークルxは5人

    increment(x);           // サークルxで1人増えた

    cout << "サークルxの所属人数＝" << x << '\n';

    return 0;
}
```

実行例

```
サークルxの所属人数＝6
```


Fig.4C-1 参照

参照渡しでは、実引数のアドレスが内部的に渡されて、仮引数が同じアドレスに配置されます。そのため、**Fig.4C-1** に示すように、仮引数 **no** は、実引数 **x** のエイリアスとなります。

本プログラムは、“ポインタの値渡し” を行う **List 4-6**（p.118）よりも簡潔です。C言語では参照渡しが不可能であるからこそ、ポインタを使った間接的な処理に頼らざるを得ない、ともいえます。

ただし、参照渡しには、欠点もあります。関数呼出し式 ***increment*(*x*)** の見た目だけでは、値を渡しているのか、参照を渡しているのかが分からないことです。

欠点は、それだけではありません。***x*** が預金通帳であって、それを友人である ***increment*** 君に渡すと考えてみましょう。値渡しであれば、***increment*** 君は通帳のコピーを受け取りますから、預金の状況などを知ることはできますが、勝手にお金をおろしたりすることはできません。

ところが、参照渡しであれば、***increment*** 君は通帳そのものを受け取ることになります。そのため、通帳が返却されても、渡したときのままの状態であるという保証はありません。

一部の書籍やサイトで、**List 4-6** に示した関数 ***increment*** のように、引数としてポインタをやりとりする方式を《参照渡し》と解説されていますが、それは完全な誤りです。ポインタの値渡しと、参照渡しは、メカニズムが根本的に異なります。

あえて表現すると、**『ポインタの値渡しによる《参照渡し》もどき』**です。

ちなみに、**『プログラミング言語C』**（参考文献 10）には、次のように書かれています。

> Cでは、すべての関数の引数が “値で” 受渡しされるからである。これは呼び出された関数には、呼出し元の変数ではなく一時変数によって引数の値が与えられたことを意味する。このため、呼び出されたルーチンが局所的なコピーではなく、元の引数にアクセスできる Fortran のような “call by reference（参照による呼出し）” の言語や Pascal の **var** パラメータとは、Cの性質は違ったものになっている。

4-3 ポインタと配列

本節では、極めて密接な関係にあるポインタと配列について学習します。

配列の受渡し（先頭要素へのポインタ）

配列に関する次の質問を、これまで何度もいただきました。

関数で引数として配列を受け取る際に、どのようにすれば、渡された配列の要素数を調べることができますか。

ある初心者が作った**List 4-10**のプログラムで考えていきましょう。配列の要素に値を読み込んで合計を求めて表示する意図で作られたものですが、コンパイルエラーとなります。

▶ 関数*sumup*は、要素数*n*の配列*v*の全要素の合計を求める目的で作られています。

List 4-10 chap04/sum_wrong.c

```
// 配列の全要素の値を合計する（誤り）
#include <stdio.h>

//--- 配列vの全要素の合計値を返す（誤り）---//
int sumup(int v[n])
{
    int sum = 0;

    for (int i = 0; i < n; i++)
        sum += v[i];
    return sum;
}

int main(void)
{
    int a[5];
    int na = sizeof(a) / sizeof(a[0]);      // 配列aの要素数

    printf("%d個の整数を入力せよ。\n", na);
    for (int i = 0; i < na; i++) {
        printf("a[%d] : ", i);
        scanf("%d", &a[i]);
    }
    printf("合計＝%d\n", sumup(a));

    return 0;
}
```

実行結果

コンパイルエラーとなるため実行できません。

関数*sumup*を呼び出す`sumup(a)`では、実引数として配列aそのものが渡されているように見えますが、そうではありません。次の規則があるからです。

重要 添字演算子[]を伴わない配列名は、その配列の先頭要素へのポインタである。

添字演算子を伴わない配列名が、先頭要素へのポインタであることを、右ページに示す**List 4-11**のプログラムで確認しましょう。

具体的な値は処理系などに依存しますが、表示される x と &x[0] の値は同一です。

＊

配列名が配列そのものと解釈される例外的な文脈が**二つ**あります。

その一つが、**sizeof 演算子のオペランドとして現れた場合**です。左ページの **List 4-10** のプログラムの水色部が該当します。

左辺の式 sizeof(a) は、sizeof(配列名) の形式であって、この式を評価すると、配列 a の大きさ（配列全体が占有するバイト数）が得られます。

なお、右辺の式 sizeof(a[0]) の評価で得られるのは、いうまでもなく、先頭要素 a[0] の大きさです。

List 4-11 chap04/ary_ptr.c

```
// 配列の先頭要素へのポインタを表示
#include <stdio.h>

int main(void)
{
    double x[5];

    printf("x      = %p\n", x);
    printf("&x[0] = %p\n", &x[0]);

    return 0;
}
```

実行結果一例

```
x     = 1234
&x[0] = 1234
```

配列の要素数
sizeof(a) / sizeof(a[0])
要素の大きさ
sizeof(a[0])
a[0]
a[1]
a[2]
a[3]
a[4]
配列全体の大きさ
sizeof(a)

Fig.4-5 配列の大きさと要素数

Fig.4-5 に示すように、配列全体の大きさを、要素の大きさで割ることで、配列の要素数を求めているわけです。

この求め方は、必ずマスターしておきます。

重要 配列 a の大きさ（占有バイト数）は sizeof(a) で得られるので、配列 a の要素数は sizeof(a) / sizeof(a[0]) で求められる。

▶ 配列 a の要素数は、sizeof(a) / sizeof(int) でも求められますが、この方法はお勧めできません。というのも、配列の要素型を（たとえば long 型に）変更した際に、要素数を求める式も変更しなければならなくなるからです。

なお、配列名が配列そのものと解釈されない、もう一つの文脈については、p.130 で学習します。

List 4-10 のプログラムに戻りましょう。

関数 *sumup* を呼び出す *sumup*(a) で実引数として渡している a は、先頭要素 a[0] へのポインタすなわち &a[0] です。

これは、単なる int * 型ポインタ（1個の int 型オブジェクトである先頭要素 a[0] を指すポインタ）ですから、配列の要素数などの情報が含まれるはずがありません。

配列の受渡しは、次のように行う必要があります。

重要 関数の引数としてやりとりされるのは、配列そのものでなく、先頭要素へのポインタである。配列の要素数は、別の引数として受け渡す。

そのように書きかえたプログラムが、次ページの **List 4-12** です。

List 4-12　chap04/sum.c

```
// 配列の全要素の値を合計する
#include <stdio.h>

//--- 要素数nの配列vの全要素の合計値を返す ---//
int sumup(int v[], int n)
{
    int sum = 0;

    for (int i = 0; i < n; i++)
        sum += v[i];
    return sum;
}

int main(void)
{
    int a[5];
    int na = sizeof(a) / sizeof(a[0]);

    printf("%d個の整数を入力せよ。\n", na);
    for (int i = 0; i < na; i++) {
        printf("a[%d] : ", i);
        scanf("%d", &a[i]);
    }
    printf("合計=%d\n", sumup(a, na));

    return 0;
}
```

実行例

```
5個の整数を入力せよ。
a[0] : 12
a[1] : 24
a[2] : 35
a[3] : -13
a[4] : 6
合計=64
```

a
```
void sumup(int v[],  …  )
{
    // ...
}
```

b
```
void sumup(int v[5],  …  )
{
    // ...
}
```

c
```
void sumup(int *v,  …  )
{
    // ...
}
```

Fig.4-6　配列を受け取る仮引数の宣言

関数 **sumup** の引数 **v** は、**[ ]** 付きで宣言されていて配列のように見えますが、ポインタです。

というのも、**Fig.4-6** に示す宣言は等価であって、aとbの宣言はcと解釈されるからです。bのように要素数を指定しても無視されます。

▶　bの v[5] の 5 を 6 や 4 などの値に変更しても、コンパイルエラーとはなりませんし、プログラムは正しく動作します。御自身でプログラムを作成して確認しましょう。

それでは、関数 **sumup** 内で、あたかも配列であるかのようにポインタ **v** を扱えるのはどうしてでしょう？　その理由を考えていくことにします。

まず、ポインタに関する次の規則を思い出しましょう。

重要　ポインタ *ptr* が、配列内のある要素 e を指しているとき、

- *ptr* + *i* は、要素 e の *i* 個だけ後方の要素を指すポインタである。
- *ptr* - *i* は、要素 e の *i* 個だけ前方の要素を指すポインタである。

たとえば、ある要素 e の3個後方の要素を指す *ptr* + 3 に対して間接演算子 * を適用した間接式 *(*ptr* + 3) は、e の3個後方の要素のエイリアスとなる、ということです。

さらに、ポインタと配列には、次の規則があります。

重要　*(*ptr* + *i*) と *ptr*[*i*] は等価である。

右ページの **Fig.4-7** を見ながら整理しましょう。

関数 *sumup* の *v* は、main 関数で定義された配列 a の先頭要素 a[0] を指すポインタです。そのため、*v* + 3 は a[3] を指すことになり、*(*v* + 3) は *v*[3] と表記できます。

関数 *sumup* 内では、ポインタ *v* に対して添字演算子 [] を適用することで、配列 a の各要素を添字式 a[0]、a[1]、…、a[*n* - 1] でアクセスできるのです。

一般に、Type *型ポインタ *p* が、要素型が Type 型の配列 a の先頭要素 a[0] を指していれば、ポインタ *p* は、あたかも配列 a そのものであるかのように振る舞います。このことを、本書では、**ポインタと配列の表記上の可換性**と呼びます。

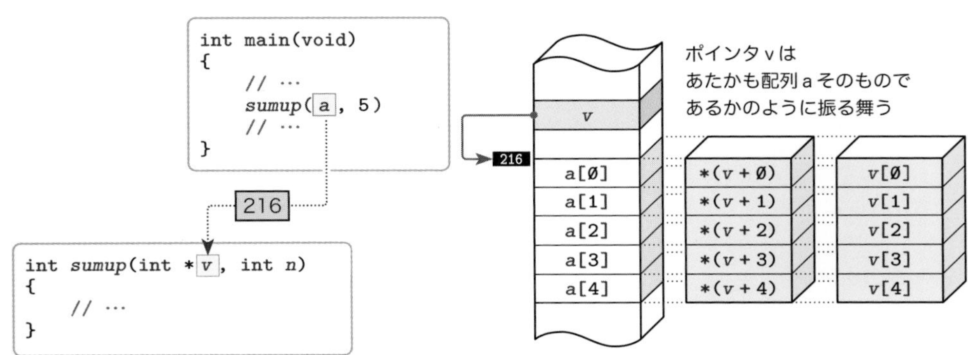

Fig.4-7 関数間の配列の受渡し（ポインタと配列の表記上の可換性）

▶ 本プログラムの main 関数における、関数 *sumup* の呼出しを次のように変更しましょう。

- *sumup*(&a[1], *na* - 1)… 関数 *sumup* では a[1] ～ a[4] の合計が求められます。
  ※このとき、*v*[0] ～ *v*[3] は a[1] ～ a[4] のエイリアスです。
- *sumup*(&a[2], 2) … 関数 *sumup* では a[2] ～ a[3] の合計が求められます。
  ※このとき、*v*[0] ～ *v*[1] は a[2] ～ a[3] のエイリアスです。

関数に与えるポインタが、必ずしも先頭要素へのポインタでなくてよいことが分かるでしょう。
そうすると、関数 *sumup* に与えられている注釈

　要素数 *n* の配列 *v* の全要素の合計値を返す

が正確でないことが分かります。より正確に表現するのであれば、

　ポインタ *v* が指す要素を先頭とする *n* 個の要素の合計値を返す

となります。

関数 *sumup* は、配列 *v* の要素（ポインタ *v* が先頭要素を指す配列の要素）の値を読み取るだけで更新しません。このような場合は、次のように const 付きで宣言するのが原則です。

```
int sumup(const int v[], int n) { /*…中略…*/ }

int sumup(const int *v, int n)  { /*…中略…*/ }
```

▶ これらの二つの宣言は等価です。

配列の走査と番兵

配列内の要素が、ある特定の値を取らないことが既知であるときに、その値の要素の直前までを有効な要素とみなす手法があります。

List 4-13 に示すのがそのプログラム例です。

List 4-13 chap04/sum_sentinel.c

```
// 配列の全要素の値を合計する（要素数をやり取りしない）
#include <stdio.h>

#define INVALID  -1     // 番兵（無効な値）

//--- 番兵INVALIDより前の要素を合計 ---//
int sumup(const int v[])
{
    int sum = 0;

    for (int i = 0; v[i] != INVALID; i++)
        sum += v[i];
    return sum;
}

int main(void)
{
    int i;
    int a[128];
    int na = sizeof(a) / sizeof(a[0]);      // 配列aの要素数

    printf("%d個の非負の整数を入力せよ。\n-1で終了。\n", na - 1);
    for (i = 0; i < na - 1; i++) {
        printf("a[%d] : ", i);
        scanf("%d", &a[i]);
        if (a[i] == INVALID) break;     // 入力終了
    }
    if (i == na - 1)                    // INVALIDが入力されなかったら
        a[i] = INVALID;                 // 末尾要素の値をINVALIDにする

    printf("合計=%d\n", sumup(a));

    return 0;
}
```

実行例

```
127個の非負の値を入力せよ。
-1で終了。
a[0] : 12
a[1] : 35
a[2] : 67
a[3] : -1
合計=114
```

このプログラムでは、配列の要素の値として有効なのは非負値のみです。キーボードからの読み込み時に、*INVALID* すなわち **-1** が入力されると、入力終了の指示とみなします。

▶ 配列 a の要素数は 128 ですが、入力できるのは最大で 127 個です（すなわち a[0] ～ a[126] まで入力できます）。最後まで -1 が入力されなかった場合は、a[127] に -1 を代入します。

関数 *sumup* は、*INVALID* すなわち **-1** の直前の要素までの合計を求めますので、**配列の要素数を受け取る必要がありません**。右ページの **Fig.4-8** **a** に示すように、繰返しの終了判定を簡略化させるための目印である**番兵**（sentinel）として **-1** が機能します。

もっとも、関数 *sumup* が受け取った配列中に **-1** の要素がなければ、**for** 文は無限に繰り返されてしまいます。また、配列の要素の正当な値として **-1** を取り得るように仕様が変更された場合、プログラムは破綻します。そのため、このような手法はできるだけ避けるべきです。

その一方で、この手法は**文字列**の処理では常用されています。通常の文字としてはあり得ない**ナル文字 '\0'** が番兵です。プログラム例を **List 4-14** に示しています。

関数 ***putstr*** は、文字列 ***s*** を1文字ずつ走査しながら表示する関数です（ナル文字の直前の文字までを先頭から順に1個ずつ表示します）。

配列の走査を制御する **for** 文の構造は、関数 ***sumup*** とほぼ同じです（図**b**）。

List 4-14 chap04/putstr.c

```
// 文字列を表示する
#include <stdio.h>

//--- 文字列を1文字ずつ走査して表示 ---//
void putstr(const char s[])
{
    for (int i = 0; s[i] != '\0'; i++)
        putchar(s[i]);
}

int main(void)
{
    char str[128];

    printf("文字列：");
    scanf("%s", str);

    putstr(str);
    putchar('\n');

    return 0;
}
```

実行例

```
文字列：ABCD⏎
ABCD
```

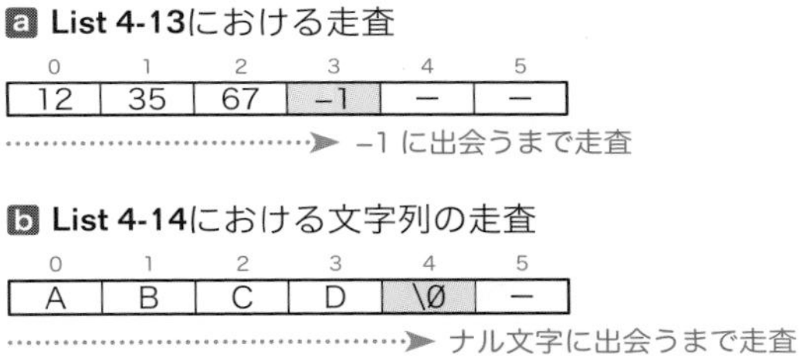

a List 4-13における走査

0	1	2	3	4	5
12	35	67	−1	−	−

········► −1 に出会うまで走査

b List 4-14における文字列の走査

0	1	2	3	4	5
A	B	C	D	\0	−

········► ナル文字に出会うまで走査

Fig.4-8 番兵を用いた配列要素の走査

文字列の長さを計算するときや、文字列のコピーを行うときなど、文字列の処理を行う際は、ナル文字 **'\0'** が繰返しを終了するための番兵となります。

▶ 文字列に関しては、次章で詳しく学習します。

関数 ***sumup*** と ***putstr*** での配列内の要素のアクセスを、添字演算子 **[]** ではなく、間接演算子 ***** を使って書きかえたプログラムを、**List 4-15** と **List 4-16** に示します。

List 4-15 chap04/sum_sentinel_ind.c

```
//--- 番兵INVALIDより前の要素を合計 ---//
int sumup(const int *v)
{
    int sum = 0;

    while (*v != INVALID)
        sum += *v++;
    return sum;
}
```

List 4-16 chap04/putstr_ind.c

```
//--- 文字列を1文字ずつ走査して表示 ---//
void putstr(const char *s)
{
    while (*s)
        putchar(*s++);
}
```

ポインタ ***v*** あるいは ***s*** をインクリメントすることで、着目要素を1個後の要素にずらす処理を繰り返します。

配列の受渡し（配列へのポインタ）

関数間での配列の受渡しは、**配列の先頭要素へのポインタ**ではなく、**配列（そのもの）へのポインタ**として行うこともできます。**List 4-17** が、そのプログラムです。

▶ 本プログラムは、**List 4-12**（p.126）のプログラムの仕様を変更したものです。

List 4-17 chap04/sum_aryptr.c

```
// 配列の全要素の値を合計する（関数間で配列へのポインタをやりとり）
#include <stdio.h>

//--- 配列vの全要素の合計値を返す（配列へのポインタを受け取る）---//
int sumup(int (*v)[5])
{
    int sum = 0;

    for (int i = 0; i < 5; i++)
        sum += (*v)[i];
    return sum;
}

int main(void)
{
    int a[5];
    int na = sizeof(a) / sizeof(a[0]);      // 配列aの要素数

    printf("%d個の整数を入力せよ。\n", na);
    for (int i = 0; i < na; i++) {
        printf("a[%d] : ", i);
        scanf("%d", &a[i]);
    }
    printf("合計=%d\n", sumup(&a));

    return 0;
}
```

実行例

```
5個の整数を入力せよ。
a[0] : 12
a[1] : 24
a[2] : 35
a[3] : -13
a[4] : 6
合計=64
```

アドレス演算子 & による配列へのポインタの生成

関数 sumup の呼出し sumup(&a) で与えている実引数は、a ではなく &a です。アドレス演算子 & を配列 a に対して適用したアドレス式 &a は、配列 a そのもの（配列全体）へのポインタです。

重 要 a が配列であるとき、アドレス式 &a は配列 a そのものへのポインタである。

アドレス演算子が生成するのは、オブジェクトの先頭アドレスですから、次に示す二つのポインタの値は一致します。

- &a … 配列 a 全体の先頭アドレス
- a すなわち &a[0] … 配列 a の先頭要素 a[0] の先頭アドレス

ただし、両者の型はまったく異なります。

▶ 添字演算子を伴わない配列名が、先頭要素へのポインタでなく、配列そのものと解釈される文脈は、sizeof 演算子のオペランドとして利用された場合（p.125）と、& 演算子のオペランドとして利用された場合の二つです。

配列へのポインタを受け取る関数

関数 *sumup* が受け取る仮引数 v は、プログラム水色部で、次の型として宣言されています。

『要素型が int 型で要素数が 5 の配列（すなわち int[5] 型の配列）』へのポインタ

ポインタ v は、配列 a 全体を指すため、間接演算子 * を適用した間接式 *v は、配列 a 全体のエイリアスです。

そのため、**Fig.4-9** に示すように、配列 a 内の各要素は、間接式 *v に対して添字演算子 [] を適用した添字式 (*v)[0]、(*v)[1]、…、(*v)[4] でアクセスできます。

▶ そうなる理由は単純です。*v が a のエイリアスですから、それに [0] を適用した (*v)[0] は a[0] のエイリアスです。

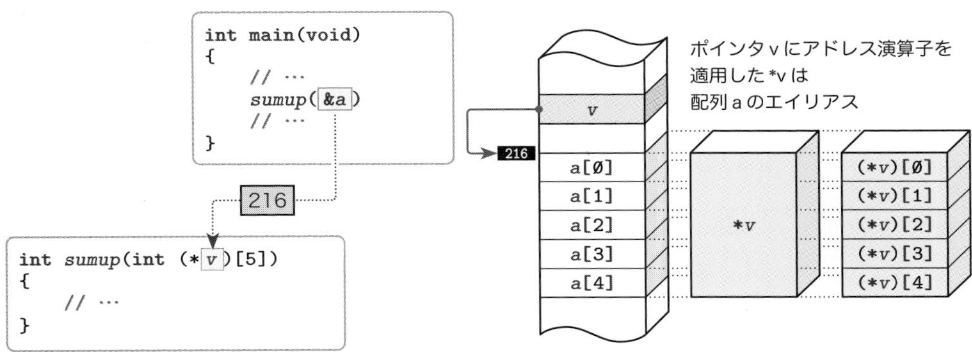

Fig.4-9 関数間の配列の受渡し（配列全体へのポインタ）

当然、要素数が 5 ではない配列へのポインタを v に受け取ることは、（強引なキャストでも行わない限り）不可能です。

重要 配列全体へのポインタを受け取る引数は、要素数を含む要素型が一意に決定する。そのため、異なる要素数の配列を受け取ることはできない。

特定の要素数の配列しか受け取れない関数は、使い回しがききません。

そもそも、『要素数が 5 以外の配列は受け取らない（受け取れない）』という関数が必要となる局面は、あまりないでしょう。そのため、ここで学習したプログラムを目にすることも、ほとんどないわけです。

ところが、みなさんは無意識の内に、関数の引数として《配列へのポインタ》を利用しています。それは、どういった局面なのでしょう。次節で学習していきます。

4-4 ポインタと多次元配列

本節では、多次元配列との関係をさぐりながら、ポインタについて深く学習します。

型の派生と多次元配列

基本型である int 型に**ポインタ化**を適用すると、《int へのポインタ》である int * 型が得られます。その型に再び**ポインタ化**を適用したのが、《int へのポインタへのポインタ》である int ** 型です。

ポインタの配列、配列へのポインタ、それらをメンバとしてもつ構造体 … 。このように、基本型から**派生型**を**導出**することで、新しい型を自在に作れます（**Column 4-3**）。

配列化の派生を２回適用したものが２次元配列です。たとえば、**Fig.4-10** に示すように、int 型の４×３の要素をもつ２次元配列は、

《"int" を要素型とする要素数3の配列》を要素型とする要素数4の配列

といった具合で、２段階に導出されています。

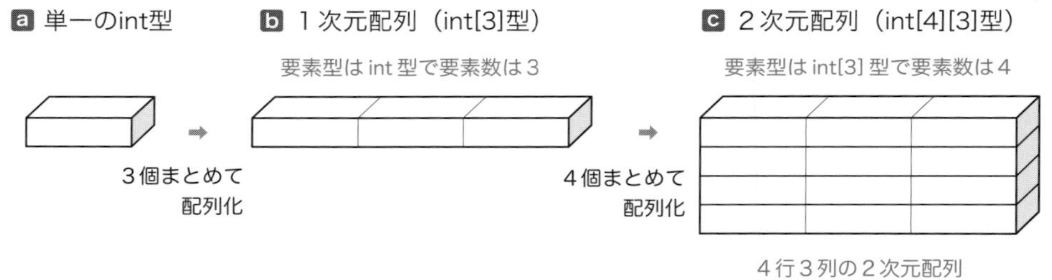

Fig.4-10 2次元配列の導出

▶ 派生の過程が分かりやすくなるよう、図cでは要素を縦横に並べていますが、物理的には一直線に並びます。

Column 4-3 派生型

C言語の**派生型**（derived type）には、次の種類があります。

- ある与えられた型のオブジェクトの配列
- ある与えられた型のオブジェクトを返す関数
- ある与えられた型のオブジェクトへのポインタ
- 各種の型の一連のオブジェクトを含む構造体
- 各種の型の複数個のオブジェクトの一つを含むことができる共用体

派生は再帰的に適用可能ですから、事実上無限ともいえる型を生成できます。

以上から、次のことが分かります。

重要 多次元配列は、その要素が“配列”となっている配列である。

４行３列の２次元配列の各行の要素の合計を求めて表示する **List 4-18** のプログラムを考えていきましょう。

List 4-18 chap04/matrix1.c

```
// ２次元配列の各行の合計を求めて表示
#include <stdio.h>

//--- ２次元配列vの各行の合計を求めて表示 ---//
void sum(const int v[][3], int n)
{
    for (int i = 0; i < n; i++) {
        int sum = 0;

        for (int j = 0; j < 3; j++)
            sum += v[i][j];
        printf("%d行の合計＝%d\n", i, sum);
    }
}

int main(void)
{
    int a[][3] = {
        {11, 12, 13},
        {14, 15, 16},
        {17, 18, 19},
        {20, 21, 22},
    };

    int na = sizeof(a) / sizeof(a[0]);  // 配列aの要素数（行数）

    sum(a, na);

    return 0;
}
```

実行結果

```
0行の合計＝36
1行の合計＝45
2行の合計＝54
3行の合計＝63
```

main 関数内で宣言されている配列 **a** が、４行３列の２次元配列です。

関数 ***sum*** は、0行から3行までの各行に対して、行内の3個の要素の合計値を求めて表示します。具体的には、次のように求めます。

- 0行の合計値：**v[0][0]**、**v[0][1]**、**v[0][2]** を加えた値
- １行の合計値：**v[1][0]**、**v[1][1]**、**v[1][2]** を加えた値
- ２行の合計値：**v[2][0]**、**v[2][1]**、**v[2][2]** を加えた値
- ３行の合計値：**v[3][0]**、**v[3][1]**、**v[3][2]** を加えた値

このプログラムについて、詳しく学習していきましょう。

まずは、**Fig.4-11** に示している、２次元配列の要素数の求め方を理解します。

２次元配列 a の要素数を求める式は、１次元配列と同じです。

```
sizeof(a) / sizeof(a[0])
```

配列全体の大きさを水色部の先頭要素の大きさで割ることで行数の 4 が得られます。

なお、列数 3 を求める式は、

```
sizeof(a[0]) / sizeof(a[0][0])
```

です。

また、構成要素（それ以上分解できない要素）の個数 12 を求める式は、

```
sizeof(a) / sizeof(a[0][0])
```

です。

２次元配列の要素数（行数）
sizeof(a) / sizeof(a[0])

a[0][0]	a[0][1]	a[0][2]
a[1][0]	a[1][1]	a[1][2]
a[2][0]	a[2][1]	a[2][2]
a[3][0]	a[3][1]	a[3][2]

要素である１次元配列の要素数（列数）
sizeof(a[0]) / sizeof(a[0][0])

２次元配列の構成要素数
sizeof(a) / sizeof(a[0][0])

Fig.4-11　２次元配列の大きさと要素

次は、関数 sum に渡す引数です。次のような質問を何度もいただきました。

２次元配列 a を渡す際の引数 a は &a[0] であって、&a[0][0] ではないということですが、よく理解できません。これらはどう違うのですか？

式 a は、**Fig.4-11** の水色部の先頭要素 a[0] へのポインタです。そうなる理由は：

①添字演算子を伴わない配列名は、その配列の先頭要素へのポインタである。

②配列 a の要素型は《要素型が int で要素数が 3 の配列》すなわち int[3] 型配列である。

③そのため、a は、その型が《要素型が int で要素数が 3 の配列》すなわち int[3] 型配列である先頭要素 a[0] へのポインタである。

一般的に表すと、次のようにまとめられます。

重要　１次元配列も、多次元配列も、その配列の《先頭要素へのポインタ》として関数間でやりとりする（多次元配列では、先頭要素自体が配列となっている）。

▶　&a[0] は int(*)[3] 型（int[3] へのポインタ型）であって、&a[0][0] の型は int * 型（int へのポインタ型）です。C++ のプログラムで確認する方法を **Column 4-5**（p.138）に示しています。

本プログラムにおける実引数 a と仮引数 v の関係を表したのが、右ページの **Fig.4-12** です。

ポインタ v は a[0] を指しますので、*v すなわち v[0] は、a[0][0]、a[0][1]、a[0][2] の３個の要素で構成される水色部の配列 a[0] のエイリアスです。

▶　その後ろの *(v + 1) すなわち v[1] は、a[1][0]、a[1][1]、a[1][2] の３個の要素で構成される配列 a[1] のエイリアスです。a[2] と a[3] も同様です。

先頭要素 a[0] のエイリアスである v[0] の型は、《要素型が int で要素数が 3 の配列》すなわち int[3] 型です。

そのため、この領域内の int 型の３個の要素は、ポインタ v[0] に対して添字演算子 [] を適用した添字式

v[0][0]、v[0][1]、v[0][2]

でアクセスできるというわけです。

＊

関数 sum の仮引数 v は、[] を使って宣言されていますが、配列ではなくポインタです。

その型は、

int を要素型とする要素数 3 の配列へのポインタ

です。

というのも、Fig.4-13 に示す三つの関数定義は、すべて同じだからです。

▶ その理屈は、１次元配列の受渡しで学習した **Fig.4-6**（p.126）とまったく同じです。
１次元配列のときと同様に、図**b**で指定された要素数 4 は無視されます。
※ この図では const を省略しています。

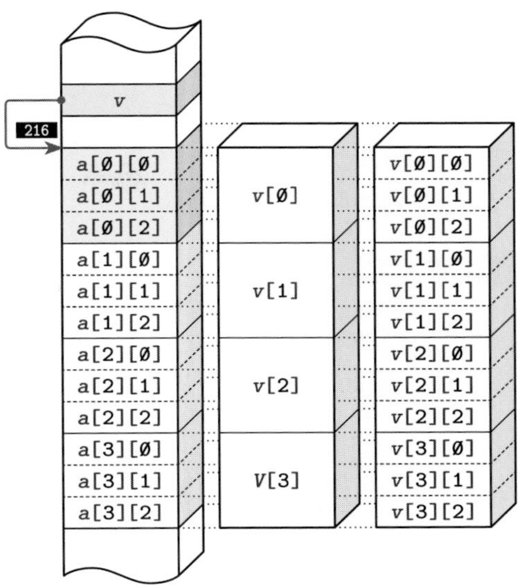

Fig.4-12　2次元配列と先頭要素へのポインタ

a
```
void sum(int v[][3], int n)
{
    // ...
}
```

b
```
void sum(int v[4][3], int n)
{
    // ...
}
```

c
```
void sum(int (*v)[3], int n)
{
    // ...
}
```

Fig.4-13　2次元配列を受け取る関数定義

さて、図**c**の "int (*v)[3]" という形式の宣言は既に登場しています。

要素数こそ異なるものの、配列へのポインタを受け取って配列の要素の値を合計する **List 4-17**（p.130）の仮引数の型と同じです。

これで、p.131 に示した、次の言葉の意味が分かったでしょう。

ところが、みなさんは無意識の内に、関数の引数として《配列へのポインタ》を利用しています。

多次元配列でやりとりする《先頭要素へのポインタ》の先頭要素は配列です。関数間では、配列である先頭要素へのポインタをやりとりしているわけです。

多次元配列とポインタ

ポインタに添字演算子 [ ] ではなく、間接演算子 * を適用する手法で、関数 **sum** を記述し直してみましょう。それが **List 4-19** に示すプログラムです。

▶ main 関数には変更はありませんので、関数 sum のみを示しています。

List 4-19 chap04/matrix2.c

```
//--- 2次元配列vの各行の合計を求めて表示 ---//
void sum(int (*v)[3], int n)
{
    for (int i = 0; i < n; i++) {
        int sum = 0;

        for (int j = 0; j < 3; j++)
            sum += (*v)[j];
        printf("%d行の合計=%d\n", i, sum);
        v++;
    }
}
```

実行結果

```
0行の合計=36
1行の合計=45
2行の合計=54
3行の合計=63
```

関数 sum の仮引数 v に a[0] へのポインタを受け取るのは、前のプログラムと同じです。

もちろん、**Fig.4-14** ⓐに示すように、*v は a[0] のエイリアスです。

その *v 内の3個の要素は、添字演算子 [ ] を適用した添字式 (*v)[0]、(*v)[1]、(*v)[2] で表せます。

内側の for 文の繰返しでは、これら3個の値の合計値を求めます。

求めた値の表示が終了すると、v++ によってポインタ v をインクリメントします。

ポインタをインクリメントすると、そのポインタは、1個後方の要素を指すように更新されるため、図ⓑに示すように、v は a[1] を指します。すなわち、インクリメント後の *v は a[1] のエイリアスとなります。

本プログラムでは、ポインタ v のインクリメントによって1個後方の要素を指すようにずらす処理を繰り返しながら、合計を求めていきます。

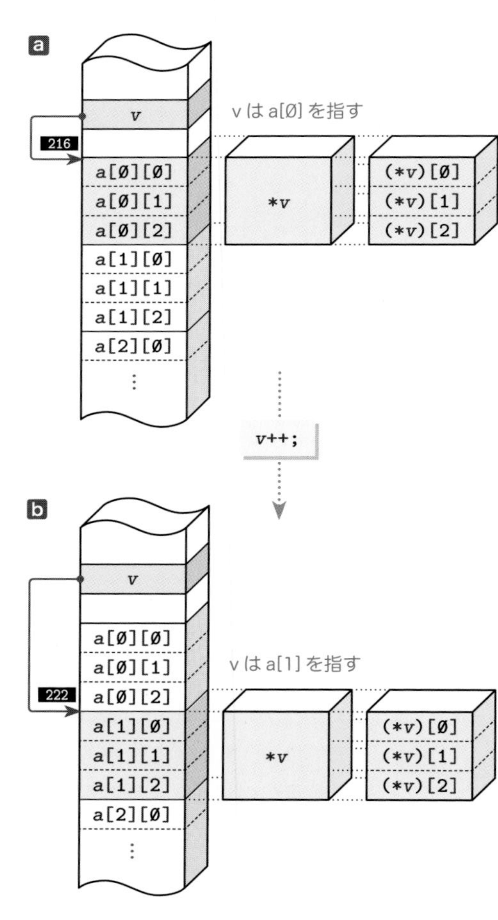

Fig.4-14 2次元配列の走査

このプログラムからも、2次元配列 a へのポインタが、&a[0] であって &a[0][0] ではないことが、はっきりと分かります。

もし仮引数 v が a[0][0] へのポインタであれば、v++ の評価・実行によって、v の指す先は a[1] ではなくて a[0][1] となるはずです。

Column 4-4 間接演算子による構成要素の走査

左ページの **List 4-19** は、ポインタ v をインクリメントしていくことで2次元配列の0行目、1行目、… に着目するプログラムです。内側の for 文では、2次元配列の構成要素のアクセスを、間接演算子 * ではなく添字演算子 [ ] で行っていました。

このアクセスを間接演算子 * で行うように書きかえたのが、**List 4C-2** のプログラムです。

List 4C-2 chap04/matrix2a.c

```
//--- 2次元配列vの各行の合計を求めて表示 ---//
void sum(int (*v)[3], int n)
{
    for (int i = 0; i < n; i++) {
        int sum = 0;
        int *p = v[0];

        for (int j = 0; j < 3; j++)
            sum += *p++;
        printf("%d行の合計=%d\n", i, sum);
        v++;
    }
}
```

実行結果

```
0行の合計=36
1行の合計=45
2行の合計=54
3行の合計=63
```

ポインタ v が a[0] を指すときを例にプログラムの動作を理解していきましょう。

int * 型ポインタ p は、v[0]（すなわち &a[0][0]）で初期化されるため、**Fig.4C-2** **a** に示すように a[0][0] を指す状態となっています。その p が指す値 *p を sum に加算した直後に p がインクリメントされる結果、図 **b** のように p は a[0][1] を指します。その値を加算した後に再び p がインクリメントされ、図 **c** では a[0][2] の値が加算されます。

※ 内側の for 文終了後にインクリメントされた v は次の要素 a[1] を指します（その後も同様です）。

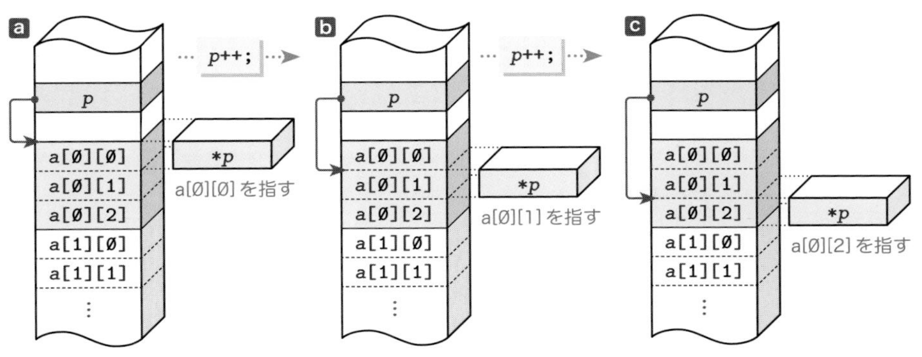

Fig.4C-2 List 4C-2 における構成要素の走査

Column 4-5　C++ の typeid 演算子による型情報の取得

sizeof 演算子は、式やオブジェクトの大きさを調べる演算子です。C++ では、この演算子と同じカテゴリに属する **typeid 演算子**（typeid operator）が提供されます。

C++ の経験がなければ、**typeid** 演算子の詳細を理解する必要はありません。**<typeinfo>** ヘッダをインクルードした上で、次のいずれかの式を書くと、**()** の中に置かれた "型" あるいは "式" の**型情報に関する文字列**が得られる、ということだけを理解しておきましょう。

```
typeid(型).name()
typeid(式).name()
```

※ これらの式によって得られる文字列は、処理系に依存します。

それでは、**typeid** 演算子を利用して型情報を表示してみましょう。**List 4C-3** に示すのが、そのプログラム例です。

List 4C-3　chap04/typeid1.cpp

```
// 各種の変数や定数の型情報を表示

#include <iostream>
#include <typeinfo>

using namespace std;

int main()
{
    char c;
    short h;
    int i;
    long l;

    cout << "変数cの型：" << typeid(c).name() << '\n';
    cout << "変数hの型：" << typeid(h).name() << '\n';
    cout << "変数iの型：" << typeid(i).name() << '\n';
    cout << "変数lの型：" << typeid(l).name() << '\n';

    cout << "文字リテラル'A'の型："    << typeid('A').name()   << '\n';
    cout << "整数リテラル100の型："    << typeid(100).name()   << '\n';
    cout << "整数リテラル100Uの型："   << typeid(100U).name()  << '\n';
    cout << "整数リテラル100Lの型："   << typeid(100L).name()  << '\n';
    cout << "整数リテラル100ULの型：" << typeid(100UL).name() << '\n';
}
```

実行結果一例

```
変数cの型：char
変数hの型：short
変数iの型：int
変数lの型：long
文字リテラル'A'の型：char
整数リテラル100の型：int
整数リテラル100Uの型：unsigned int
整数リテラル100Lの型：long
整数リテラル100ULの型：unsigned long
```

基本的な各種整数型の型情報を表示するプログラムです。表示結果は、処理系によって異なりますが、多くの処理系で**型名**（あるいは、それに準じた文字列）が表示されます。

なお、一つ注意すべき点があります。それは、C言語では **'A'** などの**文字定数**（C++ では**文字リテラル**と呼ばれます）の型は **int** 型ですが、C++ では **char** 型であることです。

本プログラムは整数型を対象としていますが、**float** 型や **double** 型なども同様に表示できますので、御自身でプログラムを作成して確かめるとよいでしょう。

＊

本章のテーマであるポインタや配列の型情報を表示するのが、右ページの **List 4C-4** に示すプログラムです。プログラムと実行結果をじっくり読んで対比しましょう。ポインタや配列の型に対する理解が深められるはずです。

List 4C-4 chap04/typeid2.cpp

```
// 配列やポインタの型情報を表示

#include <iostream>
#include <typeinfo>

using namespace std;

// 仮引数に受け取ったのが配列ではなくて
// 先頭要素へのポインタであることを確認
void func(int d1[], int d2[][3], int d3[][4][3])
{
    cout << "d1 : " << typeid(d1).name() << '\n';
    cout << "d2 : " << typeid(d2).name() << '\n';
    cout << "d3 : " << typeid(d3).name() << '\n';
}

int main()
{
    int n;
    int* p1;
    int** p2;
    int a1[3];
    int a2[4][3];
    int a3[5][4][3];

    cout << "n    : " << typeid(n).name()    << '\n';
    cout << "&n   : " << typeid(&n).name()   << '\n';
    cout << "*&n  : " << typeid(*&n).name()  << '\n';
    cout << "p1   : " << typeid(p1).name()   << '\n';
    cout << "*p1  : " << typeid(*p1).name()  << '\n';
    cout << "p2   : " << typeid(p2).name()   << '\n';
    cout << "*p2  : " << typeid(*p2).name()  << '\n';
    cout << "**p2 : " << typeid(**p2).name() << "\n\n";

    cout << "a1     : " << typeid(a1).name()     << '\n';
    cout << "&a1[0] : " << typeid(&a1[0]).name() << "\n\n";

    cout << "a2        : " << typeid(a2).name()        << '\n';
    cout << "&a2[0]    : " << typeid(&a2[0]).name()    << '\n';
    cout << "&a2[0][0] : " << typeid(&a2[0][0]).name() << "\n\n";

    cout << "a3           : " << typeid(a3).name()           << '\n';
    cout << "&a3[0]       : " << typeid(&a3[0]).name()       << '\n';
    cout << "&a3[0][0]    : " << typeid(&a3[0][0]).name()    << '\n';
    cout << "&a3[0][0][0] : " << typeid(&a3[0][0][0]).name() << "\n\n";

    func(a1, a2, a3);
}
```

実行結果一例

```
n    : int
&n   : int *
*&n  : int
p1   : int *
*p1  : int
p2   : int * *
*p2  : int *
**p2 : int

a1     : int [3]
&a1[0] : int *

a2        : int [4][3]
&a2[0]    : int (*)[3]
&a2[0][0] : int *

a3           : int [5][4][3]
&a3[0]       : int (*)[4][3]
&a3[0][0]    : int (*)[3]
&a3[0][0][0] : int *

d1 : int *
d2 : int (*)[3]
d3 : int (*)[4][3]
```

関数 *func* の仮引数 *d1*、*d2*、*d3* に着目しましょう。[ ] 記号で宣言されており、1次元、2次元、3次元の配列のように見えます。ただし、それぞれ "**int ***型"、"**int (*)[3]** 型"、"**int (*)[4][3]** 型" のポインタであることが実行結果から確認できます。

＊

二つのプログラムで、型に対する理解の手助けとして **typeid** 演算子を利用しました。

この演算子は、実行時に型が動的に決定する文脈における**実行時型情報**＝RTTI（run-time type information）を取得するために導入されたものです。そのため、多相的クラスに適用したときにこそ、**typeid** 演算子は本領を発揮します。

4-5 オブジェクトの動的な生成

本節では、プログラムの実行時の任意の時点で、オブジェクトを生成・破棄する方法を学習していきます。

割付け記憶域期間

動的なオブジェクト生成（記憶域の確保）に関する質問をいただきました。

配列を動的に確保して利用する方法はなんとか理解できますが、文字列や構造体の配列を動的に確保する方法や、その利用法がよく分かりません。ぜひ教えてください。

プログラムの**コンパイル時**ではなく、要求される大きさの記憶域を**実行時**の必要となった時点で確保して、不要になった時点で解放・破棄する方法を学習していきましょう。

記憶域の確保を行うのが、*calloc* **関数**と *malloc* **関数**です。これらの関数は、特別に用意された、一般に**ヒープ**（heap）と呼ばれる**空き領域**から記憶域を確保します。

なお、これらの関数によってプログラム実行時に動的に確保されるオブジェクトの生存期間は、**割付け記憶域期間**（allocated storage duration）と呼ばれます。

	calloc
ヘッダ	`#include <stdlib.h>`
形　式	`void *calloc(size_t nmemb, size_t size);`
機　能	大きさが *size* であるオブジェクト *nmemb* 個分の配列領域を確保する。その領域は、すべてのビットが 0 で初期化される。
返却値	領域確保に成功した場合は、確保した領域の先頭へのポインタを返し、失敗した場合は、空ポインタを返す。

	malloc
ヘッダ	`#include <stdlib.h>`
形　式	`void *malloc(size_t size);`
機　能	大きさが *size* であるオブジェクトの領域を確保する。確保されたオブジェクトの値は不定である。
返却値	領域確保に成功した場合は、確保した領域の先頭へのポインタを返し、失敗した場合は、空ポインタを返す。

▶ 『**空ポインタ**』と、それを表す定数 NULL の詳細は、次節で学習します。

まずは概要を理解していきます。

記憶域の**確保**とは、記憶域を貰(もら)うことではなくて、『**借りる**』ことです。プログラムを実行している環境に対して、たとえば『128 バイト貸してください。』とお願いします。

そうすると、環境側が記憶域を用意した上で、『ご希望どおり 128 バイト分用意しました。先頭番地をお知らせしますので、自由にお使いください。』と応答するイメージです。

▶ 確保したのが 124 番地～ 127 番地であれば、関数が返却するのは "124 番地" です。

不要になった記憶域は**解放**する必要があります。解放は、借りていた領域を**『返す』**ことであって、それを行うのが ***free* 関数**です。

	free
ヘッダ	#include <stdlib.h>
形　式	void *free*(void *ptr);
機　能	*ptr* が指す領域を解放して、その後の割付けに使用できるようにする。*ptr* が空ポインタの場合は、何も行わない。それ以外の場合、実引数が *calloc* 関数、*malloc* 関数もしくは *realloc* 関数によって以前に返されたポインタと一致しないとき、またはその領域が *free* もしくは *realloc* の呼出しによって既に解放されているときの動作は定義されない。

本関数の呼出しは、『お借りしていた先頭〇〇番地の領域を返します。』といったところです。

記憶域の確保は**オブジェクトの生成**に相当し、記憶域の解放は**オブジェクトの破棄**に相当します。

重要 プログラム実行時の動的なオブジェクトの**生成**は *calloc* **関数**または *malloc* **関数**で行い、**破棄**は *free* **関数**で行う。

▶ 各関数が、どのように記憶域をやりくりするのかは、プログラムの実行環境によって異なります。
　なお、ここで学習した三つの関数の他に、いったん確保したオブジェクトの大きさを変更して確保し直す ***realloc* 関数**が提供されます。

void へのポインタ

三つの関数は、**int** 型オブジェクト、**double** 型オブジェクト、さらには配列や構造体オブジェクトなど、あらゆる型の確保・解放に利用可能です。そのため、融通のきく万能なポインタである **void へのポインタ**を返却したり、受け取ったりする仕様となっています。

▶ 特定の型のポインタをやりとりする仕様となっていては、まずいからです。

void へのポインタ（**void *** 型のポインタ）は、あらゆる型のオブジェクトを指すことのできる特殊なポインタです。

Fig.4-15 に示すように、**void** へのポインタの値は、任意の型 Type へのポインタに代入できますし、その逆の代入も可能です（**Column 4-7**：p.158）。

相互に代入可能
void へのポインタ ⇄ Type へのポインタ

Fig.4-15 void へのポインタと任意のポインタ型との相互変換

▶ **void** へのポインタと相互に変換できるのは、不完全型へのポインタもしくはオブジェクト型へのポインタに限られます。第 7 章で学習する関数へのポインタは対象外です。

単一オブジェクトの動的な生成と破棄

それでは、オブジェクトの動的な生成と破棄を行いましょう。**List 4-20** は、`int` 型のオブジェクトを生成して、そのオブジェクトへの値の代入と表示を行うプログラムです。

List 4-20 chap04/alloc1.c

```
// 動的に生成したint型オブジェクトに値を代入して表示

#include <stdio.h>
#include <stdlib.h>

int main(void)
{
    int *x = calloc(1, sizeof(int));            // 確保        ■1

    if (x == NULL)
        puts("記憶域の確保に失敗しました。");
    else {
        *x = 64;
        printf("*x = %d\n", *x);                                ■2
        free(x);                                 // 解放        ■3
    }

    return 0;
}
```

実行結果

```
*x = 64
```

■1では、オブジェクト用の記憶域の確保を ***calloc*** 関数にゆだねて、その返却値で `int *` 型ポインタ ***x*** を初期化しています。

続く **if** 文では、***calloc*** 関数が記憶域の確保に成功したか、それとも失敗したかを調べます。***calloc*** 関数が空ポインタを返却した場合、制御式 **x == NULL** の判定が成立するため、***puts*** 関数の呼出しによって『記憶域の確保に失敗しました。』と表示します。

記憶域確保に成功した場合に実行される **else** 部に着目しましょう。

Fig.4-16 に示すように、ポインタ ***x*** の指す先が確保された領域の先頭番地となるため、確保した領域は、間接式 ***x** でアクセスできます（図のⓐ部）。

すなわち、この領域が、あたかも『***x**』という名前のオブジェクトであるかのように扱える状態です。

その ***x** に整数値 64 を代入して、その値を ***printf*** 関数で表示するのが■2です。

なお、***calloc*** 関数は確保した領域の全ビットを 0 で埋める仕様なので、値の代入を行う

```
*x = 64;
```

を削除して実行すると『***x = 0**』と表示されます（"chap04/alloc1a.c"）。

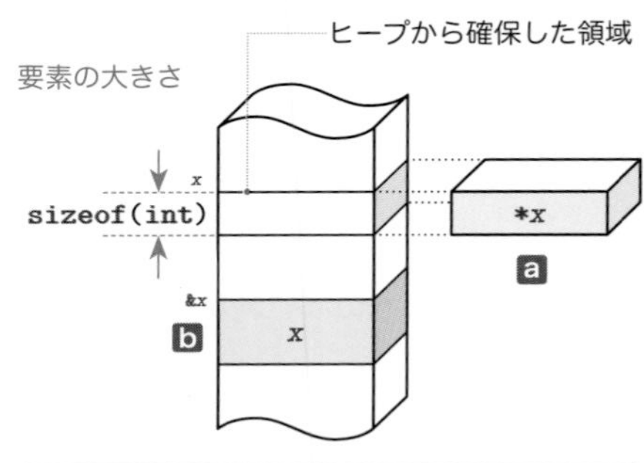

Fig.4-16 確保領域のアクセス

変数の利用が終了した3では、**free** 関数を呼び出して、確保していた領域を解放してオブジェクトを破棄します。

▶ **free** 関数を呼び出すコードは、**if** 文の **else** 部の中にありますが、**if** 文の後ろに移動することも可能です。その場合、記憶域の確保が成功した場合だけでなく、失敗した場合も **free** 関数が呼び出されることになりますが、問題はありません。
　というのも、**calloc** 関数による確保に失敗した場合はポインタ **x** には **NULL** が格納されており、引数に **NULL** を受け取った **free** 関数が『何も行わない』からです（p.141）。

ある読者の方から、次の質問をいただきました。

calloc 関数で生成したオブジェクトに対して、キーボードから読み込んだ整数値を格納する List 4-21 のプログラムがうまく動きません。どうしてでしょうか。

List 4-21 chap04/alloc2_wrong.c

```
// 動的に確保したint型オブジェクトにキーボードから値を読み込んで表示（誤り）

    else {
        printf("*xに格納する値：");
        scanf("%d", &x);
        printf("*x = %d\n", *x);
        free(x);                              // 解放
    }
```

実行例

```
*xに格納する値：64⏎
実行時エラーが発生します
```

キーボードからの読込みを行うために **scanf** 関数に与えている第２引数 **&x** は、ポインタ **x** のアドレス（ポインタ **x** へのポインタ）です。そのため：

1. **scanf** 関数が読み込んだ整数値の格納先は、**calloc** 関数で確保した領域（左ページの **Fig.4-16** のa部）ではなく、ポインタ **x** が格納されている領域（b部）となります。**x** 自体の値が書きかえられるため、**x** は確保した領域を指せなくなります。
　もちろん、記憶域を解放するための **free** 関数の呼出しの際は、不正な値（**calloc** 関数が確保した領域の先頭アドレスではない値）を渡すことになります。

2. もしも **int** 型が４バイトで、ポインタが２バイトであれば、**scanf** 関数は、ポインタ **x** の領域（b部）の後方の２バイトにまで値を書き込むことになります。この領域に、他の変数が格納されていれば、その値は確実に破壊されます。

scanf 関数に渡すのは、**x** が指している **int** 型オブジェクトのアドレスでなければなりません。**x** 自身がポインタですから、アドレス演算子の適用は不要です。
　正しい **scanf** 関数の呼出しは、次のようになります。

```
scanf("%d", x);
```

```
*xに格納する値：64⏎
*x = 64
```

すなわち、ポインタである **x** の値をそのまま渡します。プログラムを書きかえて確認しましょう（"chap04/alloc2.c"）。

配列オブジェクトの動的な生成と破棄

次は、配列オブジェクトを動的に生成します。**List 4-22** に示すのは、要素型が `int` である配列を動的に生成するプログラムです。

List 4-22 chap04/alloc_ary1.c

```
// int型の配列を動的に生成

#include <stdio.h>
#include <stdlib.h>

int main(void)
{
    int n;                          // 要素数

    printf("要素数：");
    scanf("%d", &n);

    int *x = calloc(n, sizeof(int));                    // 確保

    if (x == NULL)
        puts("記憶域の確保に失敗しました。");
    else {
        for (int i = 0; i < n; i++)                     // 値を代入
            x[i] = i;

        for (int i = 0; i < n; i++)                     // 値を表示
            printf("x[%d] = %d\n", i, x[i]);

        free(x);                                        // 解放
    }

    return 0;
}
```

実行例

```
要素数：5
x[0] = 0
x[1] = 1
x[2] = 2
x[3] = 3
x[4] = 4
```

まずは実行しましょう。生成した配列の要素に対して、先頭から順に 0、1、2、… と添字と同じ値が代入されて、それらの値が順に表示されます。

さて、ここまでのプログラムにおける *calloc* 関数の呼出しと、本プログラムにおける *calloc* 関数の呼出しとを対比したのが、**Table 4-1** です。

Table 4-1 各プログラムにおける calloc 関数の呼出し

プログラム	calloc 関数の呼出し
単一オブジェクトの生成 **List 4-20**	`calloc(1, sizeof(int))`
配列オブジェクトの生成 **List 4-22**	`calloc(n, sizeof(int))`

異なるのは第1引数の値である `1` と `n` のみです。そもそも『単なる整数を確保せよ。』とか『配列を確保せよ。』といった指定はありません。それは、次の理由によります。

重要 *calloc* 関数や *malloc* 関数が確保するのは、特定の型のオブジェクトではなくて、単なる記憶域の“かたまり”である。

▶ このような記憶域のかたまりは、**生メモリ**（raw memory）などと呼ばれます。

本プログラムで生成した配列と、その領域のアクセスの様子を **Fig.4-17** に示しています。

calloc 関数が、確保した記憶域の先頭アドレスを返し、その値で *x* が初期化されます。そのため、確保した領域は、あたかも *x* という名前の配列オブジェクトであるかのように、添字式 *x*[0]、*x*[1]、*x*[2]、… でアクセスできます。

▶ ポインタ *x* と確保した領域とのあいだに、**ポインタと配列の表記上の可換性** (p.127) が成立するからです。

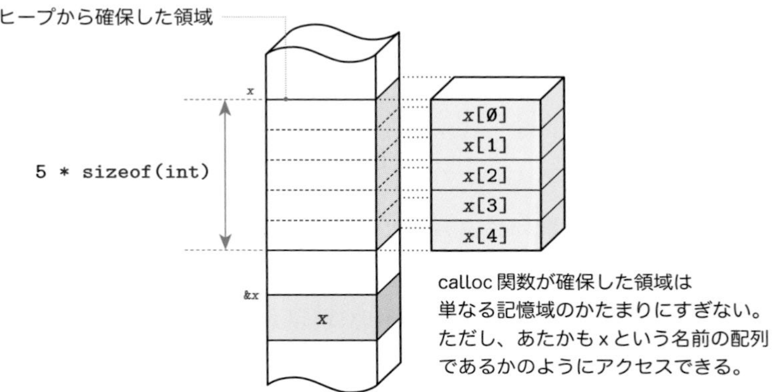

Fig.4-17 ヒープから確保した領域の配列としてのアクセス

calloc 関数や *malloc* 関数によって、ヒープから記憶域を確保する際は、そのブロック（かたまり）を管理するために、次のような内部的な情報が必要となります。

- 確保したブロックの大きさ
- 次のブロックへのポインタ

▶ この他にも、まだ確保されていない領域を管理するための情報などがあります。

そのため、記憶域を1回確保するたびに、それとは別に、最低でも数バイト〜数十バイト程度の大きさの領域が内部的に必要となります。たとえば、*malloc*(1) によって1バイトの記憶域を確保しても、**実際に消費される記憶域は1バイトではない**ということです。

次のことに注意しましょう。

重要 *calloc* 関数や *malloc* 関数を使って記憶域を動的に確保すると、管理のための領域が余分に消費される。そのため、小さな記憶域を数多く確保すると、相当量の余分な記憶域が消費される可能性がある。

1,000バイトの領域を一度に確保するのと、10バイトずつに分けて100回で確保するのでは、後者のほうが多くの記憶域を消費します。

多次元配列オブジェクト（最高次元以外の要素数固定）の生成

次は、多次元配列のオブジェクトの生成を学習します。

2次元配列の生成

List 4-23 に示すのが、２次元配列を動的に生成するプログラム例です。

List 4-23 chap04/alloc_ary2.c

```
// ２次元配列を動的に生成

#include <stdio.h>
#include <stdlib.h>

int main(void)
{
    int n;          // 要素数

    puts("n×3の２次元配列を確保します。");
    printf("nの値は：");
    scanf("%d", &n);

    int (*x)[3] = calloc(n * 3, sizeof(int));

    if (x == NULL)
        puts("記憶域の確保に失敗しました。");
    else {
        for (int i = 0; i < n; i++)
            for (int j = 0; j < 3; j++)
                printf("x[%d][%d] = %d\n", i, j, x[i][j]);
        free(x);                // 解放
    }

    return 0;
}
```

実行例

```
n×3の２次元配列を確保します。
nの値は：4
x[0][0] = 0
x[0][1] = 0
x[0][2] = 0
x[1][0] = 0
x[1][1] = 0
…中略…
x[3][1] = 0
x[3][2] = 0
```

ポインタ *x* の型は、“要素型が int で要素数が 3 の配列” を指すポインタ型、すなわち int[3] 型へのポインタ型です。そのため、生成する2次元配列の列数は 3 に固定されます。

▶ **List 4-18**（p.133）と **List 4-19**（p.136）で学習した、２次元配列を受け取る関数 *sum* の仮引数と同じ型です。

一方、確保にあたっては、要素数＝行数 *n* の値は自由に変更できます。

実行例では、*n* が 4 ですから、**Fig.4-18** に示す4行3列の2次元配列が生成されます。

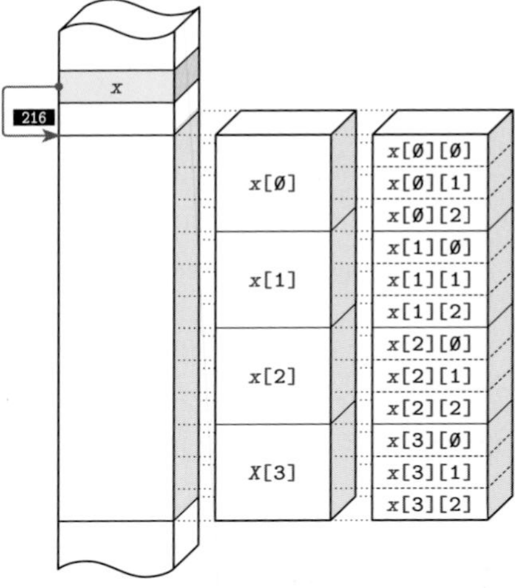

Fig.4-18 ２次元配列を動的に確保

図に示すように、添字演算子 [ ] を2重に適用することで、ポインタ *x* は、あたかも2次元配列であるかのように振る舞います。

▶ ポインタが2次元配列のように振る舞う理由は、p.134 ～ p.135 で学習しました。

3次元配列の生成

ここまで学習したことがらは、3次元以上の配列でも同じです。可変なのは、最も高い次元の要素数のみです。

重要 多次元配列の動的生成では、最も高い次元の要素数のみが可変であって、それより低い次元の要素数は定数である。

実際に3次元配列を生成してみましょう。**List 4-24** に示すのは、n×4×3個の構成要素をもつ3次元配列を確保するプログラム例です。

List 4-24 chap04/alloc_ary3.c

```
// 3次元配列を動的に生成
#include <stdio.h>
#include <stdlib.h>

int main(void)
{
    int n;                  // 最も高い次元の要素数

    puts("n×4×3の配列を確保します。");
    printf("nの値は：");
    scanf("%d", &n);

    int (*x)[4][3] = calloc(n * 4 * 3, sizeof(int));

    if (x == NULL)
        puts("記憶域の確保に失敗しました。");
    else {
        for (int i = 0; i < n; i++)
            for (int j = 0; j < 4; j++)
                for (int k = 0; k < 3; k++)
                    printf("x[%d][%d][%d] = %d\n", i, j, k, x[i][j][k]);
        free(x);                            // 解放
    }

    return 0;
}
```

実行例

```
n×4×3の配列を確保します。
nの値は：5
x[0][0][0] = 0
x[0][0][1] = 0
x[0][0][2] = 0
x[0][1][0] = 0
x[0][1][1] = 0
…中略…
x[4][3][1] = 0
x[4][3][2] = 0
```

ポインタ**x**の型は、**int[4][3] 型へのポインタ型**です。

▶ この型を詳細に表現すると、次のようになります。
『《"int"を要素型とする要素数3の配列》を要素型とする要素数4の配列』へのポインタ

可変である最高次元の要素数**n**の値をキーボードから読み込んで、3次元配列オブジェクトを生成しています。

もちろん、4次元配列では、下位側の3次元の要素数が固定で、最も高い4次元の要素数のみが可変となります。プログラムを作って確かめましょう（"chap04/alloc_ary4.c"）。

▶ 本節では、単一オブジェクトと配列オブジェクトの動的な生成について学習しました。
文字列の動的な生成に関しては次章で学習します。また、**構造体**の動的な生成に関しては、その応用例も含めて、第6章で学習します。

2次元配列（行数と列数ともに可変）の生成（手法1）

あるテクニックを使うことで、**行数と列数の両方が可変の似非2次元配列**の生成ができるようになります。それが **List 4-25** のプログラムです。

▶ 似非とは、"それらしく見えるものの、実は違う" という意味です。

List 4-25 chap04/alloc_2d1.c

```
// height行width列の２次元配列（もどき）を動的に生成（その１）

#include <stdio.h>
#include <stdlib.h>

int main(void)
{
    int height, width;  // 行数と列数

    printf("行数 : ");    scanf("%d", &height);
    printf("列数 : ");    scanf("%d", &width);

    int **p = calloc(height, sizeof(int *));        ―1

    if (p == NULL)
        puts("記憶域の確保に失敗しました。");
    else {
        for (int i = 0; i < height; i++)            ―2
            p[i] = NULL;

        for (int i = 0; i < height; i++) {
            p[i] = calloc(width, sizeof(int));      ―3
            if (p[i] == NULL) {
                puts("記憶域の確保に失敗しました。");
                goto Free;
            }
        }
        for (int i = 0; i < height; i++)        // 全構成要素に0を代入
            for (int j = 0; j < width; j++)
                p[i][j] = 0;

        for (int i = 0; i < height; i++)        // 全構成要素の値を表示
            for (int j = 0; j < width; j++)
                printf("p[%d][%d] = %d\n", i, j, p[i][j]);
Free:
        for (int i = 0; i < height; i++)   ―5
            free(p[i]);                            ―4
        free(p);                           ―6
    }
    return 0;
}
```

実行例

```
行数 : 3↵
列数 : 4↵
p[0][0] = 0
p[0][1] = 0
p[0][2] = 0
p[0][3] = 0
p[1][0] = 0
… 中略 …
p[2][2] = 0
p[2][3] = 0
```

まずは、実行しましょう。行数と列数を入力するように促されますので、適当な値を打ち込みます。そうすると、すべての構成要素に **0** が代入され、その値が表示されます。

本プログラムは行数と列数の両方が可変ですから、柔軟に運用できます。

それでは、実行例に示すように、行数 ***height*** が 3、列数 ***width*** が 4 であるとして、プログラムを理解していきましょう。

まずは、❶のポインタ *p* の宣言に着目します。ポインタの型が、`int *`型ではなく、**`int` へのポインタへのポインタ**である `int **` 型となっています。

それでは、記憶域の確保と解放の手順を理解していきましょう。*`calloc`* 関数による確保は、❶と❸の2回に分けて行われています。

Fig.4-19 ⓐに示すのは、記憶域確保前の状態です。

最初に行われるのが、❶の初期化子である *`calloc`* 関数の呼出しによる確保です。ここで確保されるのは、次に示す記憶域です。

『`int` へのポインタ型』を要素型とする要素数 *`height`* の配列

領域の確保に成功すると、図ⓑに示すように、ポインタ *p* は生成された配列オブジェクトの先頭要素を指すことになります。

その後、❷の `for` 文では、生成された配列の全要素に空ポインタ `NULL` を代入します（図ⓒ）。

▶ ここで `NULL` の代入を行う理由は、後で詳しく学習します。

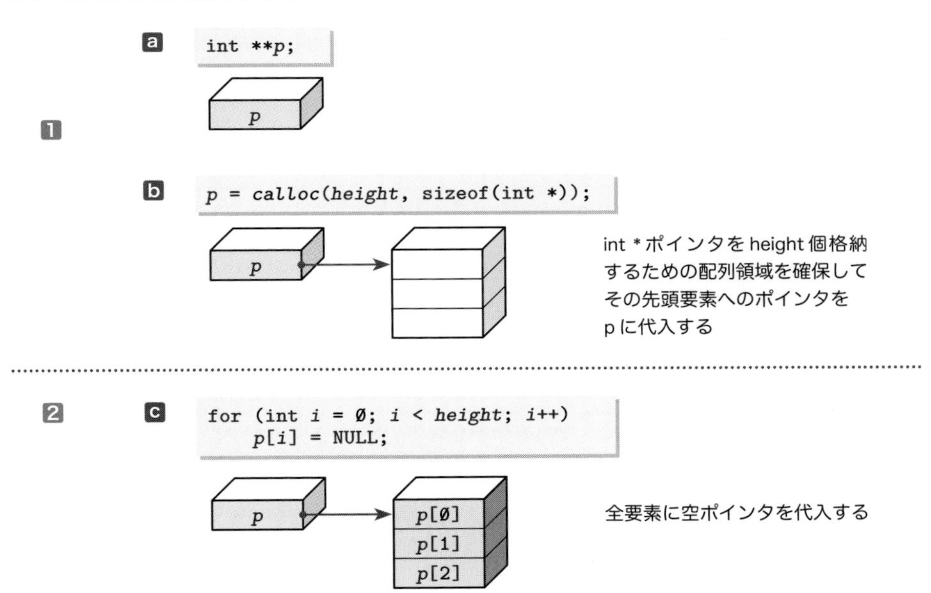

Fig.4-19 似非2次元配列の動的な確保（前半のステップ）

❶で確保したポインタの配列は、各行に相当する**1次元配列を指すポインタ**を格納するための領域です。当然、**1次元配列そのものを格納する領域は、別途確保しなければなりません。**それを行っているのが❸です。1次元配列（この例では、要素数が *`width`* すなわち `4` である `int` 型の配列）用の領域を確保します。

for 文の中に置かれた3では、Fig.4-20 a～cに示す処理が行われます。

図a　int 型4個分の領域が確保され、その先頭要素へのポインタが p[0] に代入される。
図b　int 型4個分の領域が確保され、その先頭要素へのポインタが p[1] に代入される。
図c　int 型4個分の領域が確保され、その先頭要素へのポインタが p[2] に代入される。

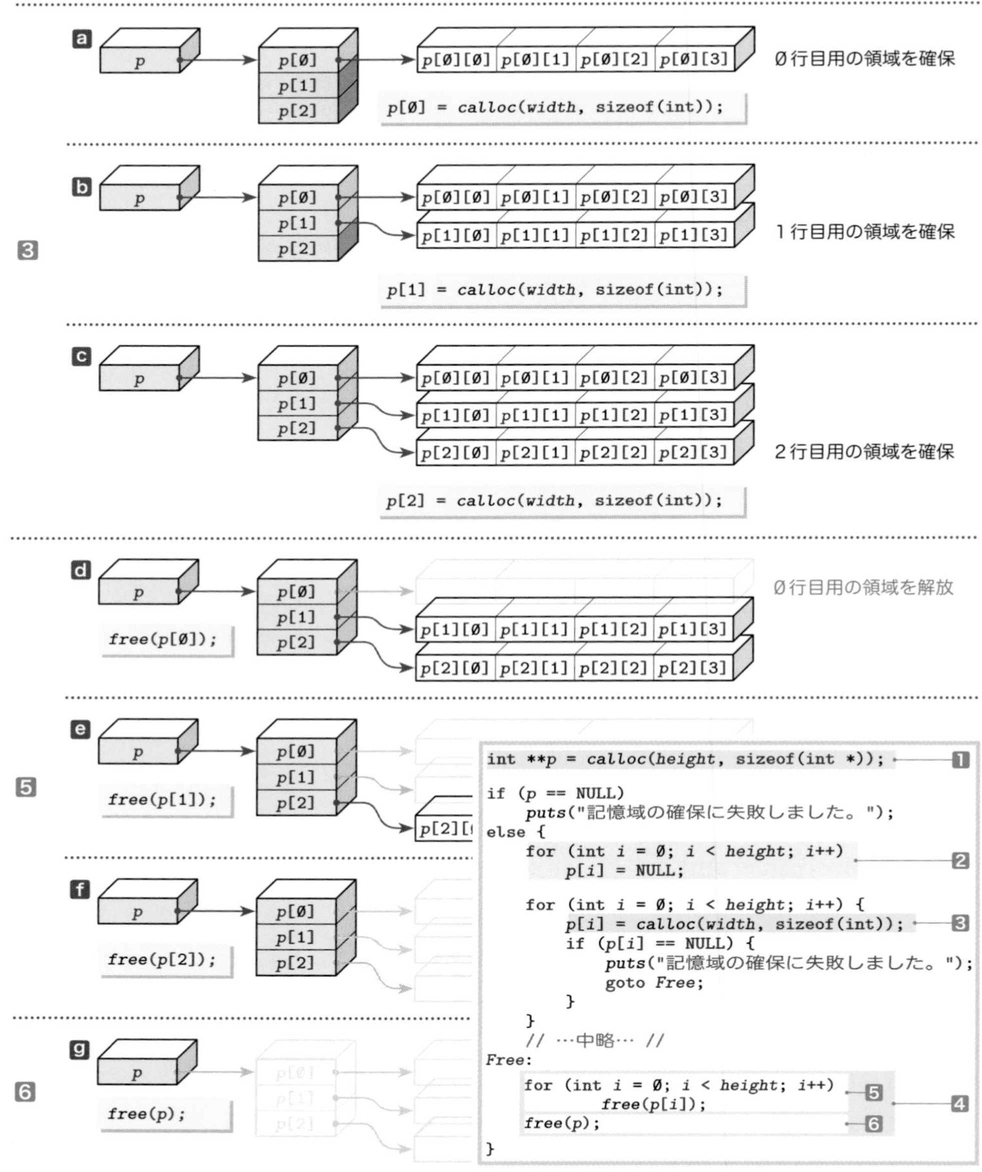

Fig.4-20　似非2次元配列の動的な確保（後半のステップ）と解放

確保が完了した図cに着目します。int ** 型の p が指す配列の先頭要素は p[0] ですから、その p[0] が指す配列内の各要素は、添字式 p[0][0]、p[0][1]、… でアクセスできます。

同様に、p[1] が指す配列内の各要素は p[1][0]、p[1][1]、… でアクセスできますし、p[2] が指す配列内の各要素は p[2][0]、p[2][1]、… でアクセスできます。

ポインタ p が、あたかも2次元配列であるかのように振る舞えることが分かりました。

確保した配列の利用が終了すると、その記憶域を解放します。それを行う4は二つのステップで構成されています。

5 各行用の1次元配列領域の解放

for 文で free(p[i]) を繰り返して各行用の配列を解放します。変数 i の値を 0、1、2 とインクリメントしながら解放を行う様子を示したのが、図d、図e、図fです。

6 各行用の1次元配列を指すポインタの配列の解放

1次元配列（の先頭要素）を指していたポインタの配列を free(p) によって解放して、図gの状態とします。これで破棄が完了します。

＊

さて、後回しにしていた、2の箇所に戻ります。ここでは、p[i] の全要素に対して空ポインタ NULL を代入しています。**この代入を行わなかったらどうなるかを検証しましょう。**

もし i の値が 1 のときに、記憶域不足などの理由によって、配列を確保する3が失敗したとします。そうすると、p[1] には calloc 関数の返却値 NULL が代入されます。記憶域の確保作業を中断するため、確保が行われない p[2] 以降のポインタは**不定値**です。

引き続き行われるのは、4の記憶域の解放です。

5の for 文による繰返しの最初の free(p[i]) は、free(p[0]) であり、確保に成功していた領域を解放します（図d）。

それでは、続く解放はどうでしょう。p[1] の値が NULL であるため、free(p[1]) として呼び出された free 関数は実質的に何も行いません。ここまでは、問題はありません。

ところが、次の解放で問題が発生します。（NULL が代入されていない）ポインタ p[2] の値は不定値ですから、free(p[2]) として呼び出された free 関数が**予期しない結果を引き起こす**可能性があります。

▶ free 関数は、受け取ったポインタの値に応じて、次のように動作することを思い出しましょう。
- 空ポインタであれば、何も行わない。
- calloc、malloc、realloc 関数が確保した領域へのポインタであれば、その領域を解放する。
- そうでなければ、動作は定義されない。

本プログラムのように、2で NULL を代入していれば、free(p[2]) では、実質的に何も行われません。そのため、解放作業が問題なく終了します。

重 要 動的に確保したポインタに対して、動的に確保した領域へのポインタを格納するなどの複雑な操作を行う場合は、確保領域の解放は注意深く行わなければならない。

2次元配列（行数と列数ともに可変）の生成（手法2）

前のプログラムの方法には、次に示す欠点があります。

- 行をまたがった要素の連続性が保証されない（たとえば、`p[0]`が指す配列の末尾要素である`p[0][3]`の直後に`p[1][0]`が位置するわけではない）。
- 何回も`calloc`関数を呼び出すため、そのたびに管理のための記憶域が消費される。

List 4-26 に示すのは、行数と列数の両方がともに可変の似非２次元配列を確保する別の実現例のプログラムです。

List 4-26 chap04/alloc_2d2.c

```
// height行width列の２次元配列（もどき）を動的に生成（その２）

#include <stdio.h>
#include <stdlib.h>

int main(void)
{
    int height, width;        // 行数と列数

    printf("行数：");   scanf("%d", &height);
    printf("列数：");   scanf("%d", &width);

    int **p = calloc(height, sizeof(int *));                    ―1

    if (p == NULL)
        puts("記憶域の確保に失敗しました。");
    else {
        int *base = calloc(height * width, sizeof(int));        ―2

        if (base == NULL)
            puts("記憶域の確保に失敗しました。");
        else {
            for (int i = 0; i < height; i++)
                p[i] = base + i * width;                        ―3

            for (int i = 0; i < height; i++)        // 全構成要素に0を代入
                for (int j = 0; j < width; j++)
                    p[i][j] = 0;

            for (int i = 0; i < height; i++)        // 全構成要素の値を表示
                for (int j = 0; j < width; j++)
                    printf("p[%d][%d] = %d\n", i, j, p[i][j]);
        }
        free(base);                                             ―4
    }
    free(p);                                                    ―5

    return 0;
}
```

実行例

```
行数：3⏎
列数：4⏎
p[0][0] = 0
p[0][1] = 0
… 中略 …
p[2][2] = 0
p[2][3] = 0
```

前のプログラムよりもシンプルです。記憶域の確保と解放を行うのが、いずれも2回ずつに減っています。行数が3で列数が4であるとして、プログラムを理解していきましょう。

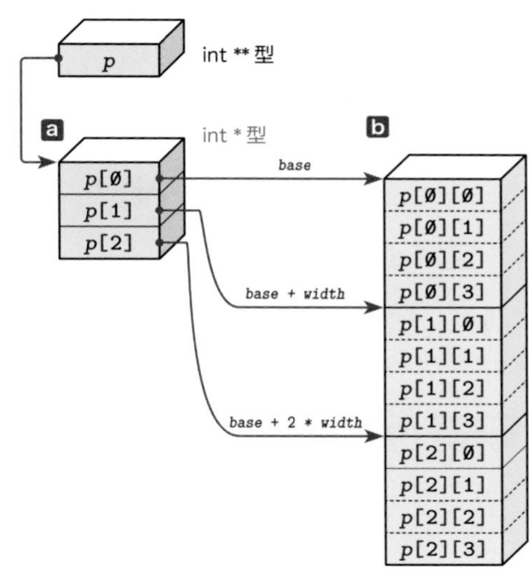

Fig.4-21　似非２次元配列の実現例

❶で確保する配列は、前のプログラムと同じです。**Fig.4-21** の🅐部に示すように、要素型が **int *** で、要素数は ***height*** です。

❷で確保するのは、🅑部に示す本体であり、***height * width*** 個（12 個）分の **int** 型の１次元配列です。

続く❸では、次のように代入を行うことで **p[i]** の値を設定しています。

```
p[0] = base;
p[1] = base + width;
p[2] = base + 2 * width;
```

これで、ポインタ **p[0]**、**p[1]**、**p[2]**、… は、🅑部の配列本体の ***width*** 個ごと（４個ごと）の要素を指すポインタとなります。

その結果、🅑部の配列本体が、あたかも２次元配列であるかのように扱えるようになります。

▶ **p[0]** が指す要素を先頭とする領域は、添字演算子を適用した式 **p[0][0]**、**p[0][1]**、… でアクセスできます。同様に、**p[1]** が指す要素を先頭とする領域は **p[1][0]**、**p[1][1]**、… でアクセスできますし、**p[2]** が指す要素を先頭とする領域は **p[2][0]**、**p[2][1]**、… でアクセスできます。

処理が完了したら、❹で配列本体（🅑部）を解放して、❺でポインタの配列（🅐部）を解放します。

＊

オブジェクトの動的な生成と廃棄のコードをまとめたものを **Table 4-2** に示します。

▶ この表では、**List 4-25**（p.148）の方法は省略しています。

Table 4-2　オブジェクトの動的な生成と破棄のコード

生成	破棄
▪ 単一の Type 型オブジェクト	
`Type *p = calloc(1, sizeof(Type));`	`free(p);`
▪ 要素型が Type 型で要素数が *n* の配列オブジェクト	
`Type *p = calloc(n, sizeof(Type));`	`free(p);`
▪ 要素型が Type 型で *h* 行 W 列の２次元配列オブジェクト（W は定数式）	
`Type (*p)[W] = calloc(h, sizeof(Type[W]));`	`free(p);`
▪ 要素型が Type 型で *h* 行 *w* 列の２次元配列（もどきの）オブジェクト（手法２）	

`Type **p = calloc(h, sizeof(Type *));`
`Type *base = calloc(h * w, sizeof(Type));`
`for (int i = 0; i < h; i++)`
`    p[i] = base + i * w;`
	`free(base);`
	`free(p);`

4-6 空ポインタとNULL

空ポインタとNULLは、極めて重要である割には正しく理解されていないようです。きちんと学習していきます。

空ポインタ

オブジェクト（変数）あるいは関数を指すのがポインタですが、何も指さないことを表す特別なポインタが、**空ポインタ**（null pointer）です。

重要 空ポインタは、いかなるオブジェクトへのポインタとも区別でき、いかなる関数へのポインタとも区別できる、特別なポインタである。

▶ 関数へのポインタについては、第7章で学習します。

空ポインタ定数

空ポインタを表す定数が**空ポインタ定数**（null pointer constant）です。マクロ**NULL**として、**<stddef.h>ヘッダ**で定義されています。次に示すのが、定義の例です。

```
#define NULL  0                // 定義例A
#define NULL  (void *)0        // 定義例B
```

▶ ここに示す二つの宣言は、定義の一例です。なお、<locale.h>、<stdio.h>、<stdlib.h>、<time.h>をインクルードしても、NULLの定義が取り込めるようになっています。

定義例Aによって、NULLが（ポインタではなく）整数値に置換されることに違和感を覚えるかもしれません。しかし、次の規則があるため、何の問題もないのです。

重要 整数値0は、任意のポインタ型へと変換でき、その結果は空ポインタとなる。

Fig.4-22に示すのが、C言語とC++における空ポインタ定数の定義です。

ａ C言語での定義
値0をもつ整数定数、またはその定数式を`void *`にキャストした式のこと。

ｂ C++での定義
ゼロと評価される右辺値をもつ整数型の整数定数式のこと。

Fig.4-22 空ポインタ定数の定義

C++では単なる整数値ですから、多くのC++処理系で、定義例Aのように定義されています。

▶ 標準C++では、『定義内容には、0および0Lがあり得る。しかし、(void *)0はあり得ない。』とコメントされています。

空ポインタを返す関数

空ポインタを返すことによって、処理に失敗したことを呼出し元に通知するライブラリ関数があります。たとえば、記憶域の確保に失敗した **malloc** 関数と **calloc** 関数は空ポインタを返します（p.140）。また、ファイルのオープンに失敗した **fopen** 関数は、空ポインタを返します（p.265）。

さて、私は、次のようなコードを何度も目にしてきました。

```
int *p;
FILE *fp;
if ((p = calloc(10, sizeof(int))) == (int *)NULL)    // 領域確保失敗
    // …
if ((fp = fopen("ABC", "r")) != (FILE *)NULL)        // オープン成功
    // …
```

空ポインタ定数 **NULL** を **int *** や **FILE *** にキャストしているのですが、その必要はありません。というのも、空ポインタの型変換に関して、**Fig.4-23** の規則があるからです。

> 空ポインタ定数をポインタに代入する場合、またはポインタと等値比較する場合、その定数はその型のポインタに型変換する。このポインタは、空ポインタと呼び、いかなるオブジェクトまたは関数へのポインタと比較しても等しくないことが保証される。二つの空ポインタは、たとえ異なるキャスト操作列の系列によって変換したとしても、比較して等しくなければならない。

Fig.4-23 空ポインタの型変換に関する定義

ここでのポイントは、次の点です。

重要 空ポインタは、任意の型のポインタに代入できるし、任意の型のポインタとの等値性の判定を行える（型変換は自動的に行われる）。

▶ キャストについては、**Column 4-7**（p.158）でも考察します。

Column 4-6 前処理指令内の sizeof 演算子

コンパイル状況に応じて、ポインタの大きさ（例：**int** と同じ大きさ／ **long** と同じ大きさ）を切りかえるために、次のように **NULL** を定義している処理系があります。

```
#if sizeof(void *) == sizeof(int)
    #define NULL  0
#else
    #define NULL  0L
#endif
```

しかし、**#if** 指令内での **sizeof** 演算子は意味をもたない（値を生成しない）と標準Cで規定されていますので、このような定義は、可搬性がないことを知っておきましょう。

空ポインタの内部が0であるとは限らない

次に示すのは、ポインタ *p* を0で初期化する宣言です。

```
int *p = 0;              // pは空ポインタで初期化される
```

これは、次のように実現しても同じです。

```
int *p = NULL;           // pは空ポインタで初期化される
```


すなわち、いずれの宣言でも、変数 *p* は、空ポインタとなります。先ほど学習したように、『整数値0は、任意のポインタ型へと変換でき、その結果は空ポインタとなる』からです。

＊

その一方で、空ポインタの内部表現は、処理系に依存します。すなわち、空ポインタの内部表現の全ビットが0であるとは限りません。

重要 空ポインタの内部表現の全ビットが0であるとは限らない。

このことを **List 4-27** のプログラムで確認しましょう。

List 4-27 chap04/null_pointer_value.c

```
// 空ポインタを整数に変換した値を表示
#include <stdio.h>

int main(void)
{
    printf("空ポインタの値は%lluです。\n", (unsigned long long)(void *)NULL);

    return 0;
}
```

実行結果一例

```
空ポインタの値は20です。
```

空ポインタ定数 NULL をいったん void * 型ポインタにキャストして、さらに符号無し整数値に型変換した値を表示しています。実行結果は、処理系によって異なりますが、必ずしも0と表示されるわけではありません（0と表示される処理系もあります）。

先ほどの《重要》を、少し詳しく表現すると、次のようになります。

重要 0をポインタに変換すると空ポインタになる一方で、その空ポインタを構成する内部表現の全ビットが0であるとは限らない（ビットの並びを整数値として解釈しても、その値が0となる保証はない）。

なお、ポインタを整数値に変換する際は、本プログラムのように、最も大きい整数値を表現できる unsigned long long 型にキャストするのがベストです。

というのも、ポインタから整数型への型変換において、“変換によって得られる整数の大きさが short ／ int ／ long ／ long long のどれなのか”、“どのように変換するのか” が処理系定義であり、変換後の整数の大きさが不十分な場合の動作も定義されないからです。

重要 ポインタを整数に変換する際は、変換先の型を unsigned long long 型とするのが無難である。

▶ 標準C第2版に準拠していない処理系であれば、unsigned long 型に変換することになります。
なお、標準C第2版では、処理系の判断で intptr_t 型や uintptr_t 型（**Column 2-9**：p.68）を提供する可能性があります（提供される環境では、それらの型を使ったプログラムが作成可能です）。

さて、空ポインタの内部表現が 0 とは限らないのですから、現実のプログラムでよく使われている次に示すテクニックは誤りです（可搬性に欠けます）。

```
char *p[10];
memset(p, 0, 10 * sizeof(char *));     // 10個のポインタの全ビットを0にする
```

memset 関数によって、"配列 p の全要素を空ポインタにする" 意図のコードですが、空ポインタの内部表現の全ビットが 0 でない環境では、うまくいきません。

重要 memset 関数などの手段を用いて、ポインタの全ビットを 0 にした結果が、空ポインタになるとは限らない。

配列の全要素を空ポインタ化する方法は、次のとおりです。

初期化における空ポインタ化

配列の初期化を行う宣言において、初期化子の与えられていない要素が 0 で初期化されるという規則は、ポインタの配列に対しても有効です。

次に示すように、NULL を 1 個だけ与えて宣言します。

```
char *p[10] = {NULL};                 // 10個のポインタを空ポインタで初期化
```

初期化子として NULL が与えられた p[0] だけでなく、初期化子が与えられていない p[1] ～ p[9] の全要素が 0 すなわち空ポインタで初期化されます。

▶ p が静的記憶域期間をもつ配列（関数の外で定義される配列／関数内で static 付きで定義される配列）であれば、初期化子を与えなくても、すべての要素が 0 すなわち空ポインタで初期化されます。

代入による空ポインタ化

代入によって空ポインタ化するには、全要素に対し NULL を一つずつ代入する必要があります。次のように、for 文を用いるのが一般的です。

```
for (int i = 0; i < 10; i++)          // 10個のポインタに空ポインタを代入
    p[i] = NULL;
```

もちろん、次のようにしても構いません。

```
for (int i = 0; i < 10; i++)          // 10個のポインタに空ポインタを代入
    p[i] = 0;
```

Column 4-7 voidへのポインタと型変換

List 4-20 （p.142）での calloc 関数を呼び出す箇所に着目しましょう。

```
A int *x = calloc(1, sizeof(int));          // 暗黙の内にキャスト
```

int *型ポインタ x に与えられている初期化子の型は、calloc 関数が返却する void *型のポインタです。そのため、初期化の過程で《void *型 ➡ int *型》の**暗黙の型変換**が行われます。なお、**初期化**ではなく**代入**でも同様ですので、これ以降の解説では、**代入**という用語を使います。

さて、宣言を次のように書きかえると、型変換を行っていることが見た目に分かりやすくなります。

```
B int *x = (int *)calloc(1, sizeof(int));   // 明示的なキャスト
```

とはいえ、このような明示的なキャストは必須ではありません。void *型のポインタは、任意の型へのポインタに代入できますし、その逆も可能だからです（p.141）。

ところが、C++ では事情が違います。**C++ では、void へのポインタを、別の型へのポインタに代入する際には、キャストが必須です。**

念のためにまとめると、次のようになります。

宣言A（void *型 ➡ 別のポインタ型の**暗黙の型変換**）C言語ではOK。C++ では**不可**。
宣言B（void *型 ➡ 別のポインタ型の**明示的型変換**）C言語ではOK。C++ でも**OK**。

ところで、どうしてC++では、C言語との互換性を捨ててまで、キャストを必須としているのでしょうか？　その理由の背景を探りながら、void へのポインタについて、深く学習しましょう。

＊

まずは、オブジェクトの格納場所の制約について考えていきます。

実は、すべてのオブジェクトは、必ずしも任意のアドレスに格納できるのではありません。というのも、オブジェクトの先頭を偶数番地（2の倍数の番地）、4の倍数の番地、8の倍数の番地、… に格納することで読み書きの高速化を図る環境があるからです。このようにオブジェクトの格納位置が適切に調整されることを**境界調整**と呼びます（境界調整については第6章でも学習します）。

たとえば、sizeof(double) が 8 であって、境界調整も8バイトであるとします。その場合は、double 型のオブジェクトは、先頭が8で割り切れるアドレスとなるように格納されます。

ということは、8番地や 16 番地など、8の倍数のアドレスを指すポインタは、不都合なく double 型オブジェクトを指すことができます。しかし、1番地や5番地を指すポインタは、正しく double 型オブジェクトを指すことはできないわけです。

このことを List 4C-5 のプログラムで検証しましょう。

右ページの Fig.4C-3 に示すように、double 型の x が8番地に格納されていると仮定します。

プログラムでは二つのポインタが宣言されていますが、ポインタ pd は double *型であり、pc は char *型です。

1では、char *型ポインタ pc は、x が格納されている8番地を指すように初期化されます。

初期化子の &x は double *型ポインタであり、暗黙の内に double * から char * への型変換が行われます。

2では、その pc をインクリメントしています。ポインタをインクリメントすると、一つ後方の要素を指すように更新されます。

List 4C-5 chap04/pointconv.c

```
// ポインタと型変換

#include  <stdio.h>

int main(void)
{
    double x;
    double *pd;
    char *pc = (char *)&x;      ── 1

    pc++;                       ── 2

    pd = (double *)pc;          ── 3

    printf("pc = %p\n", pc);
    printf("pd = %p\n", pd);

    return 0;
}
```

実行結果一例

```
pc = 9
pd = 16
```

文字は１バイトですから、インクリメントの結果、*pc*は９番地を指すことになります。

3では、ポインタ*pc*の値を、`double *`型ポインタ*pd*に代入しています。

しかし、`double`型が８バイトの境界調整をもつのであれば、`double`型のポインタは８の倍数でなければなりません。処理系によっても異なるでしょうが、８バイト単位に切り捨てあるいは切り上げられて、８番地あるいは16番地となる可能性があります。

ポインタを他の型へのポインタに型変換するということは、その値までもが変わる可能性のある危険な行為であることが分かりました。

ここまでは、`char *`型を例にとって考えてきましたが、`void *`型は１バイトの境界調整をもち、任意のアドレスを指すことができるという点で`char *`型と共通ですから、`void *`型のポインタを他の型のポインタに変換すると、値が変わる可能性がある、ということです。

ここまでの考察で、C++で、`void`へのポインタを別の型へのポインタに代入する局面では、明示的なキャストが必須となっている背景が分かるでしょう（型に厳密なC++は、ここで考えてきたような落とし穴を回避できるようになっています）。

異なる型のポインタに代入することによって値が変化してしまう例
※ double型が８バイトの境界調整をもつ環境を想定

８番地を指していたpcがインクリメントされて９番地を指している

doubleへのポインタであるpdは８の倍数の番地しか指せないので９番地を指すことは不可能
そのため、８番地あるいは16番地を指すように調整される可能性がある

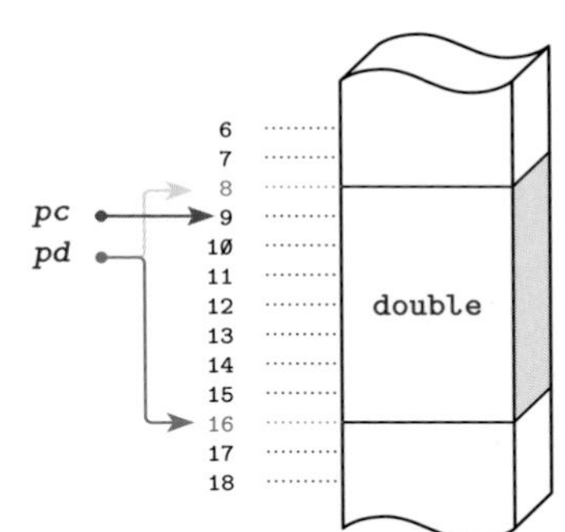

Fig.4C-3 List 4C-5 における二つのポインタ

C言語では明示的なキャストが必須でないとはいえ、ポインタの値を、異なるポインタ型に代入する際は、『代入に伴って、ポインタ値が変わる可能性がある』ということを、処理系やプログラムを読む人に伝えるべきです。そういう意味では、（キャストが必須でないC言語でも）明示的なキャストを行うほうが好ましいといえます。

＊

*calloc*関数、*malloc*関数、*realloc*関数は、**適当に境界調整された値を返すことが保証されています。**たとえば、最大で８バイトの境界調整をもつ処理系であれば、これらの関数が返却するアドレスは、原則的に８で割り切れる値となります。

そのため、これらの関数の返却した値を代入する局面に限っては、境界調整との整合性を考慮する必要がないため、`void *`ポインタから他の型へのポインタへの変換の際に、明示的なキャストを行う必然性は小さいともいえます。

第５章

文字列を使いこなす

残念ながら、多くのプログラマが、正しく理解しないまま文字列を使っています。

本章の前半では、実践的なプログラムの開発に必要な文字列関連の知識を学習します。

本章の後半では、文字列処理ライブラリの開発を行うとともに、複雑な構造の文字列の配列を複製するための高度な技術なども身につけます。

5-1 文字と文字列

偶然のことでしょうか。文字列に関する、よく似た内容の2通のお手紙が、ほぼ同時に送られてきました。

文字と文字列

Eさんの相談は、次のような内容です。

私が長年親しんできたCOBOLとは違い、C言語は "CMAGAZINE" と 'CMAGAZINE' を厳密に区別するようです。私の経験では、次のように利用されているようです。

- if 文の判定では '' を使う　　例 if (x == 'a')
- 配列の初期化や *printf* 関数などの引数には "" を使う　　例 *printf*("abc\n");
- ポインタの配列の要素に代入する場合は "" を使う　　例 *name*[2] = "abc";

以上のことから、次の独断的な結論に達しましたが、よろしいのでしょうか？

・'a' は、データそのものを意味する。

・"a" は、その文字列の先頭アドレスを意味する。

また、Fさんの相談は、次のような内容です。

日頃COBOLを利用しており、C言語のポインタで悩んでおります。『C言語には「文字列へのポインタ」という型がないことを論理的に説明せよ。』という課題の解答が分かりません。教えていただけないでしょうか。

これらの相談を拝見して、COBOLプログラマの方々を対象にC言語の講習を行ったときのことを思い出しました。受講者の多くの方々が、『**int** と **double** は、どのように使い分ければよいのですか。』と質問されたのです。

数値や文字列の扱いなどは言語によって違いますから、たとえベテランのCOBOLプログラマであっても、C言語の流儀というのは理解しがたいのかもしれません。

文字と文字定数

いうまでもなく文字列は『文字の並び』ですから、まずは、**文字**（character）と**文字定数**（character constant）についてきちんと学習しましょう。

右ページの **List 5-1** と **List 5-2** は、**int** 型もしくは **char** 型の変数に適当な値を入れて表示するだけの、ほとんど同じ構造のプログラムです。

List 5-1 では、**int** 型の変数 *x* を初期化・表示しています。**List 5-2** では、**char** 型の変数 *c* を文字で初期化して整数として表示しています。このようなことができるのは、**C言語の文字が、その文字を表す整数値として扱われるからです。**

List 5-1 chap05/int_d.c

```
// int型変数に値を格納して表示
#include <stdio.h>

int main(void)
{
    int x = 5;

    printf("x = %d\n", x);

    return 0;
}
```

実行結果

```
x = 5
```

List 5-2 chap05/char_c.c

```
// char型変数に文字を格納して表示
#include <stdio.h>

int main(void)
{
    char c = 'A';

    printf("c = %d\n", c);

    return 0;
}
```

実行結果一例

```
c = 65
```


x の初期化子 5 は int 型の**整数定数**です。一方、*c* の初期化子 'A' は**文字定数**です。多くのパソコンで採用されている **ASCII コード**や **JIS コード**体系では、'A' の文字コードは10 進数で 65 です。

▶ ASCII コード／JIS コード体系以外の環境で **List 5-2** を実行すると、65 ではない値が表示されます。

List 5-3 chap05/char_d.c

```
// char型変数に整数を格納して表示
#include <stdio.h>

int main(void)
{
    char c = 65;

    printf("c = %d\n", c);

    return 0;
}
```

実行結果

```
c = 65
```

これらのコード体系下に限り、**List 5-2** と **List 5-3** は実質的に同じプログラムです。

さて、多くのプログラマが、文字定数の型を char 型と誤解していますが、そうではありません。

重要 文字定数の型は char 型ではなく int 型である。

このことは、**List 5-4** のプログラムで確認できます。実行しましょう。

List 5-4 chap05/sizeof_char.c

```
// 文字定数の大きさを表示
#include <stdio.h>

int main(void)
{
    printf("sizeof(char) = %zu\n", sizeof(char));
    printf("sizeof(int)  = %zu\n", sizeof(int));
    printf("sizeof('A')  = %zu\n", sizeof('A'));

    return 0;
}
```

実行結果一例

```
sizeof(char) = 1
sizeof(int)  = 2
sizeof('A')  = 2
```

▶ ここに示した実行結果は、int 型が2バイトである環境におけるものです。もし int 型が4バイトであれば、sizeof(int) と sizeof('A') の両方が 4 と表示されます。

sizeof 演算子が生成するsize_t 型の値を *printf* 関数で出力する変換指定 %z が導入されたのは標準Cの第2版です。第1版準拠の処理系では、次のように、符号付き整数型にキャストした上で表示を行います（"charp05/sizeof_char1.c"）。

```
printf("sizeof(char) = %lu\n", (unsigned long)sizeof(char));
```

文字の値

C言語のプログラムに必要不可欠な文字を、**基本文字集合**（basic character set）と呼びます。それらの文字とその16進値を表示するのが、**List 5-5** のプログラムです。

▶ 表示される数値は、文字コード体系によって異なります。

List 5-5 chap05/basic_char.c

```c
// 基本文字集合の文字とその値を表示
#include <stdio.h>

int main(void)
{
    char cset[] = {
        'A', 'B', 'C', 'D', 'E', 'F', 'G', 'H', 'I', 'J', 'K', 'L', 'M',
        'N', 'O', 'P', 'Q', 'R', 'S', 'T', 'U', 'V', 'W', 'X', 'Y', 'Z',
        'a', 'b', 'c', 'd', 'e', 'f', 'g', 'h', 'i', 'j', 'k', 'l', 'm',
        'n', 'o', 'p', 'q', 'r', 's', 't', 'u', 'v', 'w', 'x', 'y', 'z',
        '0', '1', '2', '3', '4', '5', '6', '7', '8', '9',
        '!', '"', '#', '%', '&', '\'','(', ')', '*', '+', ',', '-', '.',
        '/', ':', ';', '<', '=', '>', '?', '[', ']', '^', '_', '{', '|',
        '}', '~'
    };

    for (int i = 0; i < sizeof(cset); i += 2)       // 2個ずつ並べて表示
        printf("'%c' = %02X   '%c' = %02X\n",
                            cset[i], cset[i], cset[i + 1], cset[i + 1]);

    printf("' ' = %02X   '\\a' = %02X\n",  ' ',  '\a');
    printf("'\\b' = %02X  '\\f' = %02X\n", '\b', '\f');
    printf("'\\n' = %02X  '\\r' = %02X\n", '\n', '\r');
    printf("'\\t' = %02X  '\\v' = %02X\n", '\t', '\v');

    return 0;
}
```

実行結果一例

```
'A' = 41   'B' = 42
'C' = 43   'D' = 44
'E' = 45   'F' = 46
   … 中略 …
'a' = 61   'b' = 62
'c' = 63   'd' = 64
'e' = 65   'f' = 66
   … 中略 …
```

```
'0' = 30   '1' = 31
'2' = 32   '3' = 33
'4' = 34   '5' = 35
'6' = 36   '7' = 37
'8' = 38   '9' = 39
'!' = 21   '"' = 22
'#' = 23   '%' = 25
'&' = 26   ''' = 27
'(' = 28   ')' = 29
'*' = 2A   '+' = 2B
```

```
',' = 2C   '-' = 2D
'.' = 2E   '/' = 2F
':' = 3A   ';' = 3B
'<' = 3C   '=' = 3D
   … 中略 …
' ' = 20   '\a' = 07
'\b' = 08  '\f' = 0C
'\n' = 0A  '\r' = 0D
'\t' = 09  '\v' = 0B
```

数字文字の規則性

数字文字 `'0'`、`'1'`、…、`'9'` の値は、**一つずつ増えていく**ことが標準Cで保証されています。そのため、文字コード体系とは無関係に、たとえば、`'5'` のコードと `'0'` のコードの差は5になりますし、`'5'` から `'0'` を引くと整数値の5が得られます。

以上から、数字と整数値の相互変換は次のように行えることが分かります。

- **数字文字から `'0'` を引くと、対応する整数値が得られる。** 例 `'5' - '0'` ⇨ `5`
- **整数値に `'0'` を加えると、対応する数字文字が得られる。** 例 `5 + '0'` ⇨ `'5'`

▶ 文字 *c* が数字文字であるかどうかは、`c >= '0' && c <= '9'` で判定できます。

アルファベット文字の規則性

アルファベット文字には、数字文字のような規則がありません。'A'、'B'、…、'Z' の文字コードが一つずつ増えていくとは限らないのです（事実、主として大型計算機で利用される **EBCDIC コード**では、アルファベットの文字コードは連続しません）。

'B' - 'A' が 1 になるとか、'C' - 'A' と 'c' - 'a' が等しくなる保証はありません。もちろん、'A' に 0 ～ 25 を加えて 'A' ～ 'Z' を得る演算や、その逆の演算を行うプログラムは可搬性に欠けます（意図どおりに動作するかどうかが文字コード体系に依存します）。

ナル文字

文字列の終端を表すために使われる**ナル文字**（null character）は、**Fig.5-1** に示すように、すべてのビットが 0 の文字です。

重要 ナル文字は、値が 0 の文字である。

0	0	0	0	0	0	0	0

Fig.5-1 ナル文字

▶ 標準Cでは、ナル文字は『すべてのビットが 0 であるバイト』と定義されています。

ナル文字は、'a' や 'Z' などの普通の文字とは一線を画す、特別な文字です。

List 5-6 に示すプログラムで、ナル文字の値を確認しましょう。

値が 0 の文字であるナル文字を、８進拡張表記の文字定数 '\0' で表しています。

▶ 文字定数は int 型ですから、次のように実現しても、まったく同じです。

```
printf("ナル文字＝%d\n", 0);
```

List 5-6 chap05/null_character.c

```
// ナル文字の値を表示

#include <stdio.h>

int main(void)
{
    printf("ナル文字＝%d\n", '\0');

    return 0;
}
```

実行結果

```
ナル文字＝0
```

なお、左ページの **List 5-5** のプログラムでは省略していましたが、基本文字集合にはナル文字も含まれます。

Column 5-1 **なぜ文字定数は char 型ではなくて int 型なのか**

初期のC言語では、整数は int 型が中心であり、演算を行う際や、関数の引数として渡す際などは、char 型はすべて int 型に昇格されていました（第２章で学習しました）。

このような背景もあって、Ｃ言語での文字定数の型は、int 型となっています。

一方、Ｃ言語より厳密に型を区別するC++では、**文字リテラル**（Ｃ言語での**文字定数**に相当）は int 型ではなく char 型です（**Column 4-5**（p.138）のプログラムでも確認していました）。

そのため、**List 5-4**（p.163）に相当するC++のプログラム（"chap05/sizeof_char.cpp"）を実行すると、sizeof('A') の値は 1 と表示されます。

文字列と文字の配列

文字が並んだものを一つのまとまりとして表すのが、**文字列**（string）です。標準Cの定義を **Fig.5-2** に示します。

> 最初のナル文字で終わり、かつそれを含む連続した文字の並びを文字列という。

Fig.5-2 文字列の定義

文字列がナル文字までの文字の並びであることを、**List 5-7** で確認しましょう。

List 5-7 chap05/str_init.c

```
// 文字列の初期化と表示（文字列は最初のナル文字までであることを確認）
#include <stdio.h>

int main(void)
{
    char a[4] = {'S', 'X', '\0', '2'};
    char b[4] = "ABC";

    printf("a = %s\n", a);
    printf("b = %s\n", b);

    return 0;
}
```

実行結果

```
a = SX
b = ABC
```

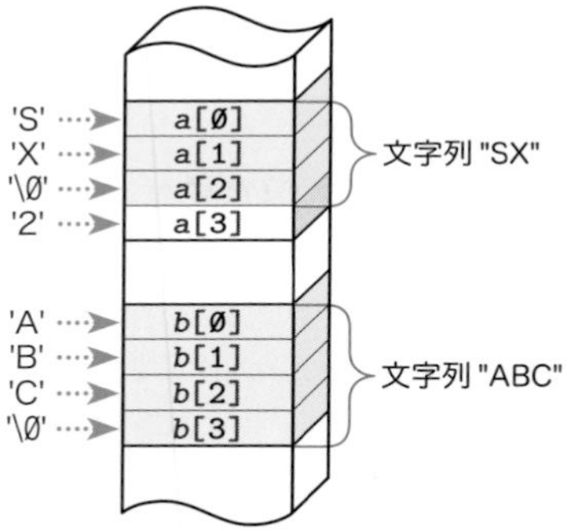

Fig.5-3 を見ながら理解していきます。

Fig.5-3 文字の配列と文字列

a 配列 a の要素は、先頭から順に 'S'、'X'、'\0'、'2' で初期化されます。３番目の要素 a[2] がナル文字ですから、それを含めた配列 a の先頭3文字が文字列 "SX" とみなされます。

配列全体が文字列ではないことに注意しましょう。

b 配列 b の宣言は次のように解釈されます。

```
char b[4] = {'A', 'B', 'C', '\0'};        // ナル文字が自動的に付加される
```

先頭要素から順に 'A'、'B'、'C'、'\0' で初期化されますので、配列全体が文字列です。

＊

文字列の初期化に関する規則は複雑です。細かいところまで学習していきます。

次のように、配列の要素数を明示的に与えずに宣言できます。

```
char c1[] = "ABCDE";                     // 配列の要素数はナル文字を含めて6
```

このとき、配列 c1 の要素数は、初期化子の文字数に基づいて 6 となります。

▶ 初期化子の文字列リテラルを { } で囲んで、次のように宣言することも可能です。

```
char c1[] = {"ABCDE"};          // 配列の要素数は6
```

もちろん、初期化子の文字数が要素数を超えるとエラーです。

```
char c2[3] = "ABCDEF";          // エラー：初期化子の文字数が多すぎる
```

ただし、ナル文字を含まない文字数と、配列の要素数が一致すると、**末尾にナル文字が付加されません。**

そのため、次の二つの宣言は等価です。

```
char c[3] = "RGB";
char c[3] = {'R', 'G', 'B'};
```

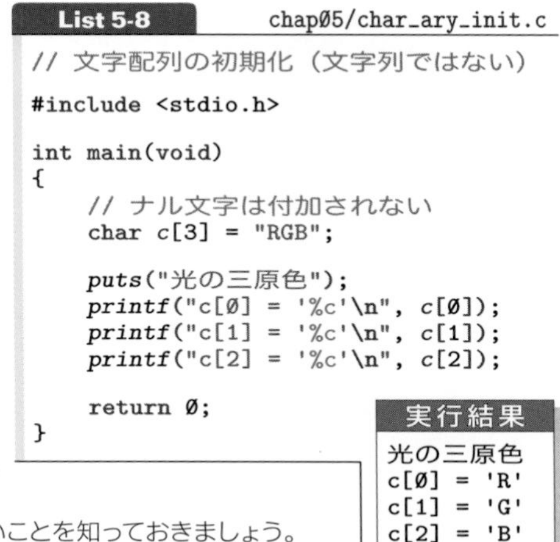

List 5-8 chap05/char_ary_init.c

```
// 文字配列の初期化（文字列ではない）
#include <stdio.h>

int main(void)
{
    // ナル文字は付加されない
    char c[3] = "RGB";

    puts("光の三原色");
    printf("c[0] = '%c'\n", c[0]);
    printf("c[1] = '%c'\n", c[1]);
    printf("c[2] = '%c'\n", c[2]);

    return 0;
}
```

実行結果

```
光の三原色
c[0] = 'R'
c[1] = 'G'
c[2] = 'B'
```

List 5-8 で確認しましょう。配列 c は、文字列ではなく、**文字の集まり**です。

▶ 次のように、配列 c を文字列として表示するとどうなるでしょうか。

```
printf("c = %s\n", c);
```

printf 関数は、配列 c が格納された領域の後方のどこかに存在する、最初のナル文字の直前までの文字すべてを表示します。

なお、配列の要素数と、ナル文字を含まない文字数が等しい宣言は、C++ では認められないことを知っておきましょう。

```
char cmyk[4] = "CMYK";     // C言語ではOK、C++ではエラー
```

文字列リテラル

文字列リテラル（string literal）は、二つの二重引用符 " で囲まれた文字の並びです。その正体は char 型の配列であり、末尾にはナル文字 '\0' が自動的に付加されます。

Fig.5-4 に、二つの文字列リテラルとその内部を示しています。

a 文字列リテラル "ABCD"

5個の文字の並びです。末尾がナル文字なので、**文字列である文字列リテラル**です。

b 文字列リテラル "UVW\0XYZ"

8個の文字の並びです。途中にナル文字があるため、全体としては文字列ではありません。すなわち、**文字列ではない文字列リテラル**です。

a "ABCD"　A B C D \0
文字列

文字列ではない
b "UVW\0XYZ"　U V W \0 X Y Z \0
文字列　文字列

Fig.5-4 文字列リテラル

重要 文字列リテラルは、単独の文字列とは限らない。

文字列リテラルの連結

空白類文字をはさんで隣り合う文字列リテラルは、コンパイル時に一つの文字列リテラルへと連結されます。List 5-9 に示すプログラムで確認しましょう。

List 5-9　chap05/str_cat.c

```
// 隣り合った文字列リテラルが連結されることを確認
#include <stdio.h>

int main(void)
{
    puts("In translation phase 6, "   "adjacent string literal tokens "
         "are concatenated.");

    return 0;
}
```

実行結果

```
In translation phase 6, adjacent string literal tokens are concatenated.
```

▶ 文字列リテラルの連結は、文字列リテラルのあいだに注釈が含まれていても正しく行われます。
　たとえば、"ABC" /*…*/ "DEF" は、連結されて "ABCDEF" となります。注釈が空白文字に変換された上でコンパイルされる、という規則があるからです。

文字列リテラルの記憶域期間

文字列リテラルは、プログラム実行の開始から終了まで記憶域上の同じ場所に格納されます（実行時に移動することはありません）。すなわち、静的記憶域期間が与えられます。

重要 文字列リテラルは静的記憶域期間をもつ。

文字列リテラルの型と値

文字列リテラルを評価して得られる型と値は、次のようになります。

重要 文字列リテラルの型は char へのポインタであり、その値は、先頭文字のアドレスである。

List 5-10 のプログラムで確認しましょう。

List 5-10　chap05/str_value.c

```
// 文字列リテラルを評価した値を表示
#include <stdio.h>

int main(void)
{
    char *ptr = "ABCD";       // 先頭文字へのポインタで初期化

    printf("ptr  = %s\n", ptr);       // ptrが先頭文字を指す文字列
    printf("ptr  = %p\n", ptr);       // ptrそのもの（アドレス）
    printf("*ptr = %c\n", *ptr);      // ptrが指す文字

    return 0;
}
```

実行結果一例

```
ptr  = ABCD
ptr  = 214
*ptr = A
```

char * 型のポインタ ***ptr*** は、文字列リテラル **"ABCD"** の先頭文字 **'A'** を指すように初期化されています。

プログラムを実行すると、三つの表示が行われます。

---

1. ***ptr*** を書式文字列 %s で出力すると、***ptr*** が指す文字を先頭とする**文字列**が表示される。
2. ***ptr*** を書式文字列 %p で出力すると、***ptr*** の**アドレス**が表示される。
3. ****ptr*** を書式文字列 %c で出力すると、***ptr*** が指す**文字**が表示される。

3では、ポインタ ***ptr*** に間接演算子 ***** を適用した間接式 ****ptr*** の値として **A** が表示されます。この結果から、ポインタ ***ptr*** が指しているのが、文字列リテラルそのものではなく、**文字列リテラルの先頭文字**であることが確認できました。

文字列リテラルの大きさ

文字列リテラルに **sizeof** 演算子を適用すると、末尾のナル文字を含めた大きさ（記憶域上の占有バイト数）が得られます。**List 5-11** のプログラムで確認しましょう。

List 5-11 chap05/str_size.c

```
// 文字列リテラルの大きさを表示
#include <stdio.h>

int main(void)
{
    printf("sizeof(\"ABC\") = %zu\n",        sizeof("ABC"));
    printf("sizeof(\"UVW\\0XYZ\") = %zu\n", sizeof("UVW\0XYZ"));

    return 0;
}
```

実行結果

```
sizeof("ABC") = 4
sizeof("UVW\0XYZ") = 8
```

文字列リテラルの途中に存在するナル文字とは無関係に、文字列リテラル全体の占有バイト数が出力されます。

Column 5-2　ワイド文字とワイド文字列

C言語での**文字**とは、「**1バイトに収まるビット表現**」です。

これに対して、「**処理系がサポートするロケールの中で最も大きな拡張文字集合のすべての要素に対して、識別可能なコードを表現できる値の範囲をもつ整数型**」は、**ワイド文字**と呼ばれ、**wchar_t** **型**で表します。

C言語の **wchar_t** 型は、**<stddef.h>** ヘッダの中で **typedef** 宣言によって定義される型です（すなわち、ヘッダをインクルードしない限り使えない型です）。

一方、C++ の **wchar_t** 型は、言語自体がもっている組込み型です（名前の末尾の **_t** は、もともとC言語で **typedef** 宣言によって定義されていた名残です）。

なお、ワイド文字用の**ワイド文字定数**と**ワイド文字列リテラル**は、**L** を前置した形式です。たとえば、**L'A'** や **L'ABC'** と表記します。

文字列リテラルと文字列定数

文字列リテラルという用語の登場とともに、まったく使われなくなった用語があります。それが**文字列定数**（string constant）です。

重要 C言語には、**文字列定数**という概念は存在しない。

文字列定数という用語が使われなくなったのは、次の理由によります。

重要 文字列リテラルは、定数であるとは限らない。

これが何を意味するかを、**List 5-12** に示すプログラムで考えていくことにします。

List 5-12 chap05/same_string.c

```
// 同じ綴りの文字列リテラル
#include <stdio.h>

int main(void)
{
    char *s1 = "ABC";           // s1は"ABC"の先頭文字'A'を指す
    char *s2 = "ABC";           // s2は"ABC"の先頭文字'A'を指す

    *s1 = 'Z';                  // s1の指す文字を書きかえる

    printf("s1 = %s\n", s1);
    printf("s2 = %s\n", s2);

    return 0;
}
```

ポインタ ***s1*** と ***s2*** は、いずれも **"ABC"** の先頭文字 **'A'** を指すように初期化されています。

このように、同じ綴（つづ）りの文字列リテラルがプログラム中に複数存在するとき、それらの文字リテラルは《同じもの》となるのでしょうか。それとも《別のもの》となるのでしょうか。

もし《別のもの》であれば、**Fig.5-5** **a**に示すように、ポインタ ***s1*** と ***s2*** は、別の実体の文字列リテラル（の先頭文字）を指します。そのため、プログラム水色部の "****s1* = 'Z';**" の代入で ***s1*** の指す文字を書きかえても、***s2*** の指す文字に影響が及ぶことはありません。

一方、《同じもの》であれば、図**b**に示すように、ポインタ ***s1*** と ***s2*** は、同一の文字列リテラル（の先頭文字）を指すことになります（記憶域が節約できるのがメリットです）。そのため、***s1*** の指す文字 ****s1*** を書きかえると、***s2*** の指す文字も変更されることになります。

異なる（はずの）文字列を指すポインタを通じて、文字列リテラルの内容が書きかえられてしまうわけです。このことについて、標準Cは、次のように定義しています。

同じ綴りの文字列リテラルを別個にする必要はない。文字列リテラルを変更しようとする場合、その動作は未定義とする。

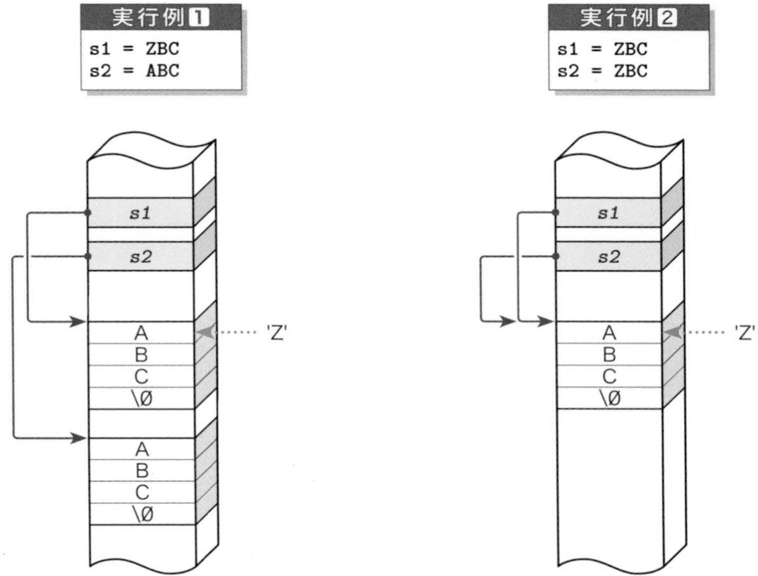

Fig.5-5 同じ綴りの文字列リテラル

そのため、プログラムの可搬性を考えると、

重要 同じ綴りの文字列リテラルが同一の記憶域を共有すること／共有しないことを前提としてはならない。

といえます。

さらに、次のことも心にとめておかねばなりません。

重要 文字列リテラルの書きかえが可能であると仮定してはいけない。

不用意に文字列リテラルの内容を書きかえると、記憶域保護違反が発生したり、プログラムがクラッシュしたりする可能性があります。

▶ その場合、**List 5-12** は、そもそも正しく動作しませんので、**Fig.5-5** に示す実行結果すら得られないことになります。

文字列リテラルの内容が書きかえ可能であるかどうかは、同じ綴りをもつ文字列リテラルが記憶域を共有するかどうかとも関連する複雑な問題です。

そのため、文字列リテラルのことを文字列定数とは決して呼べないのです。

▶ C++ では、文字列リテラルは書きかえ不能と定義されています。

文字列の二つの実現法

文字列の実現に関して、次の質問を何度もいただきました。

> **文字列の宣言には、List 5-13 のプログラムのように2種類があるようです。これらは、どう違うのですか。**

本書では、ary 形式の文字列表現を**配列による文字列**と呼び、ptr 形式の文字列表現を**ポインタによる文字列**と呼ぶことにします（いずれも正式な用語ではありません）。

これらは、**まったく異なるもの**です。違いを理解していきましょう。

List 5-13 chap05/string2ver.c

```
// 《配列による文字列》と《ポインタによる文字列》
#include <stdio.h>

int main(void)
{
    char ary[] = "ABC";    // 配列による文字列
    char *ptr  = "XYZ";    // ポインタによる文字列

    printf("ary = %s\n", ary);
    printf("ptr = %s\n", ptr);

    return 0;
}
```

実行結果

```
ary = ABC
ptr = XYZ
```

配列による文字列

Fig.5-6 に示すように、要素型が char 型で要素数 4 の配列であり、sizeof(ary) バイトの記憶域を占有します。

配列 ary 中の各要素 ary[0]、ary[1]、ary[2]、ary[3] はそれぞれ 'A'、'B'、'C'、'\0' で初期化されます。

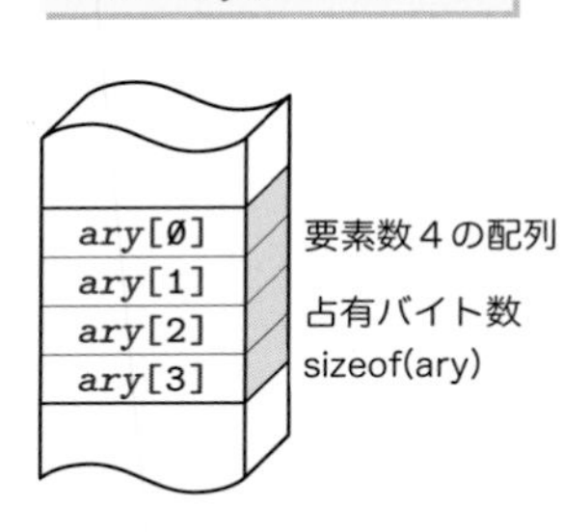

Fig.5-6 配列による文字列

ポインタによる文字列

Fig.5-7 に示すように、ptr は単独のポインタであって、それとは別に文字列リテラル "XYZ" がどこか別の場所に格納されています。

ポインタ ptr は、その領域の先頭文字 'X' を指すように初期化されます。

ポインタと文字列の両方が記憶域上に置かれるため、占有するバイト数の合計は sizeof(char *) + sizeof("XYZ") となります。

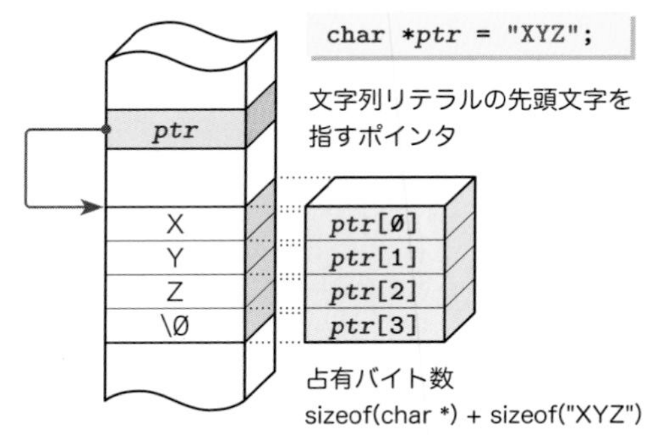

Fig.5-7 ポインタによる文字列

文字列へのポインタではなく文字へのポインタ

二つの形式の文字列についての考察を続けます。

px が **char *** 型のポインタであるとして、右に示す代入によって、ポインタ **px** が何を指すことになるのかを考察しましょう。

```
1 px = ary;
2 px = ptr;
```

1 ポインタ **px** は、文字列 **"ABC"** が格納されている配列 **ary** の先頭要素 **&ary[0]** すなわち **"ABC"** の先頭文字 **'A'** を指すことになります。

2 ポインタ **px** は、ポインタ **ptr** の値がそのまま代入される結果、**ptr** が指している文字列リテラル **"XYZ"** の先頭文字 **'X'** を指すことになります。

ここまでは、指すのが文字でした。次は、文字列を指す方法を考えます。**ary** は要素型が **char** 型で要素数 **4** の配列（すなわち **char[4]** 型の配列）ですから、それを指すポインタ **pz** は、次のように宣言されることになります。

```
char (*pz)[4];          // 要素型がchar型で要素数が4である配列へのポインタ
```

このポインタ **pz** に対して、次の代入を行ってみます。

```
A pz = &ary;     // &aryは配列全体へのポインタ
B pz = ptr;      // エラー：型が不一致
```

A ポインタ **pz** は、文字列 **"ABC"** を格納している（4個の要素で構成されている）配列 **ary** 全体を指すことになります。すなわち、指す先はナル文字を含めた文字列 **"ABC"** です。

とはいえ、仮に配列 **ary** に格納されているのが **"AB"** だとすると、（文字列は全４要素の配列の先頭側３個の要素に格納されているため）配列 **ary** 全体としては文字列ではありません。その場合は、**pz** は "文字列を指している" とはいえません。

B ポインタ **pz** と **ptr** は型が違いますから、エラーとなります。

ある特定の長さをもつ文字列へのポインタは、異なる長さの文字列へのポインタに「使い回す」ことができません。

文字列を指すのではなく、先頭文字を指す**《文字へのポインタ》**のほうが融通がききます。文字列の文字数とは無関係に文字を指せばよいからです。

重要 厳密な意味では、文字列へのポインタという型は存在しない。文字列を指すときは、その文字列の先頭の文字を指すポインタを利用する。

ただし、『ポインタ **ptr** は **"XYZ"** の先頭文字 **'X'** を指す』だと、あまりにもくどすぎるため、簡略化して『ポインタ **ptr** は **"XYZ"** を指す』と表現するのが一般的です。

▶ 標準Cでも、このような表現が使われています。

空文字列化の二つの方法

空文字列 (null string) は、先頭文字が《ナル文字》となっている、1文字だけの文字列です。

重要 空文字列は、先頭文字がナル文字となっている文字列である（文字列を格納する配列の全要素がナル文字である必要はない）。

文字列を空にする二つのプログラム例を **List 5-14** と **List 5-15** に示します。

List 5-14 chap05/str_null1.c

```
// ナル文字を代入して文字列を空にする

#include <stdio.h>

int main(void)
{
    char str[4] = "ABC";

    str[0] = '\0';

    printf("str = \"%s\"\n", str);

    return 0;
}
```

実行結果

```
str = ""
```

List 5-15 chap05/str_null2.c

```
// strcpy関数によって文字列を空にする

#include <stdio.h>
#include <string.h>

int main(void)
{
    char str[4] = "ABC";

    strcpy(str, "");

    printf("str = \"%s\"\n", str);

    return 0;
}
```

実行結果

```
str = ""
```

各プログラムの水色部が、文字列を空文字列化する箇所です。

文字列の先頭文字にナル文字を代入する方法と、*strcpy* 関数で空文字列をコピーする方法です。

いずれの方法を用いても、**Fig.5-8** に示すように、先頭文字のみがナル文字となり、2文字目以降は変化しません。

str[0] = '\0';
A B C \0 → \0 B C \0
strcpy(str, "");

Fig.5-8 文字列の空文字列化

List 5-16 で確認しましょう。これは、**List 5-15** の手法で文字列 *str* を空文字列化した上で、要素に対して代入を行うプログラムです。

List 5-16 chap05/str_null3.c

```
// 文字列の操作

#include <stdio.h>
#include <string.h>

int main(void)
{
    char str[8] = "";           printf("str = \"%s\"\n", str);

    strcpy(str, "ABCD");        printf("str = \"%s\"\n", str);

    strcpy(str, "");            printf("str = \"%s\"\n", str);
    str[0] = '1';               printf("str = \"%s\"\n", str);
    str[1] = '2';               printf("str = \"%s\"\n", str);

    return 0;
}
```

実行結果

```
a str = ""
b str = "ABCD"
c str = ""
d str = "1BCD"
e str = "12CD"
```

このプログラムを実行すると、文字列 **str** は、**Fig.5-9** のように変化していきます。

最初の宣言によって、**str** は空文字列となります（図a）。その後、**strcpy** 関数の呼出しの結果、**str** は "ABCD" になります（図b）。

２回目の **strcpy** 関数の呼出しによって、文字列 **str** は再び空文字列となります（図b⇨図c）。

a	\0 \0 \0 \0 \0 \0 \0 \0	""
b	A B C D \0 \0 \0 \0	"ABCD"
c	\0 B C D \0 \0 \0 \0	""
d	1 B C D \0 \0 \0 \0	"1BCD"
e	1 2 C D \0 \0 \0 \0	"12CD"

Fig.5-9 List 5-16 での文字列の変化

いったん空となった文字列の先頭に、文字 '1' を代入するだけで、４文字の文字列 "1BCD" へと復活します（図c⇨図d）。

＊

文字列を空にする二つの手法の特徴をまとめましょう。

ナル文字を代入する手法

１個の値の単純な代入です。**strcpy** 関数による方法とは異なり、関数呼出しのオーバヘッドもなく、実行効率が極めてよいものとなります。

プログラムの見た目も、行うことを素直に表しています。

strcpy 関数による手法

strcpy 関数に対して、空文字列化すべき文字列（の先頭文字へのポインタ）**str** と、文字列リテラル ""（の先頭文字へのポインタ）の２個の引数を渡す**関数呼出し**です。

見かけは単純であるものの、次に示すように、多くの作業が内部的に行われるとともに、記憶域も消費します。

- 関数呼出し時に、２個の引数をやりとりする作業が行われます。当然、そのための記憶域も消費されます。
- 呼び出された **strcpy** 関数の内部では、たった１文字を代入するために、繰返し文（あるいは、それに相当する処理）が実行されます。
- 関数から戻る際に、ポインタを返却する作業が行われます。
- 同じ綴りの文字列リテラルを《別のもの》として扱う処理系では、プログラム中に関数呼出し **strcpy(str, "")** のコードが複数存在すると、それぞれに対して、文字列リテラル "" 用の記憶域が１バイトずつ消費されます（空文字列は空ではなく１バイトです）。

いずれの手法を使うべきか。その結論は明らかです。

重 要 文字列 str を空にするには、**strcpy(str, "")** の呼出しによって行うのではなく、

```
str[0] = '\0';
```

と、文字列の先頭にナル文字を代入する方法によって実現する。

memset関数による記憶域のクリア

先頭文字をナル文字にするだけで、文字列が空文字列になります。とはいえ、配列中のすべての文字をナル文字にする必要が生じることもあります。

そのようなときに便利なのが、標準ライブラリの**memset関数**です。

	memset
ヘッダ	#include <string.h>
形　式	void *memset(void *s, int c, size_t n);
機　能	unsigned char型に変換したcの値を、sで指されるオブジェクトの最初のn文字のそれぞれに複写する。
返却値	sの値をそのまま返す。

この関数は、ポインタsが指す位置を先頭とするnバイトの領域を、文字cで埋めつくします。**List 5-17**に示すプログラムで動作を確かめましょう。

List 5-17 chap05/str_memset.c

```
// 文字列にナル文字を埋める

#include <stdio.h>
#include <string.h>

int main(void)
{
    char s[7] = "ABCDEF";

    memset(s, '\0', sizeof(s));      // 配列sの全要素を0にする

    for (int i = 0; i < sizeof(s); i++)
        printf("s[%d] = %d\n", i, s[i]);

    return 0;
}
```

実行結果

```
s[0] = 0
s[1] = 0
s[2] = 0
s[3] = 0
s[4] = 0
s[5] = 0
s[6] = 0
```


Fig.5-10 文字列にナル文字を埋める

Fig.5-10に示すように*memset*関数の呼出しによって配列sの全要素にナル文字が代入されます。

重要 連続した領域に同一文字を埋める必要があれば、memset関数を使う。

文字列にナル文字を埋めつくす機能を、独立した関数として実現しましょう。そのように作った（はずの）プログラムを右ページの**List 5-18**に示しています。

まずは実行しましょう。実行結果は、期待するものではありません。0になるのは、先頭の数バイトのみです。

*memset*関数の第3引数として渡しているsizeof(*str*)が、*str*の指す《文字列の大きさ》ではなく、《charへのポインタの大きさ》だからです。

そのため、ポインタの大きさであるsizeof(char *)が、もし**2**であれば、ナル文字が代入されるのは、文字列の先頭2文字だけとなります。

List 5-18　chap05/clear_string_wrong.c

```
// 文字列にナル文字を埋める（誤り）

#include <stdio.h>
#include <string.h>

//--- 文字列strにナル文字を埋める（誤り）---//
void clear_string(char *str)
{
    memset(str, '\0', sizeof(str));
}

int main(void)
{
    char s[16] = "ABCDEFGHIJKLMNO";

    clear_string(s);

    for (int i = 0; i < sizeof(s); i++)
        printf("s[%d] = %d\n", i, s[i]);

    return 0;
}
```

実行結果一例

```
s[0] = 0
s[1] = 0
s[2] = 67
s[3] = 68
s[4] = 69
s[5] = 70
s[6] = 71
s[7] = 72
s[8] = 73
s[9] = 74
s[10] = 75
s[11] = 76
s[12] = 77
s[13] = 78
s[14] = 79
s[15] = 0
```


関数 *clear_string* と、その呼出しを **List 5-19** のように書きかえましょう。

List 5-19　chap05/clear_string.c

```
// 文字列にナル文字を埋める

//--- 文字列strにナル文字をno個埋める ---//
void clear_string(char *str, int no)
{
    memset(str, '\0', no);
}

    clear_string(s, sizeof(s));
```

実行結果

```
s[0] = 0
s[1] = 0
s[2] = 0
s[3] = 0
… 中略 …
s[15] = 0
```

前章で学習したように、関数は受け取った配列の要素数を知ることができませんから、別の引数として受け取る必要があります。呼び出し側では、その引数に対して、配列の要素数である **sizeof(s)** を渡します。

▶　ここで学習した **memset** 関数は、ほとんどの処理系で高速に動作するよう作られています。なお、記憶域のコピーを行うための二つのライブラリ **memcpy** 関数と **memmove** 関数も同様です。

文字列の配列の二つの実現法

文字列の表現法に2種類があるのですから、文字列の集まりは、**それぞれの表現法による文字列の**配列で実現できます。**List 5-20** のプログラムで学習していきましょう。

List 5-20 chap05/str_ary.c

```
// 文字列の配列

#include <stdio.h>

int main(void)
{
    char a[][5] = {"LISP", "C", "Ada"};    // 配列による文字列の配列
    char *p[]   = {"PAUL", "X", "MAC"};    // ポインタによる文字列の配列

    for (int i = 0; i < 3; i++)
        printf("a[%d] = \"%s\"\n", i, a[i]);

    for (int i = 0; i < 3; i++)
        printf("p[%d] = \"%s\"\n", i, p[i]);

    return 0;
}
```

実行結果

```
a[0] = "LISP"
a[1] = "C"
a[2] = "Ada"
p[0] = "PAUL"
p[1] = "X"
p[2] = "MAC"
```

配列 a と p の構造と特徴をまとめた右ページの **Fig.5-11** を見ながら理解していきます。

a 配列による文字列の配列 … 配列の配列（2次元配列）

a は、**char[5] 型の配列を3個集めた配列**、すなわち、**3行5列の2次元配列**です。

占有する記憶域の大きさは、（行数×列数）すなわち 15 バイトです。

文字列の長さがバラバラなため、未使用の構成要素があります。たとえば、2番目の文字列 "C" を格納する a[1] は、3文字分の領域 a[1][2] ～ a[1][4] が未使用です。

▶ 極端に長い文字列と短い文字列が混在する場合は、未使用部分の存在が、領域効率を低下させます。

b ポインタによる文字列の配列 … ポインタの配列

p は、**char * 型のポインタを3個集めた配列**です。

配列の要素 *p*[0]、*p*[1]、*p*[2] は、各文字列リテラルの先頭文字 'P'、'X'、'M' へのポインタで初期化されています。そのため、配列 *p* の3個の sizeof(char *) 型要素の領域とは別に、3個の文字列リテラルが記憶域を占有します。

文字列リテラル "PAUL" 内の文字は、先頭から順に *p*[0][0]、*p*[0][1]、… でアクセスできます。2個の添字演算子 [ ] を適用することで、ポインタの配列 *p* は、あたかも2次元配列であるかのように振る舞います。

▶ 一般に、ポインタ *ptr* が、配列の先頭要素を指すとき、配列内の各要素は、先頭から順に添字式 *ptr*[0]、*ptr*[1]、… でアクセスできます。その *ptr* を、*p*[0] と置きかえるわけです（ポインタ *p*[1] と *p*[2] も同様です）。

a 配列による文字列の配列（２次元配列）

```
char a[][5] = {"LISP", "C", "Ada"};
```

すべての構成要素は連続して配置される

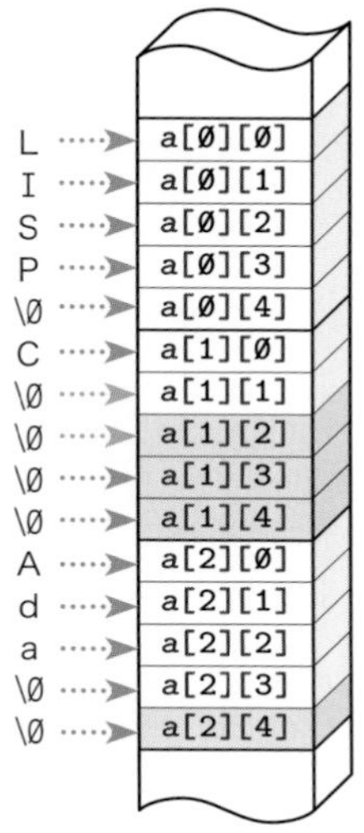

各構成要素は、初期化子として与えられた各文字列リテラル中の文字とナル文字で初期化される

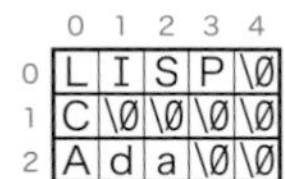

sizeof(a) バイトを占有

b ポインタによる文字列の配列（ポインタの配列）

```
char *p[] = {"PAUL", "X", "MAC"};
```

文字列の配置の順序や連続性は保証されない

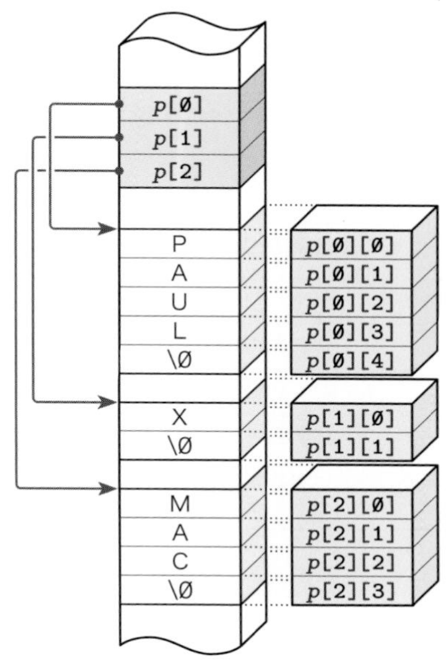

各要素は、初期化子として与えられた各文字列リテラルの先頭文字を指すように初期化される

0 1 2 3 4
0 → P A U L \0
1 → X \0
2 → M A C \0

sizeof(p) + sizeof("PAUL") + sizeof("X") + sizeof("MAC") バイトを占有

Fig.5-11 文字列の配列の二つの実現法

さて、図**b**では、各文字列リテラルのあいだが離れています。

初期化子の３個の文字列リテラルが連続して配置される保証がないからです。もちろん、**"PAUL"** の直後に **"X"** が配置される、あるいは、**"X"** の直後に **"MAC"** が配置される、といったことを前提にしたプログラムは作成できません。

5-2 文字列処理ライブラリの開発

文字列処理のライブラリが <string.h> ヘッダで提供されていますが、極めて基礎的なものに限られています。本節では、不足するライブラリを開発していきます。

文字列関連の標準ライブラリ

Table 5-1 に示すのは、**<string.h>** ヘッダで提供される文字列関連の主要な標準ライブラリ関数の一覧です。

Table 5-1　代表的な文字列関連の標準ライブラリ関数

関数名	概略
strlen	文字列の長さを求める。
strcpy	文字列をコピーする。
strncpy	文字列をコピーする（コピーする文字数に制限を設ける）。
strcat	文字列を連結する。
strncat	文字列を連結する（連結する文字数に制限を設ける）。
strcmp	文字列を比較する。
strncmp	文字の配列を比較する（比較する文字数に制限を設ける）。
strcoll	ロケールにしたがって文字列を比較する。
strxfrm	ロケール依存の文字列を比較可能な文字列に変換する。
strchr	文字列から文字を探索する（先頭位置を見つける）。
strrchr	文字列から文字を探索する（末尾位置を見つける）。
strpbrk	他の文字列に含まれる文字を探索する。
strstr	文字列に含まれる文字列を探索する。
strspn	文字列の構成（ある文字列に含まれる文字だけで構成される文字数）を調べる。
strcspn	文字列の構成（ある文字列に含まれない文字だけで構成される文字数）を調べる。
strtok	文字列を分解する。
memset	連続したメモリに値を代入する。
memcpy	連続したメモリをコピーする。
memmove	連続したメモリをコピーする（コピー元とコピー先の重なりに対応）。
memchr	配列から文字を探索する。
memcmp	配列領域を文字単位で比較する。

提供されるのは極めて基礎的なものに限られており、実用的なプログラム開発では、これらのライブラリだけでは不足します。

文字列処理を行うライブラリを作っていきましょう。

strcut 関数：文字列を任意の文字数にカット

最初に作るのは、文字列を途中までにカットする *strcut* 関数です。

たとえば、文字列 *s* が "ABCDEFG" のときに *strcut*(*s*, 3) と呼び出すと、*s* の末尾側をカットして先頭3文字だけの "ABC" にします。

右に示すのが、試作版の関数です。s[*n*] に文字列の終端となるナル文字を代入します。

ただし、このプログラムには、不十分な点があります。

```
void strcut(char *s, size_t n)
{
    s[n] = '\0';
}
```

■ 文字列 *s* の長さよりも大きい値が *n* に指定された場合に不具合が生じる

文字列 *s* が "ABC" のときに *strcut*(*s*, 7) と呼び出されると、文字列の領域 *s*[0] ～ *s*[3] より後方の *s*[7] にナル文字が代入されます。その領域に別の変数などが格納されていれば、その値は壊れてしまいます。

■ 何も返却しない

strcpy 関数や *strcat* 関数などの文字列を扱う標準ライブラリ関数の多くは、返却値の型は char * 型であり、次のようなコードが実現可能です。

```
strcpy(s1, strcpy(s2, s3));      // s3をs2とs1の両方にコピーする
printf("%s", strcat(s, t));      // sにtを連結して連結後のsを表示
```

『文字列 *s3* を文字列 *s2* にコピーして、さらに *s1* にもコピーする』、あるいは、『文字列 *s* の末尾に *t* を連結して連結後の *s* を表示する』といった処理が手短に表現できます。

strcut 関数の返却値型を char * に変更して、カット後の文字列（の先頭文字）へのポインタを返却する仕様とすれば、使い勝手がよくなります。

	strcut
形　式	char *strcut(char *s, size_t n);
機　能	文字列 *s* を先頭 *n* 文字までにカットする。なお、文字列 *s* の長さが *n* 文字未満であれば、何も行わない。
返却値	*s* の値をそのまま返す。

改良した *strcut* 関数を **List 5-21** に示しています。

n の値が文字列の長さより小さいときにのみナル文字を代入するとともに、文字列 *s* の先頭文字へのポインタを返却します。

▶ 引数の宣言で size_t 型を使っていますが、<stdlib.h> のインクルードは不要です。
　size_t 型の定義は、<string.h> のインクルードによって取り込まれることが保証されるからです。

List 5-21　chap05/strcut.c

```
#include <string.h>

//--- 文字列を先頭n文字までにカット ---//
char *strcut(char *s, size_t n)
{
    if (n < strlen(s))
        s[n] = '\0';
    return s;
}
```

本節で開発するライブラリをテストするプログラムの一覧は **Column 5-3**（p.188）に示しています。

strrep 関数：文字列の一部の置換

次に作る *strrep* 関数は、文字列の一部を別の文字列に**置換する**関数です。

	strrep
形　式	`char *strrep(char *s1, size_t idx, size_t n, const char *s2);`
機　能	文字列 *s1* 内の *s1[idx]* を先頭とする部分文字列を文字列 *s2* に置換する。ただし、*idx* が文字列 *s1* の長さ以上のときは置換は行わない。*s1[idx]* 以降が *n* 文字以上であれば *s1[idx]* から *s1[idx + n - 1]* までの *n* 文字を置換対象とし、そうでなければ *s1[idx]* 以降のすべての文字を置換対象とする。 そのため、文字列 *s2* の長さが置換対象よりも長ければ文字列 *s1* は置換によって長くなり、短ければ文字列 *s1* は置換によって短くなる。
返却値	*s1* の値をそのまま返す。

この関数の処理イメージを **Fig.5-12** で理解しましょう。"Ø123456789" が入っている文字列 *s1* の *s1[idx]* 以降の *n* 文字を *s2* に置換する例が示されています。最後の二つは要注意です。

図**e**：*s1[8]* 以降の4文字の置換が指定されていますが、有効な文字は2文字しかありません。置換の対象は2文字とみなされ、それを "ABC" の3文字に置換します。

図**f**：文字列を超える範囲の置換が指定されていますので、実質的に何も行いません。

右ページの **List 5-22** に *strrep* 関数のプログラムを示しています。処理の流れを理解していきます。

1：この **if** 文では、図**f**のような、文字列の長さ超えた置換の指定であるかどうかをチェックして、*idx* が文字列 *s1* の長さ未満である場合にのみ置換を行うように制御します。

2：この **if** 文では、図**e**のような、指定された *n* が実際の置換対象となる文字数と異なる場合の処理を行います。*n* の値を、実際に置換の対象となる文字数に更新します。

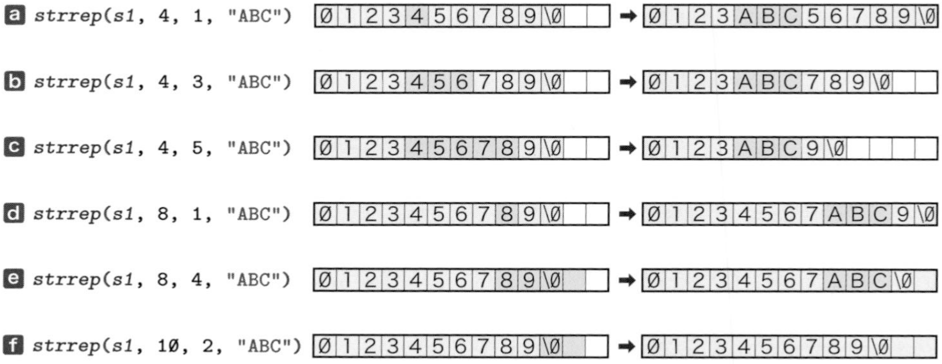

a `strrep(s1, 4, 1, "ABC")`　Ø 1 2 3 4 5 6 7 8 9 \Ø → Ø 1 2 3 A B C 5 6 7 8 9 \Ø

b `strrep(s1, 4, 3, "ABC")`　Ø 1 2 3 4 5 6 7 8 9 \Ø → Ø 1 2 3 A B C 7 8 9 \Ø

c `strrep(s1, 4, 5, "ABC")`　Ø 1 2 3 4 5 6 7 8 9 \Ø → Ø 1 2 3 A B C 9 \Ø

d `strrep(s1, 8, 1, "ABC")`　Ø 1 2 3 4 5 6 7 8 9 \Ø → Ø 1 2 3 4 5 6 7 A B C 9 \Ø

e `strrep(s1, 8, 4, "ABC")`　Ø 1 2 3 4 5 6 7 8 9 \Ø → Ø 1 2 3 4 5 6 7 A B C \Ø

f `strrep(s1, 1Ø, 2, "ABC")`　Ø 1 2 3 4 5 6 7 8 9 \Ø → Ø 1 2 3 4 5 6 7 8 9 \Ø

Fig.5-12 strrep 関数の動作イメージ

List 5-22 chap05/strrep.c

```
#include <string.h>

//--- 文字列s1[idx]を先頭とするn文字を文字列s2に置換 ---//
char *strrep(char *s1, size_t idx, size_t n, const char *s2)
{
    size_t i, j;
    size_t len1 = strlen(s1);            // 文字列s1の長さ
    size_t len2 = strlen(s2);            // 文字列s2の長さ

    if (idx < len1) {                    // idx < lenでなければならない    1
        if (idx + n > len1)
            n = len1 - idx;              // s1中の置換対象となる文字数     2

        if (len2 > n)                    // 文字列が伸びる場合
            for (i = len1; i >= idx + n; i--)                              A
                s1[i + len2 - n] = s1[i];

        for (i = idx, j = 0; j < len2; i++, j++)    // s1[idx]を先頭とする
            s1[i] = s2[j];                          // len2文字を置換      B

        if (len2 < n)                    // 文字列が縮む場合
            for ( ; i < len1; i++)                                         C
                s1[i] = s1[i + n - len2];
    }
    return s1;
}
```

これ以降が、置換の実質的な処理を行う箇所です。

A：置換によって文字列が伸びる場合の処理です。文字列が伸びることによって後方に移動する部分をずらします。

B：置換部に *s2* をコピーします。

C：置換によって文字列が縮む場合の処理です。文字列が縮むことによって前方に移動する部分をずらします。

Fig.5-13 に、置換処理の様子の具体的な3例を示しています。

- a：置換によって文字列が伸びる例です。　AとBの処理が行われます。
- b：置換によって文字列の長さが変化しない例です。Bの処理のみが行われます。
- c：置換によって文字列が縮む例です。　BとCの処理が行われます。

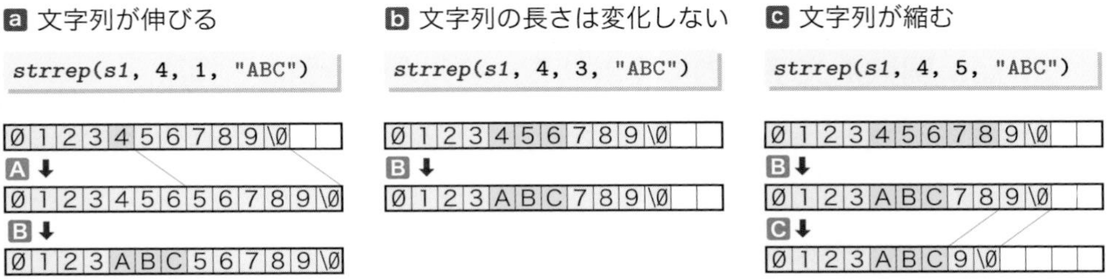

a 文字列が伸びる

`strrep(s1, 4, 1, "ABC")`

0	1	2	3	4	5	6	7	8	9	\0		

A ⬇

0	1	2	3	4	5	6	5	6	7	8	9	\0

B ⬇

0	1	2	3	A	B	C	5	6	7	8	9	\0

b 文字列の長さは変化しない

`strrep(s1, 4, 3, "ABC")`

0	1	2	3	4	5	6	7	8	9	\0		

B ⬇

0	1	2	3	A	B	C	7	8	9	\0		

c 文字列が縮む

`strrep(s1, 4, 5, "ABC")`

0	1	2	3	4	5	6	7	8	9	\0		

B ⬇

0	1	2	3	A	B	C	7	8	9	\0		

C ⬇

0	1	2	3	A	B	C	9	\0				

Fig.5-13 strrep関数による置換処理の流れ

strxcat 関数：複数の文字列を連結

次に作成する *strxcat* 関数は、任意の個数の文字列を連結する関数です。

	strxcat
形　式	`char *strxcat(char *s, ...);`
機　能	文字列 *s* に、それ以降の引数として与えられたすべての文字列を順に連結する。ただし、連結を行うのは空文字列より前の文字列のみとする。
返却値	*s* の値をそのまま返す。

次に示す利用例のコードと注釈を読めば、処理のイメージがわくでしょう。

```
strxcat(s1, "ABC", "12345", "");        // s1の末尾に"ABC"と"12345"を連結
strxcat(s2, "XYA", s1, "ZZZ", "");      // s2の末尾に"XYA"とs1と"ZZZ"を連結
```

▶　標準ライブラリ *strcat* 関数では、文字列の後ろに連結する文字列は1個に限られます。

strxcat 関数のプログラムを **List 5-23** に示します。

▶　可変個引数をアクセスする方法は、第3章で学習しました。

List 5-23　　chap05/strxcat.c

```
#include <stdarg.h>

//--- 第2引数以降の空文字列の直前までの全引数（文字列）を連結 ---//
char *strxcat(char *s, ...)
{
    char *p = s;
    char *str;
    va_list ap;

    va_start(ap, s);                    // 可変個引数アクセス開始

    while (*s)                          // 第1文字列の末尾にポインタを移動
        s++;

    while (*(str = va_arg(ap, char *)) != '\0') {    // 次の文字列
        while (*str)
            *s++ = *str++;
    }
    *s = '\0';                          // 文字列の終端

    va_end(ap);                         // 可変個引数アクセス終了

    return p;
}
```

strrstr 関数：文字列内に含まれる文字列を後ろ側から探索

標準ライブラリでは、文字列から任意の文字を探すライブラリとして、次の二つの関数が提供されています。

strchr … 一致する先頭文字を探す
strrchr … 一致する末尾文字を探す

そのため、一致箇所が複数存在する（探索する文字が複数個含まれている）場合は、最も先頭側の位置と最も末尾側の位置の両方を探すことが可能です。

ところが、文字列から任意の文字列を探すライブラリは、最も先頭側の位置を探す ***strstr*** 関数しか提供されません。**最も末尾側の位置を探索する *strrstr* 関数を作りましょう。**

	strrstr
形　式	`char *strrstr (const char *s1, const char *s2);`
機　能	*s1* が指す文字列の中でもっとも末尾側に出現する、*s2* が指す文字列と同じ文字の並び（ナル文字は含まない）を探す。
返却値	探し出した文字の並びの先頭文字へのポインタを返し、見つからなかった場合は空ポインタを返す。*s2* が長さ 0 の文字列であれば *s1* を返す

strrstr 関数のプログラムを **List 5-24** に示します。

List 5-24　　chap05/strrstr.c

```
#include <limits.h>
#include <string.h>

//--- Boyer-Moore法による文字列探索（末尾側の一致を探す） ---//
char *strrstr(const char *s1, const char *s2)
{
    size_t pt;                                  // s1をなぞるカーソル
    size_t pp;                                  // s2をなぞるカーソル
    size_t s1_len = strlen(s1);                 // s1の文字数
    size_t s2_len = strlen(s2);                 // s2の文字数
    size_t skip[UCHAR_MAX + 1];                 // スキップテーブル

    if (s2_len == 0)                            // s2の長さが0であれば
        return s1;                              // s1をそのまま返す
    for (pt = 0; pt <= UCHAR_MAX; pt++)         // スキップテーブルの作成
        skip[pt] = s2_len;
    for (pt = s2_len - 1; pt > 0; pt--)
        skip[s2[pt]] = pt;
    pt = s1_len - s2_len;

    while (pt >= 0) {
        pp = 0;                                     // s2の先頭文字に着目
        while (s1[pt] == s2[pp]) {
            if (pp == s2_len - 1)
                return s1 + pt - s2_len + 1;        // 探索成功
            pp++;
            pt++;
        }
        pt -= skip[s1[pt]];
    }

    return NULL;                                    // 探索失敗
}
```

文字列 s が "ABABCBCABCX" のときに strrstr(s, "ABC") と呼び出すと、s[7] へのポインタが返却されます（標準ライブラリである strstr 関数を strstr(s, "ABC") と呼び出すと、s[2] へのポインタが返されます）。

▶　*strrstr* 関数は、簡略化された BM 法（Boyer–Moore 法）で実装されています。

strinsch 関数／strinsstr 関数：文字列への文字／文字列の挿入

strinsch 関数と ***strinsstr*** 関数は、文字列の任意の位置に、文字あるいは文字列を挿入する関数です。

	strinsch
形　式	char **strinsch*(char **s*, size_t *idx*, int *ch*);
機　能	文字列 *s* 中の *s*[*idx*] の位置に文字 *ch* を挿入する。ただし、*idx* が文字列 *s* の長さを超えていれば挿入は行わない。
返却値	*s* をそのまま返す。

	strinsstr
形　式	char **strinsstr*(char **s1*, size_t *idx*, const char **s2*);
機　能	文字列 *s1* 中の *s1*[*idx*] の位置を先頭にして文字列 *s2* を挿入する。ただし、*idx* が文字列 *s1* の長さを超えていれば挿入は行わない。
返却値	*s1* をそのまま返す。

strinsch 関数と ***strinsstr*** 関数のプログラムを **List 5-25** に示します。いずれの関数も、挿入に伴って、それ以降の文字を後方へと移動させます。

List 5-25 chap05/strinsch.c

```
#include <string.h>

//--- 文字列s[idx]に文字chを挿入 ---//
char *strinsch(char *s, size_t idx, int ch)
{
    size_t len = strlen(s);          // 文字列sの長さ

    if (idx <= len++) {              // idxはsの長さ以下でなければならない
        while (len > idx)            // s[idx]〜s[len]を前方に1文字ずらす
            s[len--] = s[len - 1];
        s[idx] = ch;
    }
    return s;
}

//--- 文字列s1[idx]に文字列s2を挿入 ---//
char *strinsstr(char *s1, size_t idx, const char *s2)
{
    size_t len1 = strlen(s1);        // 文字列s1の長さ
    size_t len2 = strlen(s2);        // 文字列s2の長さ

    if (idx <= len1 && len2 > 0) {
        for (size_t i = len1 - idx; ; i--) {
            s1[idx + i + len2] = s1[idx + i];
            if (i == 0) break;
        }
        for (size_t i = 0; i < len2; i++)
            s1[idx + i] = s2[i];
    }
    return s1;
}
```

strdelch 関数／strdelchs 関数：文字列からの文字の削除

strdelch 関数と *strdelchs* 関数は、文字列中の任意の１文字あるいは連続する複数個の文字の並びを削除する関数です。

	strdelch
形　式	char **strdelch*(char **s*, size_t *idx*);
機　能	文字列 *s* 内の文字 *s*[*idx*] を削除するとともに、それ以降の文字を前方に詰める。ただし、*idx* が文字列 *s* の長さ以上であれば削除は行わない。
返却値	*s* をそのまま返す。

	strdelchs
形　式	char **strdelchs*(char **s*, size_t *idx*, size_t *n*);
機　能	文字列 *s* 内の *s*[*idx*] を先頭とする *n* 文字を削除するとともに、それ以降の文字を前方に詰める。ただし、*idx* が文字列 *s* の長さ以上であれば削除は行わない。
返却値	*s* をそのまま返す。

strdelch 関数と *strdelchs* 関数のプログラムを **List 5-26** に示します。いずれの関数も、文字列の削除に伴って、それ以降の文字を前方へ移動させます。

List 5-26　　chap05/strdelch.c

```
#include <string.h>

//--- 文字列s[idx]の文字を削除 ---//
char *strdelch(char *s, size_t idx)
{
    size_t len = strlen(s);     // 文字列sの長さ

    if (idx < len)
        for (size_t i = idx; i < len; i++)
            s[i] = s[i + 1];
    return s;
}

//--- 文字列s[idx]から始まるn個の文字を削除 ---//
char *strdelchs(char *s, size_t idx, size_t n)
{
    size_t len = strlen(s);     // 文字列sの長さ

    if (idx < len) {
        size_t m = (n > len - idx) ? len - idx : n;
        for (size_t i = idx; i < len; i++)
            s[i] = s[i + m];
    }
    return s;
}
```

strrvs 関数：文字列の反転

strrvs 関数は、文字列中の**文字の並びの順序を反転する**関数です。たとえば、文字列 *s* が "ABCDEFG" であるときに *strrvs(s)* と呼び出すと、*s* は "GFEDCBA" に更新されます。

	strrvs
形　式	char *strrvs(char *s);
機　能	文字列 *s* 内の文字の並びを反転する。
返却値	*s* をそのまま返す。

strrvs 関数のプログラムを **List 5-27** に示します。

List 5-27　　chap05/strrvs.c

```
//--- 文字列sを反転する ---//
char *strrvs(char *s)
{
    char *p = s;
    char *save = s;

    while (*p) p++;              // ナル文字を見つける

    if (p != s) {
        p--;                     // pはナルを除いた末尾の文字を指す
        while (p > s) {
            char temp = *p;
            *p-- = *s;
            *s++ = temp;
        }
    }
    return save;
}
```

strxchng 関数：二つの文字列の交換

strxchng 関数は、**二つの文字列をそっくり交換する**関数です。

	strxchng
形　式	void strxchng(char *s1, char *s2);
機　能	文字列 *s1* と文字列 *s2* の内容をそっくり交換する。

Column 5-3　**本節で開発したライブラリのテストプログラム**

本節で開発したライブラリをテストするプログラムは、ダウンロードファイルに含まれています。

*strcut*関数 … "chap05/strcut_test.c"
*strrep*関数 … "chap05/strrep_test1.c" ＋ "chap05/strrep_test2.c"
*strxcat*関数 … "chap05/strxcat_test.c"
*strrstr*関数 … "chap05/strrstr_test.c"
*strinsch*関数 … "chap05/strinsch_test.c"
*strinsstr*関数 … "chap05/strinsstr_test.c"
*strdelch*関数 … "chap05/strdelch_test.c"
*strdelchs*関数 … "chap05/strdelchs_test.c"
*strrvs*関数 … "chap05/strrvs_test.c"
*strxchng*関数 … "chap05/strxchng_test.c"

strxchng 関数のプログラムを **List 5-28** に示します。

List 5-28 chapØ5/strxchng.c

```
//--- 文字列s1とs2の中身を入れかえる ---//
void strxchng(char *s1, char *s2)
{
    while (*s1 || *s2) {     // 両方ともナル文字に到達していないあいだ
        char t = *s1;        // *s1と*s2を交換後に両ポインタをインクリメント
        *s1++ = *s2;
        *s2++ = t;
    }

    *s1 = *s2 = '\Ø';
}
```

▶ 文字列の交換については、**Column 1-2**（p.15）でも検討していました。

Column 5-4 文字列処理ライブラリの格納／ヘッダ内でのヘッダのインクルード

▪ 文字列処理ライブラリの格納

本章で開発する（次節で作成する複製系も含む）ライブラリの関数形式マクロの定義と関数原型宣言は、"chapØ5/exstring.h" として収録しています。

第 2 章で学習したように、標準ライブラリが格納されているヘッダのサブディレクトリ lib にヘッダを配置しましょう。

さらに、各ソースプログラム（"strcut.c"、"strrep.c"、… ）をコンパイルしたオブジェクトファイル（あるいは、それらをライブラリファイルに変換したもの）を、特定のディレクトリにコピーする、あるいは、リンク時にオブジェクトファイルが格納されているディレクトリを探索するように指定する、といった設定も必要です。

処理系のマニュアルをご覧になって、挑戦しましょう。設定が完了すれば、<lib/exstring.h> のインクルードだけでライブラリが使えるようになります。

▪ ヘッダ内でのヘッダのインクルード

文字列処理ライブラリのヘッダ "chapØ5/exstring.h" の冒頭には、

```
#include <stdlib.h>
```

のインクルード指令が置かれています。その理由は単純明快です。たとえば、*strcut* 関数の関数原型宣言が

```
char *strcut(char *s, size_t n);
```

であって、size_t を定義する <stdlib.h> ヘッダが必須だからです。

＊

もし "exstring.h" 内に <stdlib.h> のインクルードが置かれていなければどうなるでしょうか。

ユーザのプログラムで（事前に <stdlib.h> をインクルードすることなく）"exstring.h" をインクルードすると、size_t の未定義エラーがコンパイル時に発生してしまいます。

ヘッダ内の宣言や定義に必要なヘッダがあれば、ヘッダ内で該当ヘッダをインクルードします。

5-3 文字列の動的な生成

本節では、文字列オブジェクトと、文字列の配列オブジェクトをプログラムの実行時に動的に生成する方法を学習します。

文字列の動的な生成

前章で学習した *calloc* 関数や *malloc* 関数による記憶域の動的な確保を応用すれば、プログラムの実行時に、その時点で必要とされる長さの文字列を生成できます。

List 5-29 に示すのが、そのプログラム例です。

List 5-29 chap05/str_clone.c

```
// 読み込んだ文字列の複製を動的に生成する
#include <stdio.h>
#include <stdlib.h>
#include <string.h>

int main(void)
{
    char s[128];

    printf("文字列s : ");
    scanf("%s", s);

    char *p = malloc(strlen(s) + 1);    // 文字列用の記憶域を動的に生成

    if (p) {
        strcpy(p, s);                   // 生成した領域にコピー
        printf("s = %s\n", s);
        printf("p = %s\n", p);
        free(p);                        // 記憶域を解放
    }

    return 0;
}
```

実行例

```
文字列s : String
s = String
p = String
```

キーボードから読み込んだ文字列を配列 *s* に格納し、その複製を *p* として作っています。

複製の格納先は char 型の配列ですから、ポインタ *p* は、char * 型です。

複製先の大きさとして末尾のナル文字を含めたバイト数が必要であるため、*malloc* 関数を呼び出す際に *strlen*(*s*) + 1 バイトの確保を行っています。

実行例では、文字列 s に "String" が読み込まれています。**Fig.5-14** に示すように、7文字分の領域が確保され、その先頭文字へのポインタで *p* が初期化されます。

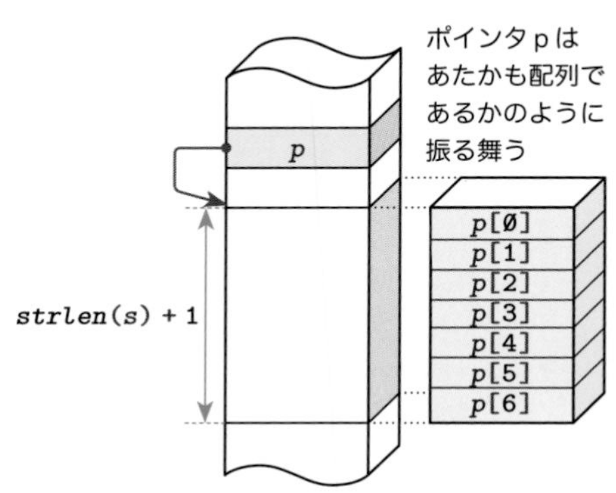

Fig.5-14 文字列の動的な生成

strcpy 関数によって、文字列 *s* を確保した領域にコピーすると、複製作業は完了です。

なお、複製先の領域内の各文字＝各要素は、*p*[0]、*p*[1]、*p*[2]、…、*p*[6] の添字式でアクセスできます（**配列とポインタの表記上の可換性**が成立するからです）。

プログラムの最後に、*free* 関数で記憶域を解放します。

str_dup 関数：文字列の複製

文字列を複製する処理をライブラリとして作っておくと使い勝手がよくなります。**List 5-30** に示すのが、そのプログラムです。

str_dup 関数は、引数 *s* に受け取った文字列の複製を生成して、その先頭文字へのポインタを返却します。ただし、記憶域の確保に失敗した際に返却するのは空ポインタです。

List 5-30 chap05/str_dup.c

```
#include <stdlib.h>
#include <string.h>

//--- 文字列sの複製を生成して返却 ---//
char *str_dup(const char *s)
{
    char *p = malloc(strlen(s) + 1);           // 複製用の領域を動的に確保
    return (p != NULL) ? strcpy(p, s) : NULL;   // コピーして返却
}
```

List 5-31 に示すのが、この関数を利用するプログラム例です。

▶ 本プログラムは、**Column 5-4**（p.189）の解説にしたがって、"exstring.h" が適切なディレクトリに保存されていることを前提としています。

引数として文字列を与えて *str_dup* 関数を呼び出すと、複製された文字列（の先頭文字）へのポインタが返却されます。

▶ ポインタ *p* は、複製された文字列（の先頭文字）を指すように初期化されます。

この関数を利用する際は、不要となった複製文字列の破棄のために *free* 関数を明示的に呼び出す必要があります。

その意味では『取扱い注意』の関数です。

▶ 処理系によっては、同機能の *strdup* 関数が提供されています。

その *strdup* 関数は、標準Cの第５版で正式に採用されます（関数名の途中に下線 _ を入れて *str_dup* としたのは、名前の衝突を避けるためです）。

List 5-31 chap05/str_dup_test.c

```
// 読み込んだ文字列を複製

#include <stdio.h>
#include <stdlib.h>
#include <lib/exstring.h>

int main(void)
{
    char s[128];

    printf("文字列s : ");
    scanf("%s", s);

    char *p = str_dup(s);

    if (p) {
        printf("s = %s\n", s);
        printf("p = %s\n", p);
        free(p);
    }

    return 0;
}
```

実行例

```
文字列s : String⏎
s = String
p = String
```

文字列の配列の動的な生成（２次元配列）

文字列の配列を生成する **List 5-32** のプログラムに進みましょう。このプログラムの構造は、int 型の２次元配列を生成する**List 4-23**（p.146）と本質的に同じです。

▶ ただし、要素型が int 型から char 型に変更されている点や、各要素に格納する内容（文字列）をキーボードから読み込んでいる点などの細部は異なります。

List 5-32 chap05/alloc_strary.c

```
// 文字列の配列（２次元配列）を動的に生成

#include <stdio.h>
#include <stdlib.h>

#define LENGTH  10        // 文字列の長さ

int main(void)
{
    int num;              // 文字列の個数

    printf("文字列は何個：");
    scanf("%d", &num);

    // 文字列の文字数（LENGTH）は固定で文字列の個数numは任意
    char (*p)[LENGTH] = malloc(num * LENGTH);    // 記憶域を確保

    if (p == NULL)
        puts("記憶域の確保に失敗しました。");
    else {
        for (int i = 0; i < num; i++) {          // 文字列を読み込む
            printf("p[%d] : ", i);
            scanf("%s", p[i]);
        }

        for (int i = 0; i < num; i++)            // 文字列を表示
            printf("p[%d] = %s\n", i, p[i]);

        free(p);                                 // 記憶域を解放
    }

    return 0;
}
```

実行例

```
文字列は何個：3⏎
p[0] : character⏎
p[1] : meikai⏎
p[2] : flower⏎
p[0] = character
p[1] = meikai
p[2] = flower
```

２次元配列ですから、**列数（各文字列のナル文字を含めた最大の文字数）は固定の定数値です。**このプログラムでは列数は 10 であり、その値を表すのが、プログラム冒頭で定義されているオブジェクト形式マクロ *LENGTH* です。

▶ 各文字列は、ナル文字を含めずに９文字までを格納できます。

もちろん、行数（文字列の個数）は可変（任意）です。ここに示す実行例では、行数３の２次元配列を確保しています。

なお、確保した記憶域をポインタ *p* が指しているため、右ページの **Fig.5-15** に示すように、２個の添字演算子 [ ] の適用によって、２次元配列内の構成要素をアクセスできます。

▶ 全構成要素が連続した領域に配置されることも **List 4-23** と同じです。

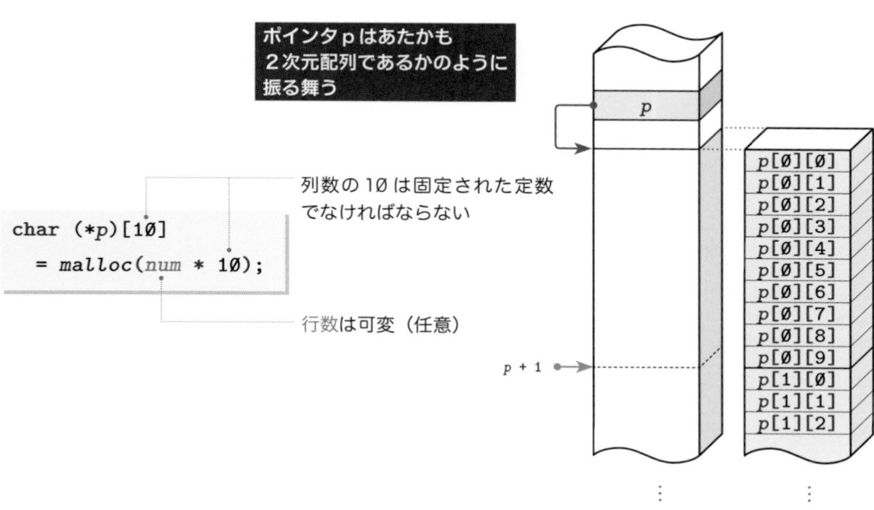

Fig.5-15　文字列の配列の動的な生成（2次元配列版）

Column 5-5　文字列の配列（2次元配列）の複製

2次元配列に格納されている文字列の**複製**を行うライブラリを作ることを検討します。

「先頭要素へのポインタ」「行数」「列数」の3個の引数を受け取って、複製後のポインタを返す仕様としなければなりません。

ところが、**列数が定数でなければならない**こともあって、関数として作成するのは事実上不可能です。解決策はマクロとして実現することです。**List 5C-1** に示すのが、そのプログラムです。

※ このコードは "chap05/exstring.h" の中に含まれています。

List 5C-1

```
//--- 文字列の配列（height行WIDTH列の２次元配列）を複製 ---//
#define strary2d_dup(p, height, WIDTH) (char(*)[WIDTH])__memdup(p, height * WIDTH)

//--- ポインタsが指すnバイトを複製して返却 ---//
static inline void *__memdup(const void *s, size_t n)
{
    void *p = malloc(n);                            // 複製用の領域を確保
    return (p != NULL) ? memcpy(p, s, n) : NULL;    // コピーして返却
}
```

左ページの **List 5-32** のプログラム中 p の複製を clone に作るのであれば、次のように呼び出します。

```
char (*clone)[LENGTH] = strary2d_dup(p, num, LENGTH);
```

呼び出されたマクロは、実質的な複製処理を下請け関数 __memdup にゆだねます。この関数は、ポインタ s が指す n バイトの領域を複製して返却する関数です（記憶域の確保に失敗した場合は NULL を返却します）。プログラムをじっくり読んで解読にチャレンジしましょう。

なお、複製された配列用領域の解放は、free 関数の呼出し free(clone) で行います。

※ 本マクロをテストするプログラムは "chap05/strary2d_dup_test.c" です。

文字列の配列の動的な生成（ポインタの配列）

各文字列の文字数を固定したくないのであれば、**List 4-25**（p.148）と同様に、"ポインタへのポインタ" を使うことになります。**List 5-33** に示すのが、プログラム例です。

List 5-33 chap05/alloc_ptrary.c

```
// 文字列の配列（ポインタの配列）を動的に生成

#include <stdio.h>
#include <stdlib.h>
#include <string.h>

int main(void)
{
    int num;                // 文字列の個数

    printf("文字列は何個：");
    scanf("%d", &num);

    char **p = calloc(num, sizeof(char *));

    if (p == NULL)
        puts("記憶域の確保に失敗しました。");
    else {
        for (int i = 0; i < num; i++)
            p[i] = NULL;

        for (int i = 0; i < num; i++) {
            char temp[128];

            printf("p[%d] : ", i);
            scanf("%s", temp);

            p[i] = malloc(strlen(temp) + 1);        // 文字列を複製

            if (p[i] == NULL) {
                puts("記憶域の確保に失敗しました。");
                goto Free;
            }

            strcpy(p[i], temp);
        }
        for (int i = 0; i < num; i++)
            printf("p[%d] = %s\n", i, p[i]);
Free:
        for (int i = 0; i < num; i++)
            free(p[i]);                 // 記憶域を解放
        free(p);
    }
    return 0;
}
```

実行例

```
文字列は何個：3
p[0] : character
p[1] : meikai
p[2] : flower
p[0] = character
p[1] = meikai
p[2] = flower
```

p は、char へのポインタへのポインタ型、すなわち char ** 型です。

List 4-25 と同様に、まずポインタの配列を生成し、それから各要素用の配列（文字列）を生成するという2段階の手順を踏みます。

▶ ポインタの配列の全要素にいったん NULL を代入することなども同じです。

Fig.5-16 に示すように、個々の文字列は ***p*[*i*]** 形式でアクセスできますし、個々の文字列中の各文字は ***p*[*i*][*j*]** 形式でアクセスできます。

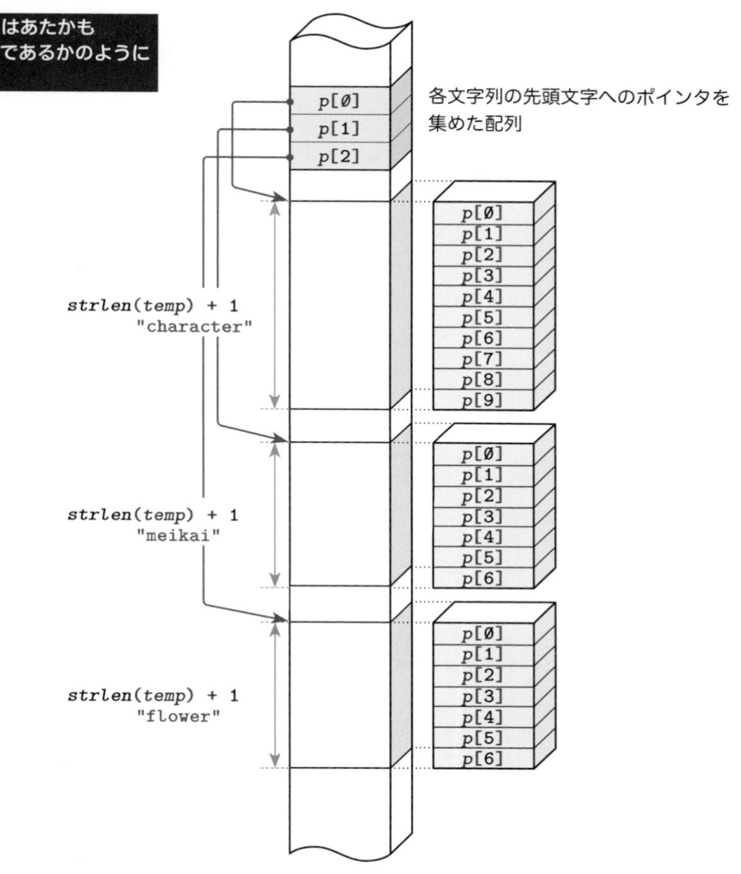

Fig.5-16　文字列の配列の動的な生成（ポインタの配列版）

Column 5-6　ライブラリ用ヘッダのインクルードについて

本書で作成するライブラリは、標準ライブラリのサブディレクトリ `lib` に配置することを推奨しているため、ライブラリを利用するプログラムでは `#include <lib/******.h>` としています。

もしサブディレクトリへの配置方法が分からなければ、プログラム中のインクルード指令の行を `#include "******.h"` に書きかえましょう（その場合、ヘッダだけでなく、ライブラリのプログラムも同一ディレクトリ上に置いた上で、コンパイルしたものをリンクする必要があります）。

※ これ以降の章でも同様です。

Column 5-7 文字列の配列（ポインタの配列）の複製

ポインタの配列に格納された文字列の**複製**を行うライブラリを作りましょう。

「先頭要素へのポインタ」「行数」の2個の引数を受け取って、複製後のポインタを返す仕様としなければなりません。

List 5C-2 に示すのが、そのプログラムです。

List 5C-2 chap05/straryptr_dup.c

```
#include <stdlib.h>
#include <lib/exstring.h>

//--- 文字列の配列（文字列の先頭文字を指すn個のポインタの配列）を複製 ---//
char **straryptr_dup(const char **s, int n)
{
    char **p = calloc(n, sizeof(char *));
    if (p == NULL)
        return NULL;

    for (int i = 0; i < n; i++) {
        p[i] = str_dup(s[i]);               // 文字列を複製
        if (p[i] == NULL) {                 // 記憶域の確保に失敗したら
            for (int j = 0; j < i; j++)     // その時点までに確保した
                free(p[j]);                 // すべての記憶域を
            free(p);                        // 解放する
            return NULL;
        }
    }
    return p;
}

//--- 文字列の配列（文字列の先頭文字を指すn個のポインタの配列）を破棄 ---//
void straryptr_free(const char **p, int n)
{
    if (p) {
        for (int i = 0; i < n; i++)
            free(p[i]);
        free(p);
    }
}
```

List 5-33 のプログラム中 p の複製を *clone* に作るのであれば、次のように呼び出します。

```
char **clone = straryptr_dup(p, num);
```

複製を行う関数 *straryptr_dup* とは別に、記憶域を解放して破棄を行う関数 *straryptr_free* が定義されています。記憶域の解放が2段階にわたらざるを得ず、1回の **free** 関数の呼出しのみで解放することが不可能だからです。

次に示すように、ポインタと要素数の両方を与えて呼び出します。

```
straryptr_free(p, num);
```

ぜひ、これらの関数のコードの解読にチャレンジしましょう。

※ これらの関数をテストするプログラムは "chap05/straryptr_dup_test.c" です。

第６章

構造体と共用体

『構造体を使うと、プログラムが難しくなる。』という珍説を耳にしたことがありますが、これは完全な誤解です。

配列の学習過程を思い出してみましょう。最初は難しく感じられたでしょうが、使い慣れてくると、極めて便利であって、配列を使うことなくプログラムを作ることはできないことが分かったはずです。

構造体や共用体も同様です。これらは、必要不可欠なものであり、プログラムを簡潔にするものです。きちんと理解して、積極的に使っていきましょう。

本章の最後では、共用体を応用した内部表現ビット文字列化ライブラリの開発も行います。

6-1 構造体

構造体や共用体をどのように設計・活用すればよいのか分からない、という質問をたびたびいただきます。本節では、構造体の基礎を学習します。

構造体の基本

構造体（structure）は、**メンバ**（member）と呼ばれる（1個以上の）**要素**が組み合わされたデータ構造です。個々のメンバの型が自由であることが、全要素の型が同一の**配列**との大きな違いです。

型が異なる2個のメンバで構成される構造体の宣言を**Fig.6-1** ⓐに示しています。

この宣言で作られる構造体の型は、"**test**型"ではなく、"**struct test**型"です。

▶ *test*は、単なるタグ名に過ぎず、単独では型名とならないことに注意しましょう。

int型や**double**型などと同様、利用にあたっては型ではなく実体が必要です。図ⓑに示すのが、実体であるオブジェクトの定義です。

struct testを**タコ焼きの型**（カタ）とすると、その型から作られた**オブジェクトa**が、本物の（実際に食べられる）**タコ焼き**です。

ⓐ 構造体の宣言

```
struct test {
    int    x;
    double y;
};
```


ⓑ オブジェクトの定義

```
struct test a;
```

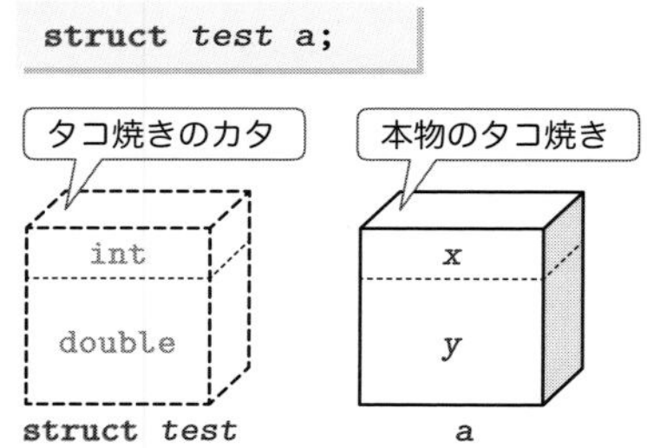

Fig.6-1 構造体の例

なお、次のような宣言も可能です。

▪ 型とオブジェクトを同時に宣言・定義する

具体例を右に示しています。**struct** *test2*型を宣言すると同時に、その型のオブジェクト*b*を定義します。

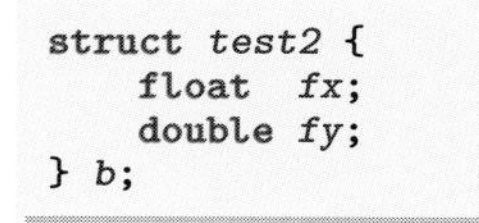

```
struct test2 {
    float  fx;
    double fy;
} b;
```

▪ タグ名を省略して宣言できる

具体例を右に示しています。タグ名のない構造体と、その型をもつオブジェクト*c*の定義です。

```
struct {
    int  n;
    long k;
} c;
```

メンバアクセス演算子（ドット演算子）

構造体オブジェクト中のメンバは、**ドット演算子**と呼ばれる **. 演算子**を使った"**オブジェクト名 . メンバ名**"でアクセスします。

Fig.6-2に示すように、オブジェクトaのメンバをアクセスする式は、**a.x**と**a.y**です。

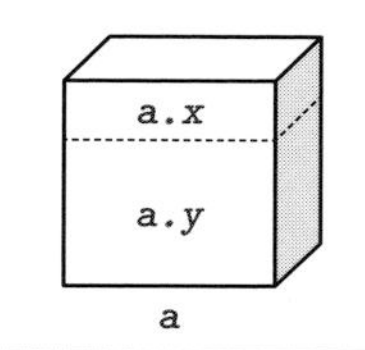

Fig.6-2 メンバ

構造体オブジェクトの初期化

構造体オブジェクトに与える初期化子の形式は、配列と似ています。各メンバに対する初期化子を先頭から順に並べたものを **{}** で囲んだ形式です。**{}** 内の初期化子の個数がメンバ数に満たなければ、末尾側のメンバは **Ø** で初期化されます（配列と同じです）。

▶ 初期化子の区切りがコンマ **,** であることや、最後の初期化子の後ろのコンマ **,** が省略できることも配列と同じです。

なお、初期化子として同一型のオブジェクトを与えることもできます（この点は配列と異なります）。その場合、構造体の全メンバが、初期化子として与えられた構造体オブジェクト内の各メンバの値で初期化されます。

これらのことを **List 6-1** のプログラムで確認しましょう。

List 6-1 chapØ6/struct_init1.c

```
// 構造体オブジェクトの初期化
#include <stdio.h>

int main(void)
{
    struct xyz {
        int    x;
        int    y;
        double z;
    };
    struct xyz s = {1, 3};  // s.x ← 1    s.y ← 3    s.z ← Ø.Ø
    struct xyz t = s;       // t.x ← s.x  t.y ← s.y  t.z ← s.z

    printf("s.x = %3d     t.x = %3d\n",   s.x, t.x);
    printf("s.y = %3d     t.y = %3d\n",   s.y, t.y);
    printf("s.z = %5.1f   t.z = %5.1f\n", s.z, t.z);

    return Ø;
}
```

実行結果

```
s.x =   1     t.x =   1
s.y =   3     t.y =   3
s.z = Ø.Ø     t.z = Ø.Ø
```

初期化子が与えられていない **double** 型メンバ ***s.z*** は、**Ø** すなわち **Ø.Ø** で初期化されています。また、初期化子 ***s*** が与えられて宣言された **t** の全メンバが ***s*** と同じ値で初期化されています。

▶ 構造体は、代入演算子 **=** による**代入**が可能です（この点も配列と異なります）。代入 “**t = s**” を行うと、右オペランド ***s*** の全メンバの値が、左オペランド **t** の対応するメンバに代入されます。

要素指示子

標準Cの第2版からは、**要素指示子**（p.25）が利用できるようになっています。次に示すように、ドット **.** の後ろにメンバ名を置く形式で指定します（"**chapØ6/struct_init2.c**"）。

```
struct xyz c = {.z = 3.Ø, .y = 5};
```

この宣言によって、初期化子が与えられている ***c.z*** が **3.Ø** で、***c.y*** が **5** で初期化されます。なお、初期化子が与えられていない ***c.x*** は **Ø** で初期化されます。

構造体の型名とtypedef名

構造体の型名“struct タグ名”は、単語が2個であって文字数も多くなります。そのためでしょうか、**List 6-2** のように構造体の型名をマクロで置換するプログラムを見かけます。

List 6-2 chap06/comp_macro1.c

```
// マクロによって構造体に名前を与える（その１：エラー）
#define complex  struct { double re, im; }

int main(void)
{
    complex a, b;
    complex x, y;

    a = b;        // 正
    x = b;        // 不正（コンパイルエラー）

    return 0;
}
```

```
❶ struct { double re, im; } a, b;
   struct { double re, im; } x, y;
```

二つの宣言は、❶に示すように置換されます。これ自体は問題ないのですが、xにbを代入する箇所に対して、次のエラーが発生してコンパイルが中断します。

エラー 異なる型間での値の代入は行えません。

aとbの型と、xとyの型は、いずれもdouble型メンバreとimから構成される同じ内容の構造体ですが、これらは**同一の型ではありません**。次の理由によります。

重要 C言語では、データの構造が実質的に同じであれば同一の型とみなす**構造等価性**ではなく、与えられた名前が同じでなければ同一の型とはみなさない**名称等価性**が採用されている。

宣言時に**タグ名**が与えられなければ、**構造体の内容**が同一であっても新しい型が作られます。aとbと、xとyとのあいだに代入互換性がないのは、型が異なるからです。

▶ なお、次のような、苦肉の対策を見かけることがあります（"chap06/comp_macro2.c"）。

```
struct __comp { double re, im; };
#define complex  struct __comp
#define compptr  struct __comp *
```

構造体にタグ名__compをいったん与えておき、それをマクロで置換しようという意図です。

```
complex a, b;        // 正
complex x, y;        // 正
```

```
❷ struct __comp a, b;
   struct __comp x, y;
```

❷に示すように置換されるため、4個の変数はすべて同じstruct __comp型となります。これで代入（たとえばx = b）はうまく行えます。

ところが、次のコードだと問題が生じます。

```
compptr pa, pb;
pa = &a;             // 正
pb = &b;             // 不正
```

```
❸ struct __comp *pa, pb;
```

変数の宣言は、❸に示すように置換されます。その結果、paはポインタ型となる一方で、pbがポインタではなく、単なる構造体になるという《落とし穴》にはまります。

構造体に手短な名前を与えるのであれば、**typedef** 宣言によって **typedef** 名を与えるのがベストです。プログラム例を **List 6-3** に示します。

▶ *complex* 型の変数 a、*b*、*x*、*y* の全メンバを Ø で初期化しています。

List 6-3 chapØ6/comp_typedef1.c

```
// typedef宣言によって構造体に名前を与える
typedef struct { double re, im; } complex;

int main(void)
{
    complex a = {Ø, Ø}, b = {Ø, Ø};
    complex x = {Ø, Ø}, y = {Ø, Ø};
    complex *pa, *pb;

    a = b;            // 正
    x = b;            // 正
    pa = &a;          // 正
    pb = &b;          // 正

    return Ø;
}
```

水色の構造体に *complex* という **typedef** 名が与えられるため、型名は "**struct** *complex*" ではなく、単なる "*complex*" となります。

▶ このプログラムでは、ポインタを含めた代入も、うまくいきます。
なお、*complex* 型へのポインタ型に対しても手短な型名が必要であれば、次のように宣言します。

```
typedef struct { double re, im; } complex;
typedef complex * compptr;
```

complex * 型に対して *compptr* という **typedef** 名が与えられますので、先ほどのマクロ版で陥った《落とし穴》も回避できます（"chapØ6/comp_typedef2.c"）。

型名としてコンパイラに扱ってもらえる **typedef** とは異なり、マクロは、C言語の文法を知らない前処理＝プリプロセッサによって無造作に扱われます。

重要 構造体に型名を与える際は、マクロではなく **typedef** を利用する。

構造体に対してマクロで名前を与える必然性はありません。

メンバアクセス演算子（アロー演算子）

ポインタが指す先の構造体オブジェクト内のメンバをアクセスする式は、**アロー演算子**と呼ばれる **-> 演算子**を用いた "**ポインタ名 -> メンバ名**" です。

そのため、ポインタ *pa* と *pb* が指す *complex* 型オブジェクトのメンバの値の表示は、次のように行います（"chapØ6/comp_ptr.c"）。

```
printf("pa->re = %f\n", pa->re);
printf("pa->im = %f\n", pa->im);
printf("pb->re = %f\n", pb->re);
printf("pb->im = %f\n", pb->im);
```

相互に参照する構造体

さて、ここからは、Gさんが直面した、構造体の宣言に関する問題を含んだプログラムを示すとともに、解決法を探っていきます。

Gさんのプログラムは、構造体 *SX* を宣言するヘッダ **List 6-4** と、構造体 *SY* を宣言するヘッダ **List 6-5** と、それらのヘッダを利用するプログラム **List 6-6** とで構成されます。

List 6-4 chap06/defSX.h

```
// 構造体SXの宣言（メンバとして構造体SYへのポインタをもつ）"defSX.h"

typedef struct {
    int a;
    SY  *b;       // 構造体SYへのポインタ      ―A
} SX;
```

List 6-5 chap06/defSY.h

```
// 構造体SYの宣言（メンバとして構造体SXそのものをもつ）"defSY.h"

typedef struct {
    int c;
    SX  d;        // 構造体SXそのもの          ―B
} SY;
```

List 6-6 chap06/useSXSY1.c

```
// 構造体SXとSYを利用するプログラム（エラー）

#include "defSX.h"
#include "defSY.h"

int main(void)
{
    SX s;
    SY t;

    // …
}
```

実行例
コンパイルエラーとなるため
実行できません。

List 6-6 のプログラムをコンパイルすると、そこからインクルードされる `"defSX.h"` に置かれた構造体 *SX* のメンバ *b* の宣言**A**に対して、次のエラーが発せられます。

エラー *b* の型として指定されている *SY* は定義されていません。

メンバ *b* は、*SY* へのポインタ型として宣言されていますが、`"defSY.h"` を読み込んでいないコンパイラは、構造体 *SY* の存在を知りません。これがエラーの原因です。

それでは、インクルードの順序を逆にしてみましょう（`"chap06/useSXSY2.c"`）。

```
#include "defSY.h"
#include "defSX.h"
```

構造体 *SY* のメンバ *d* の型は、構造体 *SX* です。`"defSX.h"` を読み込んでいないコンパイラは *SX* の存在を知らないため、宣言**B**に対して次のエラーを発します。

エラー *d*の型として指定されている*SX*は定義されていません。

相互に参照する構造体に**typedef**名を与えるのは、容易ではありません。二つの構造体は、**List 6-7**のように宣言すべきです。

List 6-7 chap06/SXSY1.c

```
// 構造体SXおよびSYの宣言
typedef struct __sy  SY;     // SYの名前だけをとりあえず宣言    ―1

typedef struct {
    int a;
    SY *b;                   // SYの存在を知っているので安心して宣言    ―2
} SX;

typedef struct __sy {
    int c;
    SX  d;                   // SXの内容を知っているので安心して宣言    ―3
} SY;
```

1では、*SY*を（この時点では未定義の）**struct __sy**型の同義語として宣言します。その結果、続く2での構造体*SX*の宣言中のメンバ*b*の宣言のエラーが回避できます。

▶ *b*は*SY*型ではなく、*SY*へのポインタ型であるため、コンパイラは*SY*の存在を知る必要があるものの、具体的な定義までを知る必要がありません。そのため、エラーを発生することなくコンパイル作業を続行できます。

3では、冒頭の1で使われたタグ名**__sy**をもつ構造体を宣言するとともに、**typedef**名*SY*を与えています。その中のメンバ*d*の型*SX*は2で宣言ずみですから、エラーとはなりません。

▶ *d*は*SX*型ですから、コンパイラは*SX*の具体的な定義を知る必要があります。そのため、二つの構造体の定義は*SX*⇨*SY*の順でなければなりません。

▪ 別解①

1で**struct __sy**に対して**typedef**名*SY*が与えられているため、3の**typedef**宣言は重複しており、不要です。すなわち、3は構造体**__sy**の宣言のみで十分です（"chap06/SXSY2.c"）。

```
struct __sy {
    int c;
    SX  d;                   // SXの内容を知っているので安心して宣言
};
```

▪ 別解②

次のように、タグ名と**typedef**名を同じ名前にすることが可能です（"chap06/SXSY3.c"）。

```
typedef struct SY  SY;      // struct SY型に対してSYというtypedef名を与える

typedef struct SX {
    int a;
    SY *b;                  // struct SX型に対してSXというtypedef名を与える
} SX;

typedef struct SY {
    int c;
    SX  d;                  // SXでもstruct SXでも可
} SY;
```

Gさんによると、いろいろな事情によって、二つの構造体を、別々のヘッダで宣言する必要があるとのことです。

いかなるヘッダも、**インクルードされる順序に依存することなくコンパイラに受け付けられるものでなければなりません。**もちろん、相互に参照する構造体の宣言を含むヘッダも同様です。インクルードの順序に制限を設けることは、利用者側の負担につながります。

List 6-8 と **List 6-9** に示すのが、正しい実現例です。

▶ ヘッダのファイル名を変更しています。

List 6-8 chap06/SX.h

```
// 構造体SXの宣言（メンバとして構造体SYへのポインタをもつ）"SX.h"

#ifndef __SX
#define __SX

typedef struct __sy  SY;          // 単なる宣言：struct __syの定義は"SY.h"

typedef struct {
    int a;
    SY *b;
} SX;

#endif
```

List 6-9 chap06/SY.h

```
// 構造体SYの宣言（メンバとして構造体SXそのものをもつ）"SY.h"

#ifndef __SY
#define __SY

#include "SX.h"                   // まず"SX.h"をインクルード

typedef struct __sy {
    int c;
    SX d;
} SY;

#endif
```

インクルードの順序が、`"SX.h"` ⇨ `"SY.h"` であれば、右ページ **Fig.6-3** **a**のように展開されます。また、`"SY.h"` ⇨ `"SX.h"` であれば図**b**のように展開されます。いずれも最終的な展開結果は、前ページの **List 6-7** と同じですので、正しくコンパイルできます。

重要 構造体を含め、型の定義や typedef 名の宣言を含むヘッダは、インクルードの順序に依存することなく利用できるように実現する。

▶ **List 6-6**（p.202）に相当するプログラム（**List 6-8** と **List 6-9** をインクルードするように変更したもの）は、`"chap06/includeSXSY1.c"` であって、インクルードの順序を逆にしたプログラムは `"chap06/includeSXSY2.c"` です。いずれも正しくコンパイルできます。

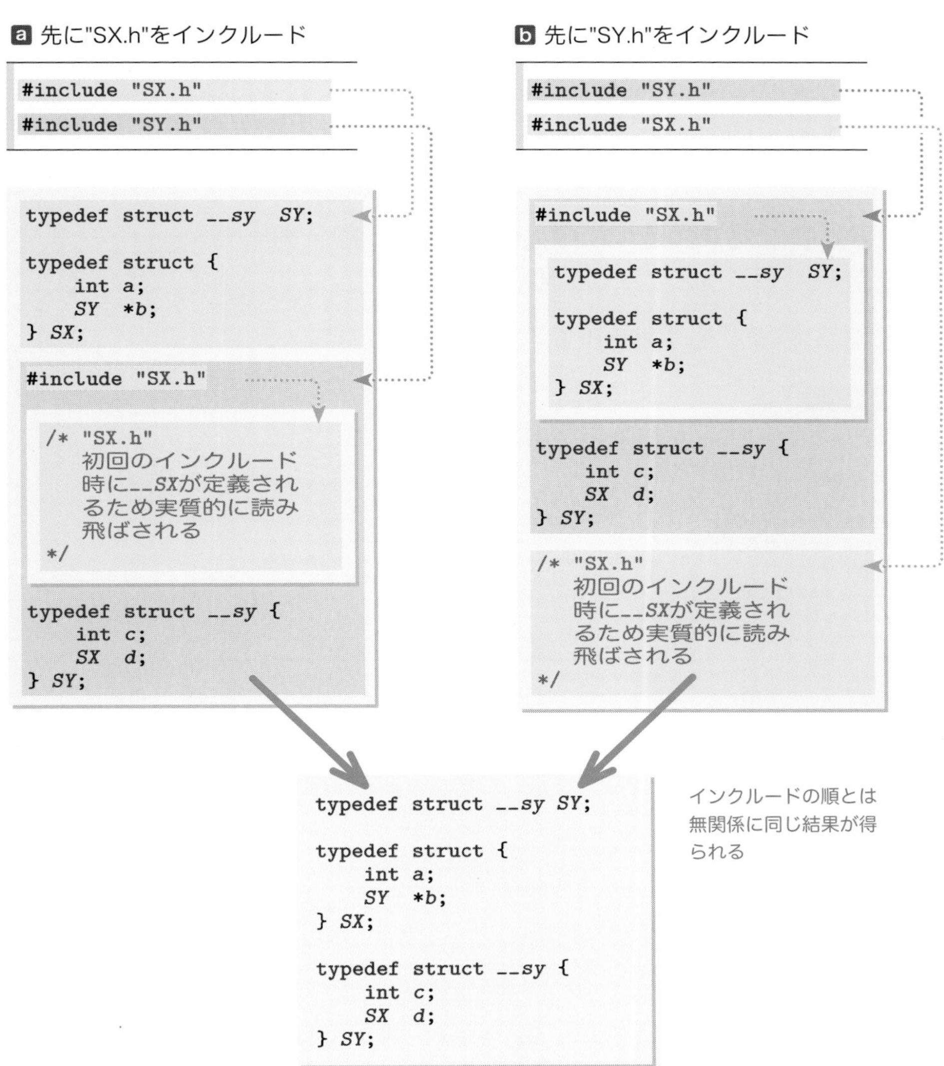

Fig.6-3 異なる順序でインクルードされたヘッダの展開結果

Column 6-1 集成体型

複数のオブジェクトの集まりを扱うという性質上、配列と構造体には、数多くの共通点があります。そのため、これら二つは、**集成体型**（aggregate type）と総称されます。

※ 共用体は集成体型ではありません。

6-2 構造体と境界調整

次に取り上げるのは、プログラムとデータベースを合わせると十数Mバイトという巨大なシステム開発を引き継いだHさんが陥った、構造体に関する**落とし穴**です。

文字列の配列や構造体に与える typedef 名

Hさんは、あまりにも読みづらいプログラムの改良に着手していました。そのプログラムから抜粋した構造体の宣言が、**List 6-10** です。

List 6-10 chap06/Rec1.c

```
// 化学物質データベース用構造体の定義（部分）

typedef struct {
    // … 中略 …
    char formA[16];      // 成分Ａの分子式
    char nameA[65];      //     〃     物質名
    char formB[16];      // 成分Ｂの分子式
    char nameB[65];      //     〃     物質名
    // … 中略 …
} Rec;
```

文字列と typedef 名

この構造体では、化学物質の《分子式》を最大 15 文字の文字列で表し、《物質名》を最大 64 文字の文字列で表しています。

▶ 一例をあげると、分子式は "H2O" で、物質名は "water" です。化学アレルギーがあるのでしたら、それぞれを「名前」と「住所」と考えるとよいでしょう。

これらの文字列の要素数を表す **16** や **65** という定数は、プログラム中の数百箇所の宣言において、次のような感じで使われていました。

```
char temp_name[65];              // キーボードから読み込む物質名
```

もし物質名の最大文字数を 69 文字に仕様変更することになれば、プログラム中の数百箇所にもおよぶ **65** を **70** に変更しなければなりません。

もちろん、プログラム中のすべての **65** ではなく、物質名に相当する **65** だけを選択的に変更しなければならないため、そのコストは決して小さくありません。

この問題はマクロを導入すれば改良できます。そのプログラムは次のようになります。

```
#define FormSize  16             // 分子式を表す文字列の要素数
#define NameSize  65             // 物質名を表す文字列の要素数
// …
char form[FormSize];             // 何らかの分子式
char name[NameSize];             // 何らかの物質名
```

しかし、これまでの随所で学習したように、マクロには、いろいろと欠点があります。

このようなケースでも、マクロでなく**typedef** 宣言を使うべきです。

```
typedef char Form[16];      // 分子式を表す文字列（Formはchar[16]型）
typedef char Name[65];      // 物質名を表す文字列（Nameはchar[65]型）

// …

Form f1, f2;                // 何らかの分子式
Name n1, n2;                // 何らかの物質名
```

このように宣言すると、***Form*** は分子式（を格納する**char** 型の配列）を表す型名となって、***Name*** は物質名を表す型名となります。

分子式と物質名の各型の大きさ（配列の要素数）が必要であれば、それぞれ**sizeof(*Form*)** と**sizeof(*Name*)** で取得できますので、使い勝手がマクロ版に劣ることもありません。

▶ それぞれの最長の文字列長は、**sizeof(*Form*) - 1**と**sizeof(*Name*) - 1**で得られます。

構造体と typedef 名

上記の点以外にも、いろいろな改良を行った後に、Hさんは、頻繁にセットとして扱われる分子式と物質名を、構造体としてまとめることにしました。

そのように改良した宣言が、**List 6-11** です。

List 6-11 chap06/Rec2.c

```
// 化学物質データベース用構造体の定義（部分：改良後）

typedef char Form[16];      // 分子式
typedef char Name[65];      // 物質名

typedef struct {
    Form form;              // 分子式
    Name name;              // 物質名
} FormName;

typedef struct {
    // … 中略 …
    FormName compA;         // 成分A
    FormName compB;         // 成分B
    // … 中略 …
} Rec;
```

構造体***Rec***のメンバ***compA***と***compB***の型は、分子式と物質名がセットになった***FormName***型です。ささやかな改良ですが、プログラムの可読性がグンと向上しています。

もはや、プログラム中に埋め込まれた**15**や**65**などのマジックナンバーは消え去り、分子式***Form***、物質名***Name***、それらをまとめた***FormName***といった型が明確になっています。

ところが、ここで重大な問題が発生しました。

問 題 既存のデータベースファイルからの読込みを行うと、成分Bに1バイトずれた文字列が格納される。

プログラムを改良したつもりが、逆に《落とし穴》にはまってしまったのです。

構造体と境界調整

《落とし穴》の解決のヒントとなる**List 6-12** を考えていきましょう。これは、構造体全体の大きさ（占有バイト数）と、各メンバの大きさの合計を表示するプログラムです。

ここに示す実行結果では、両者の値が一致していません。

▶ プログラムの実行によって表示される値は、処理系によって異なります。

List 6-12 chap06/sizeof_struct.c

```
// 構造体の大きさを表示
#include <stdio.h>

int main(void)
{
    struct test {
        char c1;
        int  nx;
        char c2;
    };

    printf("構造体testの全体の大きさ＝%zu\n", sizeof(struct test));
    printf("構造体testのメンバの大きさの合計＝%zu\n",
                                  sizeof(char) + sizeof(int) + sizeof(char));
    return 0;
}
```

実行結果一例

```
構造体testの全体の大きさ＝6
構造体testのメンバの大きさの合計＝4
```

一致しないのは、**境界調整**（alignment）が原因です。境界調整とは『**特定の型のオブジェクトを、特定のバイトアドレスの倍数のアドレスをもつ記憶域境界に割り付ける要求**』です。

▶ 境界調整は **Column 4-7**（p.158）で学習しました。オブジェクトの先頭アドレスが、偶数番地／4で割り切れる番地／8で割り切れる番地 etc... となるように配置されるのが一般的です。

ここで、**sizeof(int)** が 2 であるとして、具体的な大きさを考えていきます。**int** 型の配置に制限を設けない処理系では、構造体 *test* は **Fig.6-4** ⓐのように4バイトとなります。

ところが、**int** 型オブジェクトを偶数番地を先頭として配置する処理系では、図ⓑに示すように6バイトとなります。**int** 型メンバ *nx* の先頭を偶数番地とするために、黒色で示す**詰め物**が埋め込まれるのです。

> **重要** 構造体には**詰め物**が埋め込まれる可能性があり、構造体全体の大きさが、メンバの大きさの合計値と等しくなるとは限らない。

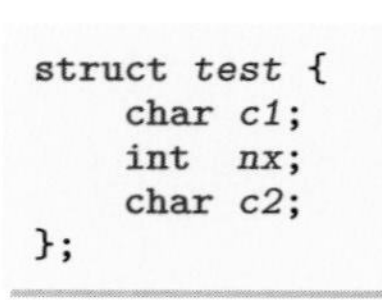

ⓐ 1バイト境界

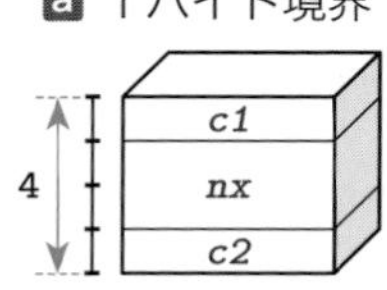

ⓑ 2バイト境界

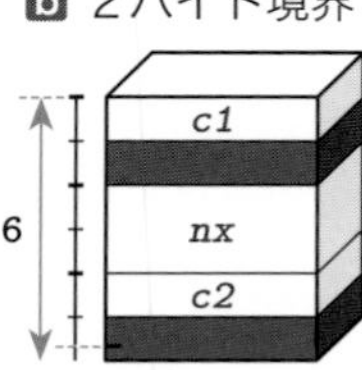

Fig.6-4 構造体と境界調整

ちなみに、Hさんが利用していたのは、構造体の先頭が《偶数番地》となるように配置する処理系でした。そのため、**Fig.6-5** ⓐのように分子式と物質名が単純に並ぶのではなく、図ⓑに示すように、構造体の末尾に**詰め物**が付加されて、81バイトではなく82バイトとなっていたのです。

▶ メンバのあいだではなく、全メンバよりも後ろの位置にまで詰め物を埋め込む目的は、構造体の配列を作った際に全要素の先頭アドレスが偶数番地となるようにすることです。

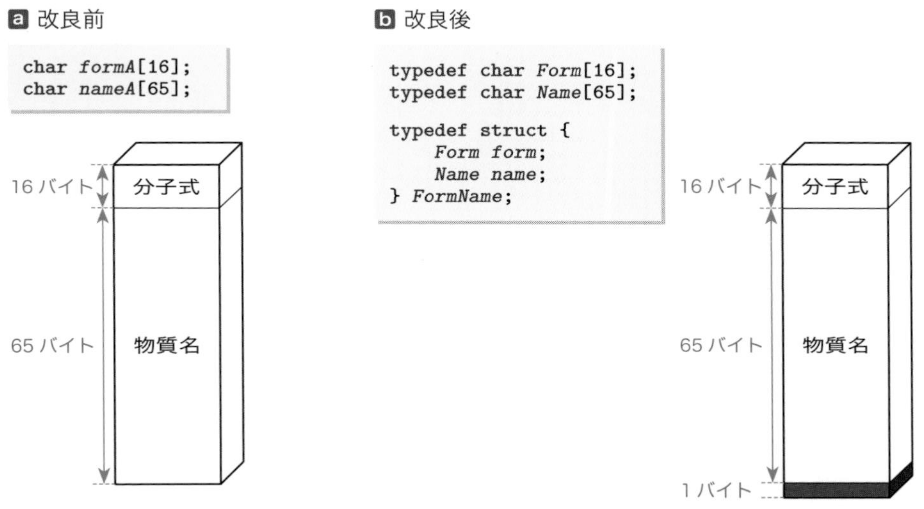

Fig.6-5 問題の構造体と境界調整

*FormName*型の末尾に1バイトの詰め物が埋め込まれた結果、分子式と物質名が隙間なく書き込まれていたデータベースファイルからの読込み時に、*Rec*型の*compB*の位置が1バイトずれることになったのです。

重要 構造体を設計する際は（特にバイナリファイルに対してメモリの内容をそのまま読み書きするときは）メンバの並びや境界調整に気をつけよう。

構造体を利用する際は、境界調整の問題がつきまとうため、注意が必要です。

▶ 標準Cの第3版から、境界調整の取得と調整が可能です。**Column 6-3**（p.220）で学習します。

＊

なお、構造体の大きさを知る必要があれば、次のようにすれば簡単に確認できます。

```
printf("%zu", sizeof(FormName));
```

offsetof マクロ

構造体内のメンバのオフセット（先頭から何バイト離れているのか）は、**<stddef.h>** ヘッダで定義されている ***offsetof* マクロ**によって簡単に調べられます。

	offsetof
ヘッダ	`#include <stddef.h>`
形　式	*offsetof*(型 , メンバ指示子)
機　能	この関数形式マクロは、**size_t** 型をもつ整数定数式に展開し、その値は、型が指示する構造体の先頭から、メンバ指示子が指示する構造体メンバまでのバイト単位でのオフセット値である。メンバ指示子は、 　　static 型　*t*; という宣言があった場合、式 &(*t*. メンバ指示子) を評価した結果がアドレス定数になるものでなければならない。指定されたメンバがビットフィールドの場合、その動作は未定義とする。

先ほどの構造体 ***test*** のメンバのオフセットを、**List 6-13** のプログラムで調べましょう。

List 6-13　　chap06/offsetof_struct.c

```
// 構造体メンバのオフセットを表示する
#include <stdio.h>
#include <stddef.h>

struct test {
    char c1;
    int  nx;
    char c2;
};

int main(void)
{
    printf("c1のオフセット=%zu\n", offsetof(struct test, c1));
    printf("nxのオフセット=%zu\n", offsetof(struct test, nx));
    printf("c2のオフセット=%zu\n", offsetof(struct test, c2));

    return 0;
}
```

実行結果一例

```
c1のオフセット=0
nxのオフセット=2
c2のオフセット=4
```

メンバのオフセットの取得は、次の式で行います。

offsetof(構造体型名 , メンバ名)

Fig.6-6　構造体メンバのオフセットの取得

本プログラムでは、**Fig.6-6** に示すように3個のメンバのオフセットを取得しています。

▶　構造体のメンバは、**宣言された順で記憶域上に並べられます**。そのため、先頭側で宣言されたメンバのアドレスは、より小さくなります。いうまでもなく、先頭メンバのオフセットは **0** となります。

なお、次に示すのが ***offsetof*** の定義例です。解読にチャレンジしましょう。

```
#define offsetof(s, mem)    (size_t)&(((s*)0)->mem)
```

Column 6-2 構造体の代入と等価性の判定

構造体の代入と比較について学習しましょう（オブジェクトaとbが、左ページのList 6-13に示した struct test型であるとして考えていきます）。

▪ 構造体の代入

代入"a = b"によって、右オペランドbの三つのメンバb.c1、b.nx、b.c2の値が、左オペランドaの対応するメンバa.c1、a.nx、a.c2に代入されます。すなわち、**全メンバの値がコピーされます。**

だからといって、オブジェクトbの全ビットがaに対してコピーされる保証はありません。というのも、境界調整のために埋められた**詰め物**のビットがコピーされるとは限らないからです。

▪ 構造体の等価性の判定

等価演算子である、==演算子と!=演算子による構造体オブジェクトの等価性の判定は行えません。そのような言語仕様となっている理由を考えていきましょう。

ここで、次の等価判定が可能であると仮定します。

```
if (a == b)                  // エラー：コンパイルできない
```

内部的に高速かつ簡潔に実現できる『aとbの全ビットが等しいか』という方法では、この判定は行えません。というのも、そのような方法だと、たとえ全メンバの値が等しくても、詰め物のビットが異なれば、両者が等しくないと判定されてしまうからです。

すなわち、全メンバの等価性を1個ずつ判定する必要があり、それに要するコストが単一の演算子が担当する範囲を超えているとC言語では考えられているのです。

構造体オブジェクトの値の等価性の判定をプログラム中で頻繁に行うのであれば、その構造体の全メンバの等価性を調べる関数を作るのが一般的です。その例を以下に示します。

```
//--- struct test型の構造体aとbの全メンバの値の等価性を判定 ---//
int test_eq(struct test a, struct test b)
{
    if (a.c1 != b.c1) return 0;
    if (a.nx != b.nx) return 0;
    if (a.c2 != b.c2) return 0;
    return 1;                               // 全メンバの値が等しい
}
```

この関数は、すべてのメンバの値が等しければ1を、そうでなければ0を返します。

さて、struct test型のオブジェクトが占有する記憶域は数～十数バイトです。もし、構造体が数キロバイトであれば、関数間の引数としてやりとりされるデータも数キロバイトとなります。

そのため、構造体の関数間での受渡しの際は、オブジェクトの値ではなく、**オブジェクトへのポインタ**を使うのが一般的です。先ほどの関数を書きかえると、次のようになります。

```
//--- aとbが指すstruct test型の構造体の全メンバの値の等価性を判定 ---//
int test_eq(const struct test *a, const struct test *b)
{
    if (a->c1 != b->c1) return 0;
    if (a->nx != b->nx) return 0;
    if (a->c2 != b->c2) return 0;
    return 1;                               // 全メンバの値が等しい
}
```

構造体がどんなに巨大であっても、やりとりされるポインタは数バイト程度ですみます。

もちろん、引数の宣言にconstを与えることによって、関数内でメンバの値を変更しないことを示す必要があります（呼出し側は、安心してポインタを渡せます）。

6-3 共用体

本節で学習するのは共用体です。宣言などの見かけは構造体とそっくりなのですが、その性格はまったく異なります。

共用体

List 6-14 は、2個のメンバで構成される**共用体**（union）の型とオブジェクトを宣言して、メンバの値を表示するプログラムです。

▶ s.yとして表示される値は処理系や環境に依存します。

List 6-14 chap06/union.c

```
// 共用体への値の代入と表示

#include <stdio.h>

int main(void)
{
    union uxy {
        int    x;
        double y;
    } u;

    u.x = 1;
    printf("s.x = %d\n", u.x);
    printf("s.y = %f\n", u.y);

    return 0;
}
```

実行結果一例

```
s.x = 1
s.y = 0.000000
```

Fig.6-7 を見ながら、構造体との違いを理解していきましょう。

構造体

各メンバは、宣言された順に記憶域上に格納されます。この例では、s.xの後ろにs.yが配置されます。

共用体

全メンバの先頭アドレスが同一となるように配置されます。

同時には使わないデータをまとめておけば**記憶域が節約できます。**

さて、ここで定義されているunion uxy型のオブジェクトuは、

- 先頭のsizeof(int)バイトはu.x
- 先頭のsizeof(double)バイトはu.y

でアクセスできます。

本プログラムでは、u.xに対して1を代入しています（先頭sizeof(int)バイトがint型の1を表すビット構成となります）。

u.xを取り出すとint型の1が得られますが、u.yを取り出して得られるのは（基本的には）意味のない値です。

a 構造体

```
struct sxy {
    int    x;
    double y;
} s;
```

s.x
s.y
s

b 共用体

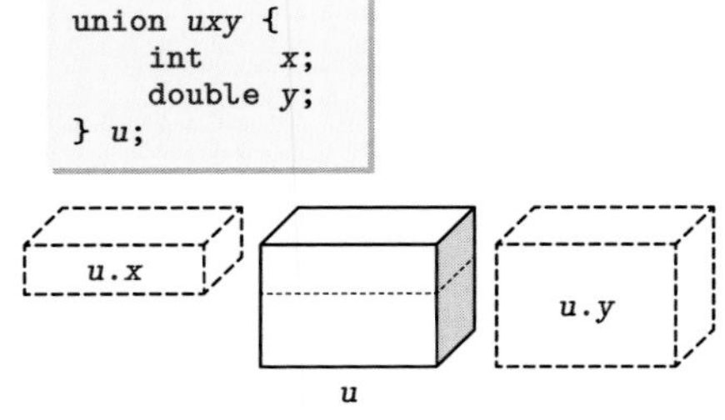

Fig.6-7 構造体と共用体

▶ 構造体と同様に、共用体の型名は長くなりがちです（型名がunionを含んだ2個の単語となるため）。1個の単語にするのであれば、typedef宣言を使いましょう。

共用体オブジェクトの初期化

共用体の初期化については、次の制約があります。

重要 共用体オブジェクトに対する唯一の初期化子は、先頭のメンバが対象となる。

この点を除くと、配列や構造体に対する初期化と、ほぼ同様です。下に示すコードを見ながら理解していきましょう。

```
union {
    int    x;
    double y;
} a = {5},
  b = {3.14},
  c = {5, 7.8};
```

a：**a.x** が 5 で初期化されます。

b：**b.x** が 3 で初期化されます（小数部は切り捨てられます）。
　初期化子が **double** 型だからといって、初期化の対象が２番目のメンバ **b.y** になるわけではありません。

c：コンパイルエラーです（初期化子が２個与えられているため）。

なお、同じ共用体型の変数を初期化子とすることもできます（この点も構造体と同じです）。

List 6-15 のプログラムで確認しましょう。

まず **s.x** が 5 で初期化されます。

その後で **t** が **s** で初期化されますので、**t.x** の初期値も 5 となります。

List 6-15　chap06/union_init1.c

```
// 共用体の初期化
#include <stdio.h>

int main(void)
{
    union uxy {
        int    x;
        double y;
    };

    union uxy s = {5};
    union uxy t = s;

    printf("s.x = %d\n", s.x);
    printf("s.y = %f\n", s.y);
    printf("t.x = %d\n", t.x);
    printf("t.y = %f\n", t.y);

    return 0;
}
```

実行結果一例

```
s.x = 5
s.y = 0.000000
t.x = 5
t.y = 0.000000
```

要素指示子

標準Cの第２版からは、**要素指示子**が利用できます。

要素指示子を利用すれば、任意のメンバに対して初期化子を与えることができます（先頭のメンバに限られないことに注意しましょう）。

重要 **要素指示子**を使えば、共用体オブジェクトの任意のメンバを初期化できる。

次のように、ドット **.** とメンバ名、その後に **=** と値を置くことで指定を行います（これも構造体と同じ要領です）。

```
union uxy u = {.y = 5.0};        // メンバyを5.0で初期化
```

この宣言によって、**u.y** が **5.0** で初期化されます（**"chap06/union_init2.c"**）。

▶　もちろん、**u.x** を取り出しても、（基本的には）意味のない値が得られます。

同一の先頭のメンバの並び

共用体を効果的に活用できるように、ある特別な規則が設けられています。**Fig.6-8** に示している**同一の先頭のメンバの並び**（common initial sequence）という考え方です。

> 共用体の使用を簡単にするために、次の一つの特別な保証をする。
> すなわち、共用体が同一の先頭のメンバの並びをもついくつかの構造体をもち、共用体オブジェクトが現在それらの構造体の一つを保持している場合、いずれの構造体の同一の先頭メンバの並びを参照してもよい。先頭から一つ以上のメンバの並びに対して、対応するメンバが適合する型（かつ、ビットフィールドに対しては、同じ幅）をもつ場合、二つの構造体は、同一の先頭のメンバの並び（common initial sequence）をもつという。

Fig.6-8 同一の先頭のメンバの並び

右ページの **List 6-16** に示すプログラム例で理解していきましょう。

共用体 ***Animal*** は、３個のメンバ ***code***、***dog***、***cat*** で構成されます。

これら３個のメンバは、いずれも構造体です。その先頭メンバは、**Fig.6-9** に示すように、すべて“**int** 型の ***type***”であって共通です。

このメンバ ***type*** は、動物の種別を表すために利用するものです。犬であれば **1** として、猫であれば **2** としています。

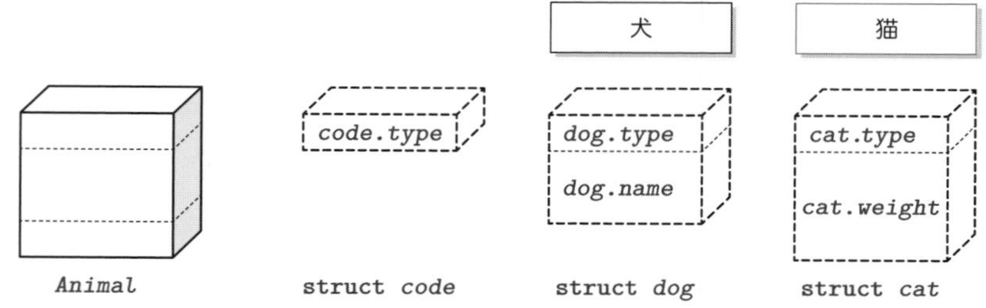

Fig.6-9 共用体に埋め込まれた同一の先頭のメンバの並び

さて、構造体 ***code*** は、メンバが ***type*** だけであって、第２メンバがありません。

一方、構造体 ***dog*** は第２メンバとして **char *** 型の“名前”をもち、構造体 ***cat*** は第２メンバとして **double** 型の“体重”をもちますので、三つの構造体は、まったくの別ものです。

ところが、**同一の先頭のメンバの並び**をもつため、共用体 ***Animal*** では、共通のメンバである ***type*** を、***dog*** からも ***cat*** からも**確実に参照できる**ことが保証されます。

List 6-16 chap06/dog_cat.c

```
// 《同一の先頭のメンバの並び》をもつ共用体の利用例

#include <stdio.h>

//--- 動物（犬／猫）共用体 ---//
typedef union {
    struct {
        int type;               // 種別
    } code;

    struct {
        int  type;              // 1:犬
        char *name;             // 名前
    } dog;

    struct {
        int    type;            // 2:猫
        double weight;          // 体重
    } cat;
} Animal;

//--- 動物のデータを種別に応じて表示 ---//
void print_animal(const Animal *x)
{
    switch (x->code.type) {
     case 1: printf("犬。名前は%sです。\n",      x->dog.name);    break;
     case 2: printf("猫。体重は%.1fkgです。\n", x->cat.weight);  break;
    }
}

int main(void)
{
    Animal a, b;

    a.dog.type = 1;             // aは犬で、
    a.dog.name = "Taro";        // 名前は"Taro"

    b.cat.type   = 2;           // bは猫で、
    b.cat.weight = 3.5;         // 体重は3.5kg

    print_animal(&a);           // aを表示
    print_animal(&b);           // bを表示

    return 0;
}
```

実行結果

```
犬。名前はTaroです。
猫。体重は3.5kgです。
```

関数**print_animal**に着目しましょう。この関数は、共用体のメンバの値を表示する関数です。

引数**x**に受け取るのは、犬のデータかもしれませんし、猫のデータかもしれません。

いずれにせよ、受け取った共用体のメンバ**code.type**の値から、受け取ったのが犬であるか猫であるかが判定可能です（動物の種別に応じた表示を行えます）。

実用的なプログラムにおいて、共用体を活用するための必須テクニックですから、きちんとマスターしておきましょう。

重要 共用体を使う際は、**同一の先頭のメンバの並びをもつ構造体**を有効に活用できる。

6-4 内部表現ビット文字列化ライブラリ

本節では、共用体を応用して、整数の内部表現のビット構成を文字列に変換するライブラリを開発します。

itobstr 関数：内部表現ビットの文字列化

本プログラムでは、符号付き整数値の内部表現の全ビットを 0 と 1 で表した文字列を返却するライブラリを作ります。関数名は *itobstr* とします。

たとえば、int 型の値が 16 ビットの処理系で *itobstr*(-32767) と呼び出されると、次に示す 16 文字（ナル文字を含めると 17 文字）の文字列を返却する関数です。

2の補数表現が採用されている環境では "1000000000000000"
1の補数表現が採用されている環境では "1000000000000001"
符号と絶対値が採用されている環境では "1111111111111111"

16 ビットと仮定して例を示しましたが、たとえば 32 ビットの環境であれば、返却するのは 32 文字（ナル文字を含めると 33 文字）の文字列です。

すなわち、『int 型値のビット数（精度）』と『負数の表現法』を自動的に判定した上で、文字列を作成して返却します。

共用体の応用

『int 型値のビット数』と『負数の表現法』は、第 2 章で開発した**処理系特性ライブラリ**である <lib/exlimits.h> をインクルードするだけで取得可能です（p.66）。

ところが、内部表現を求めるには、もう一つクリアすべき点があります。

整数型の内部表現を求める過程では、ビット関連の演算子（ビット AND 演算子やシフト演算子など）の適用が必要なのですが、**符号付き整数型にシフト演算子を適用した際の挙動が処理系依存であること**（**Column 2-7**：p.61）です。

いったん**符号無し整数型に変換した上で内部ビットを調べる**とよいのですが、**符号付き整数から符号無し整数への変換に伴って内部表現が変化する**可能性があります（第 2 章）。

この問題の解決に活躍するのが、**共用体**です。次のように符号付き整数と符号無し整数を共用体に収めれば、内部表現であるビットの変換を伴わない相互変換が容易に行えます。

```
union {
    int          s;
    unsigned int u;
} bits;
```

符号付き整数型のメンバ *s* と、符号無し整数型のメンバ *u* が共用体オブジェクト *bits* に収められています（タグ名は与えられていません）。

bits.s に符号付き整数（たとえば -32767）を代入した後で、***bits.u*** として取り出せば、内部表現のビットを変えることなく、（シフト演算子の挙動が処理系に依存しない）符号無し整数値が得られるという仕組みです。

この方針を利用して作成した ***itobstr*** 関数を **List 6-17** に示します。

▶ ダウンロードファイルには、**short** 版の ***stobstr*** 関数、**long** 版の ***ltobstr*** 関数、**long long** 版の ***lltobstr*** 関数も含まれています。

List 6-17 chap06/itobstr.c

```
#include <lib/exlimits.h>

//--- int型整数値nの内部表現を0と1で表した文字列をsに格納して返却 ---//
char *itobstr(int n)
{
    static char s[INT_BIT + 1];          // 格納先文字列

    union {
        int          s;
        unsigned int u;
    } bits = {.s = n};

    for (int i = INT_BIT - 1; i >= 0 ; i--)
        s[INT_BIT - i - 1] = ((bits.u >> i) & 1U) ? '1' : '0';
    s[INT_BIT] = '\0';

    return s;
}
```

まず最初に、符号付き整数型である **int** 型メンバ ***bits.s*** を、引数 ***n*** に受け取った値で初期化します。

その後、符号無し整数型である **unsigned int** 型メンバ ***bits.u*** の値をもとに、文字列への変換を行います。

ビットパターン文字列の格納先の配列 ***s*** は、**static** 付きで宣言されており、静的記憶域期間が与えられています。返却するのは、その配列＝文字列（の先頭文字）へのポインタです。

▶ 配列の要素数は **INT_BIT + 1** であり、***bits.u*** の全ビットを走査するための繰返しの回数は **INT_BIT** です。
その **INT_BIT** は、第２章で開発した **<lib/exlimits.h>** ヘッダが提供する **int 型の精度**です。

itobstr 関数の関数原型宣言は、**"chap06/bitstring.h"** ヘッダに収録しています。

#include <lib/bitstring.h> によるインクルードだけで利用できるように設定をしておきましょう（**"itobstr.c"** をコンパイルしたオブジェクトファイルの設定も必要です）。

▶ ヘッダ **"chap06/bitstring.h"** には、***stobstr*** 関数、***ltobstr*** 関数、***lltobstr*** 関数の関数原型宣言も含まれています。

静的記憶域期間をもつ配列の返却

itobstr 関数を利用するプログラム例を **List 6-18** に示します。

▶ 実行によって表示される文字列は、int 型の精度と、負数の表現法の両方に依存します。

List 6-18 chap06/itobstr_test.c

```
// itobstr関数の利用例

#include <stdio.h>
#include <lib/bitstring.h>

int main(void)
{
    int x, y;

    printf("xの値：");    scanf("%d", &x);
    printf("yの値：");    scanf("%d", &y);

    printf("xの内部表現＝%s\n", itobstr(x));
    printf("yの内部表現＝%s\n", itobstr(y));

    return 0;
}
```

実行結果一例

```
xの値：-1
yの値：0
xの内部表現＝1111111111111111
yの内部表現＝0000000000000000
```

さて、*itobstr* 関数が返却する配列には静的記憶域期間が与えられているのでした。プログラムの最初から最後まで存在し続けるため、その配列を関数 *itobstr* が何度も『使い回す』ことを意味しています。

呼出し側にとっては、前回呼び出した際に格納された文字列が失われるわけですから、保存の必要があれば、文字列を複製する必要があります。

そのように書きかえたのが、**List 6-19** のプログラムです。

List 6-19 chap06/itobstr_dup1.c

```
// itobstr関数の利用例（返却された文字列の複製をとる・その１）

#include <stdio.h>
#include <string.h>
#include <lib/exlimits.h>
#include <lib/bitstring.h>

int main(void)
{
    // 省略：xとyの宣言と値の読込み（List 6-18と同じ）

    char x_bit[INT_BIT + 1];      // xのビットパターン文字列の複製先
    char y_bit[INT_BIT + 1];      // yのビットパターン文字列の複製先

    strcpy(x_bit, itobstr(x));  // ビットパターンを取得して複製
    strcpy(y_bit, itobstr(y));  // ビットパターンを取得して複製

    printf("xの内部表現＝%s\n", x_bit);
    printf("yの内部表現＝%s\n", y_bit);

    return 0;
}
```

呼出し側の main 関数で複製用の配列 *x_bit* と *y_bit* を用意して、そこにコピーしています。

このコードの弱点は、複製用の配列の宣言のために、int 型の精度である INT_BIT を知る必要があること、すなわち、第２章で作成したヘッダ <lib/exlimits.h> のインクルードが必須となることです。

＊

List 5-30（p.191）では、文字列の複製を作成して返却する *str_dup* 関数を作成しました。その関数を利用して作りかえたのが、**List 6-20** のプログラムです。

List 6-20 chap06/itobstr_dup2.c

```
// itobstr関数の利用例（返却された文字列の複製をとる・その２）

#include <stdio.h>
#include <stdlib.h>
#include <lib/exstring.h>
#include <lib/bitstring.h>

int main(void)
{
    // 省略：xとyの宣言と値の読込み（List 6-18と同じ）

    char *x_bit = str_dup(itobstr(x));   // xのビットパターン文字列
    char *y_bit = str_dup(itobstr(y));   // yのビットパターン文字列

    printf("xの内部表現＝%s\n", x_bit);
    printf("yの内部表現＝%s\n", y_bit);

    free(x_bit);                         // 解放
    free(y_bit);                         // 解放

    return 0;
}
```

今回は、*x_bit* と *y_bit* は、文字の配列ではなく、単なるポインタです。文字列を格納するために必要とされる大きさの記憶域は *str_dup* 関数によって自動的に確保されます。

▶ すなわち、要素数を知る（調べる）必要性から解放されています。

なお、このコードの弱点は、*free* 関数の呼び出しによって、記憶域を明示的に解放する必要があることです。

▶ 本プログラムの方法では、*str_dup* 関数の関数原型宣言を含む <lib/exstring.h> のインクルードが必要です。

なお、標準Cの第５版で採用される *strdup* 関数に差しかえれば、インクルードするヘッダが独自ライブラリ用の <lib/exstring.h> ではなく、標準ライブラリ用の <string.h> となるため、スマートに記述できます。

Column 6-3 _Alignof 演算子と _Alignas 指定子

標準Cの第3版では、**_Alignof 演算子**と **_Alignas 指定子**が追加されています。

なお、**<stdalign.h>** ヘッダをインクルードすることで、小文字版の **alignof** と **alignas** が使える仕組みとなっています。

※ ヘッダ内で次のように宣言されています。

```
#define alignof _Alignof
#define alignas _Alignas
```

■ _Alignof 演算子

_Alignof(型名) の形式で利用する単項演算子です。**( )** の中に置かれた型名の**境界調整＝アライメント**を生成します。**sizeof** 演算子の兄弟的な位置づけで作られたものであり、生成する値の型は **sizeof** 演算子と同じ **size_t** 型です。

■ _Alignas 指定子

変数を特定の**境界調整**とするようにコンパイラに要求する指定子であり、

_Alignas(型名)

_Alignas(定数式)

のいずれかの形式で指定します。

List 6C-1 に示すのが、これらの演算子と指定子を利用したプログラム例です（実行によって表示される値は、処理系に依存します）。

List 6C-1 chap06/align_test.c

```
// int型と構造体型のアライメントを表示
#include <stdio.h>

struct test1 {
    char c1;
    int  nx;
    char c2;
};

struct test2 {
    char c1;
    _Alignas(8) int  nx;
    char c2;
};

int main(void)
{
    printf("sizeof(int)=%zu\n",             sizeof(int));
    printf("sizeof(struct test1)=%zu\n",    sizeof(struct test1));
    printf("sizeof(struct test2)=%zu\n",    sizeof(struct test2));

    printf("_Alignof(int)=%zu\n",           _Alignof(int));
    printf("_Alignof(struct test1)=%zu\n", _Alignof(struct test1));
    printf("_Alignof(struct test2)=%zu\n", _Alignof(struct test2));

    return 0;
}
```

実行結果一例

```
sizeof(int)=2
sizeof(struct test1)=4
sizeof(struct test2)=16
_Alignof(int)=2
_Alignof(struct test1)=4
_Alignof(struct test2)=8
```

struct *test1* は、**List 6-13**（p.210）と同じ内容の構造体です。2番目のメンバ *nx* に対して8バイトのアライメントが指定された **struct** *test2* は、**sizeof** 演算子と **_Alignof** 演算子が生成する両方の値が変わっています。

第７章

汎用ライブラリの開発

本章の目的は、データ型や必要な手続きに依存することなく利用できる《汎用ライブラリ》を開発する技術を身につけることです。

本章の前半では、プログラム実行時の動的な関数呼出しのテクニックを学習し、標準ライブラリとして提供される二つの汎用ユーティリティ関数の使い方を学習します。

本章の後半では、汎用ユーティリティ関数ライブラリの開発を行うとともに、その応用技術を身につけます。

7-1 動的な関数呼出し

本章の目的は、汎用ライブラリを開発することです。その基礎として、関数へのポインタを利用した動的な関数呼出しについて学習します。

条件に応じて動作を変える関数

List 7-1 は、配列に格納された点数の一覧を表示するプログラムです。ただし、成績が「良」の要素の先頭にのみ '!' を付けて表示します。

▶ テストの点数は、乱数を生成して決定しています。点数の評価基準は、次のとおりです。
▪優 (A) : 80〜100 点　▪良 (B) : 70〜79 点　▪可 (C) : 60〜69 点　▪不可 (D) : 0〜59 点

List 7-1　chap07/put_list1.c

```
// 特定条件の成立の可否によって配列要素の値を識別表示

#include <time.h>
#include <stdio.h>
#include <stdlib.h>

//--- 成績は良[B ：70〜79点]か？ ---//
int fit(int x)
{                                                  ―❶
    return x >= 70 && x <= 79;
}

//--- 関数fit(x)の返却値が真（非0）である配列aの要素を識別表示 ---//
void put_list(const int a[], int n)
{
    for (int i = 0; i < n; i++) {
        if (fit(a[i]))
            printf("! ");
        else
            printf("  ");
        printf("a[%d] = %d\n", i, a[i]);
    }
}

int main(void)
{
    int a[10];                              // 点数
    int n = sizeof(a) / sizeof(a[0]);       // 要素数

    srand(time(NULL));              // 乱数の種を初期化

    for (int i = 0; i < n; i++)
        a[i] = rand() % 101;        // 0〜100の乱数を代入

    put_list(a, n);                 // 表示

    return 0;
}
```

実行例

```
  a[0] = 61
! a[1] = 73
  a[2] = 42
  a[3] = 81
  a[4] = 90
  a[5] = 5
! a[6] = 79
  a[7] = 15
  a[8] = 37
  a[9] = 88
```

成績が良であるかどうかの条件の判定は、❶の関数 `fit` で行っています。そのため、条件の変更は容易です。

たとえば、'!'を付ける対象を「優または可」に変更するのであれば、関数 *fit* を次のように書きかえるだけでOKです。

```
//--- 成績は優[A:80〜100]または可[C:60〜69]か? ---//
int fit(int x)
{
    return (x >= 80 && x <= 100) || (x >= 60 && x <= 69);
}
```
—2

さて、条件の変更ではなく、追加だったらどうなるでしょう。たとえば、'!'を「良」に付ける表示と、「優または可」に付ける表示の両方を行うプログラムを作るとします。

いろいろな実現法が考えられるのですが、そのうちの一つが、関数 *put_list* を **List 7-2** のように変更することです。

List 7-2 chap07/put_list2.c

```
//--- 関数isBとisAorCの返却値が真(非0)である配列aの要素を識別表示 ---//
void put_list(const int a[], int n, int sw)
{
    for (int i = 0; i < n; i++) {
        int flag;
        switch (sw) {
         case 0: flag = isB(a[i]);      break;    // 良[B]か?
         case 1: flag = isAorC(a[i]);   break;    // 優[A]または可[C]か?
        }
        if (flag)
            printf("! ");
        else
            printf("  ");
        printf("a[%d] = %d\n", i, a[i]);
    }
}
```

▶ 関数 *put_list* のみを示しています。1の関数名を *isB* に変更するとともに、名前を *isAorC* に変更した関数2を追加する必要があります。

関数 *put_list* に第3引数 *sw* が追加されています。この引数に与えられた値が 0 であれば関数 *isB* を呼び出して判定を行って、1 であれば関数 *isAorC* を呼び出して判定を行う、という仕組みです。

▶ この変更に伴って、main 関数では、関数 *put_list* を次のように呼び分けることになります。

```
put_list(a, n, 0);           // 良[B]に'!'を付けて一覧表示
put_list(a, n, 1);           // 優[A]または可[C]に'!'を付けて一覧表示
```

条件判定の関数として、*isB* と *isAorC* の二つを考えました。もちろん、別の条件での表示の必要があれば、さらに条件判定用の関数を追加することになります。

もし条件判定用の関数が 10 個になると、switch 文の分岐も 10 個となり、プログラムが複雑になります。それだけでなく、別の問題も生じます。それは、**条件の追加や削除などを行うたびに、関数 *put_list* を書きかえなければならない**ことです。

▶ さらに、条件判定用の関数と、それを表す *sw* の値の対応(関数 *isB* であれば 0、関数 *isAorC* であれば 1、…)の管理にもコストがかかります。

関数へのポインタ

前ページで考えた問題点を解決するのが、**関数へのポインタ**を活用する手法です。関数へのポインタとは、名前のとおり**関数を指すポインタ**です。

▶ 前章までに学習してきたポインタは、**オブジェクトへのポインタ**でした。

関数へのポインタを使って、二つの“条件”の両方で識別表示を行えるようにしたプログラムが **List 7-3** です。

List 7-3 chap07/put_list3.c

```
// 特定条件の成立の可否によって配列要素の値を識別表示（関数へのポインタ版）

#include <time.h>
#include <stdio.h>
#include <stdlib.h>

//--- 成績は良[Ｂ：70〜79点]か？ ---//
int isB(int x)
{
    return x >= 70 && x <= 79;
}

//--- 成績は優[Ａ：80〜100]または可[Ｃ：60〜69]か？ ---//
int isAorC(int x)
{
    return (x >= 80 && x <= 100) || (x >= 60 && x <= 69);
}

//--- 配列aの中で関数fit(x)の返却値が1となる要素を識別表示 ---//
void put_list(const int a[], int n, int (*fit)(int))     ―❶
{
    for (int i = 0; i < n; i++) {
        if ((*fit)(a[i]))                                  ―❷
            printf("! ");
        else
            printf("  ");
        printf("a[%d] = %d\n", i, a[i]);
    }
}

int main(void)
{
    int a[10];                                  // 点数
    int n = sizeof(a) / sizeof(a[0]);   // 要素数

    srand(time(NULL));              // 乱数の種を初期化

    for (int i = 0; i < n; i++)
        a[i] = rand() % 101;    // 0〜100の乱数を代入

    puts("良----------");
    put_list(a, n, isB);            // 良[B]に!を付けて表示  ―❸

    puts("\n優または可--");
    put_list(a, n, isAorC);        // 優[A]または可[C]に!を付けて表示 ―❹

    return 0;
}
```

実行例

```
良----------
  a[0] = 61
! a[1] = 73
  a[2] = 42
  a[3] = 81
  a[4] = 90
  a[5] = 5
! a[6] = 79
  a[7] = 15
  a[8] = 37
  a[9] = 88

優または可--
! a[0] = 61
  a[1] = 73
  a[2] = 42
! a[3] = 81
! a[4] = 90
  a[5] = 5
  a[6] = 79
  a[7] = 15
  a[8] = 37
! a[9] = 88
```

関数 *put_list* の第3引数 *fit* に受け取るのが関数へのポインタです。その宣言❶は、複雑な形です。この宣言を理解するために、ポインタの型について、しっかり学習しましょう。

＊

オブジェクトへのポインタの型は、指す対象となるオブジェクト型によって異なるのでした。

たとえば、**int** 型オブジェクトを指すポインタは **int *** 型で、**double** 型オブジェクトを指すポインタは **double *** 型です。

関数へのポインタも同様であって、指す対象となる関数の型によって型が異なります。

たとえば、**double** *func*(**int**) という関数を指すポインタの型と、**int** *kansu*(**int, long**) という関数を指すポインタの型は、まったく異なる型です。

ここでは、次のように宣言された関数を例に考えていきます。『**int** 型の引数を受け取って **double** 型の値を返却する』関数です。

```
double func(int);        // intを受け取ってdoubleを返却する関数
```

この形式の関数を指すポインタの型は、次のとおりです。

int 型の引数を受け取って double 型の値を返却する関数へのポインタ

この型のポインタ *fp* は、次のように宣言します。

```
double (*fp)(int);       // intを受け取ってdoubleを返却する関数へのポインタ
```

変数名の前に * を置くのは、オブジェクトへのポインタの宣言と同じです。

ただし、変数名を ( ) で囲む点では異なります。というのも、( ) を省略した

```
double *fn(int);         // intを受け取ってdoubleへのポインタを返却する関数
```

だと、次の型をもつ関数 *fn* の宣言となるからです。

int 型の引数を受け取って“double 型へのポインタ”を返却する関数

▶ ポインタを返却する関数は、第５章で学習しました（文字列用のライブラリのほとんどが、先頭文字へのポインタを返却するものでした）。

さて、条件判定用の関数 *isB* と *isAorC* は、**int** 型の引数を受け取って **int** 型を返却しますので、それらの関数を指すポインタ *fit* は、次のように宣言できます。

```
int (*fit)(int);         // intを受け取ってintを返却する関数へのポインタ
```

これが、関数 *put_list* の第3引数です。これで、❶の宣言が理解できました。

次は、関数 **put_list** を呼び出す3と4に着目します。

```
3 put_list(a, n, isB);
  // …中略…
4 put_list(a, n, isAorC);
```

関数 **put_list** に与えている第3引数 **isB** と **isAorC** は、いずれも関数名です。

規則により、関数名は、その関数へのポインタとみなされます。配列名が、その配列の先頭要素へのポインタとみなされるのと同じような感じです。

重要 関数名は、その関数へのポインタと解釈される。

関数呼出し3は、関数 **put_list** に対して次の依頼を行っているわけです。

関数 *isB* へのポインタを渡しますので、そのポインタが指す関数の実行によって得られる条件判定の結果に基づいて、配列 a の要素を識別表示してください。

呼び出された関数 **put_list** は、関数 **isB** へのポインタを仮引数 **fit** に受け取ります。そのポインタを使っているのが、2の関数呼び出し式 **(*fit)(a[i])** です（**Fig.7-1 a**）。

関数へのポインタに間接演算子 * を適用した間接式を評価・実行すると、そのポインタが指す関数が呼び出されます。これは、オブジェクトを指すポインタに間接演算子 * を適用した間接式が、そのオブジェクトの実体そのものを表すのと同じような感じです。

2の関数呼出し式 **(*fit)(a[i])** を評価・実行すると、ポインタ **fit** の指す関数 **isB** が呼び出されることが分かりました（もちろん、実引数として **a[i]** が渡されます）。

a ポインタfitが関数isBを指す

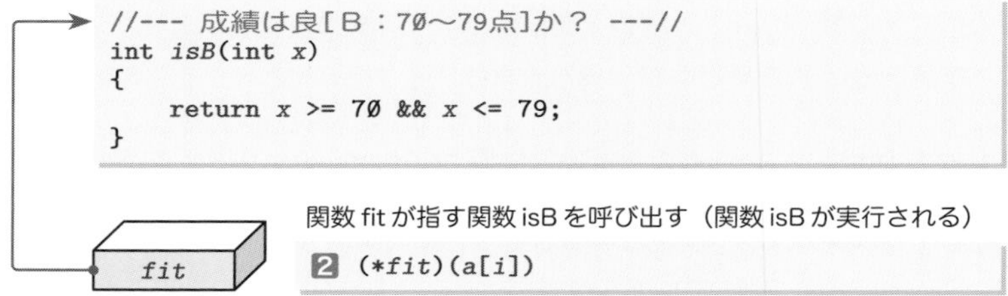

b ポインタfitが関数isAorCを指す

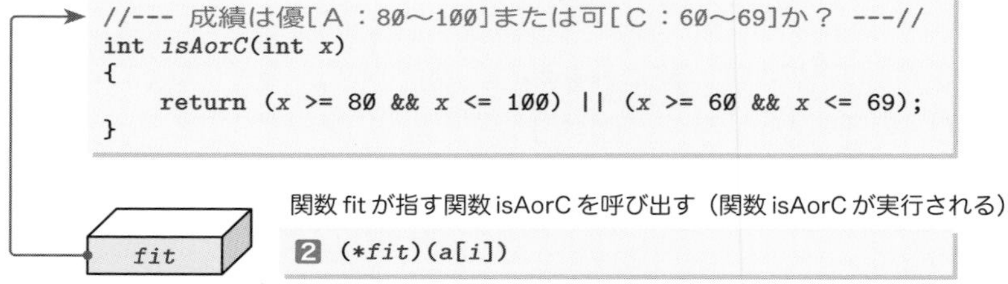

呼び出す関数がプログラム実行時に動的に決定する

Fig.7-1 関数へのポインタを通じた関数の実行

▶ 間接演算子 * よりも関数呼出し演算子 ( ) のほうが優先度が高いため *fit を囲む ( ) は省略できません。

なお、4で関数 put_list が呼び出された場合は、関数 isAorC へのポインタを fit に受け取りますので、式 (*fit)(a[i]) の評価・実行によって呼び出されるのは、関数 isAorC です（図b）。

2の式 (*fit)(a[i]) は、ポインタ fit が指す関数を呼び出す式ですが、具体的にどの関数を呼び出すのか（関数 isB なのか isAorC なのか、それ以外の関数なのか）の決定が、プログラムのコンパイル時ではなく、実行時に動的に行われます。

重要 関数へのポインタを使うと、呼び出す関数を実行時に決定する**動的な関数呼出し**が実現できる。

動的な関数呼出しによって、ソースプログラムで“直接的には”どこからも呼び出されていない関数 isB と isAorC の実行が可能となっています。

本プログラムでは、条件判定用の関数は、isB と isAorC の2個です。これら以外の関数を追加しても、put_list 自体は変更の必要がありません。その点では、**List 7-2** (p.223) に示した関数 put_list とまったく異なります。

＊

なお、関数 put_list は、**List 7-4** のように短く記述できます。

List 7-4 chap07/put_list4.c

```
//--- 配列aの中で関数fit(x)の返却値が1となる要素を識別表示 ---//
void put_list(const int a[], int n, int fit(int))
{
    for (int i = 0; i < n; i++) {
        if (fit(a[i]))
            printf("! ");
        else
            printf("  ");
        printf("a[%d] = %d\n", i, a[i]);
    }
}
```

丸括弧 ( ) とアステリスク * が取れて、プログラムがすっきりしています。

A 関数へのポインタは、仮引数の宣言に限り、変数名の前の * と、それらを囲む ( ) を省略した形式で宣言できます。

▶ 配列（の先頭要素へのポインタ）を受け取る仮引数 int *p を int p[] と宣言できるのと似ています。

B 文法上、関数呼出し式 f(...) の左オペランド f は、関数名ではなく、関数へのポインタでもよいことになっています。**List 7-3** では (*fit)(...) としていましたが、単に fit(...) とできます。

これで、《関数へのポインタ》を意識する必要性から解放されました。

▶ ちょうど、配列をやりとりする際に《ポインタ》を意識しなくてよいのと似ています。

九九の加算と乗算

関数へのポインタを用いた別のプログラム例を **List 7-5** に示しています。九九の加算の表と乗算の表の両方を出力するプログラムです。

List 7-5 chap07/table99.c

```
// 九九の加算と乗算

#include <stdio.h>

//--- x1とx2の和を求める ---//
int sum(int x1, int x2)
{
    return x1 + x2;
}

//--- x1とx2の積を求める ---//
int mul(int x1, int x2)
{
    return x1 * x2;
}

//--- 九九の表を出力 ---//
void kuku(int calc(int, int))
{
    for (int i = 1; i <= 9; i++) {
        for (int j = 1; j <= 9; j++)
            printf("%3d", calc(i, j));
        putchar('\n');
    }
}

int main(void)
{
    puts("九九の加算表");    kuku(sum);   // 加算表
    putchar('\n');

    puts("九九の乗算表");    kuku(mul);   // 乗算表

    return 0;
}
```

呼び出す関数はプログラム実行時に決定する

実行結果

```
九九の加算表
  2  3  4  5  6  7  8  9 10
  3  4  5  6  7  8  9 10 11
  4  5  6  7  8  9 10 11 12
  5  6  7  8  9 10 11 12 13
  6  7  8  9 10 11 12 13 14
  7  8  9 10 11 12 13 14 15
  8  9 10 11 12 13 14 15 16
  9 10 11 12 13 14 15 16 17
 10 11 12 13 14 15 16 17 18

九九の乗算表
  1  2  3  4  5  6  7  8  9
  2  4  6  8 10 12 14 16 18
  3  6  9 12 15 18 21 24 27
  4  8 12 16 20 24 28 32 36
  5 10 15 20 25 30 35 40 45
  6 12 18 24 30 36 42 48 54
  7 14 21 28 35 42 49 56 63
  8 16 24 32 40 48 56 64 72
  9 18 27 36 45 54 63 72 81
```

二つの引数の和を返すのが関数 *sum* で、積を返すのが関数 *mul* です。また、それらの関数へのポインタを利用して九九の表を表示するのが、関数 *kuku* です。

さて、関数 *kuku* の唯一の引数 *calc* は、

2個の **int** 引数を受け取って **int** を返却する関数へのポインタ

として宣言されています。

関数本体内の水色部の関数呼出し式 *calc(i, j)* が評価・実行されると、ポインタ *calc* の指す関数が呼び出されます。もちろん、加算表の表示では関数 *sum* が呼び出され、乗算表の表示では関数 *mul* が呼び出されます。

関数宣言の仮引数には名前を与えることが可能ですから、前のプログラムの関数 **put_list** や本プログラムの関数 **kuku** は、次のようにも宣言できます。

```
void put_list(const int a[], int n, int fit(int x)) { /*…中略…*/ }
void kuku(int calc(int a, int b)) { /*…中略…*/ }
```

Column 7-1　関数へのポインタと関数呼出し

関数へのポインタと関数呼出しに関する構文をきちんと学習しましょう。次に示す関数 **f** と、それを指すポインタ **fp** を例に考えていきます。

```
void f(void) { /* … */ }          // 関数
void (*fp)(void) = f;             // 関数へのポインタ
```

■ 標準C以前の構文

標準Cの規格が制定される前の、初期のC言語での関数呼出し式の構文は、

一次式 (実引数並び $_{opt}$)

でした（構文の $_{opt}$ は、省略可能であることを示します）。

そして、関数呼出し式 **f()** は、次のように解釈されていました。

関数を表す一次式である f に対して関数呼出し演算子 ( ) を適用した式

一方、関数へのポインタ **fp** は一次式ではないため、式 **fp()** は不正とみなされていました。このような理由から、関数へのポインタを関数型に変換するために、間接演算子 ***** を適用して ***fp** とした上で関数呼出し演算子 **( )** を適用する必要があったのです。そのため、関数へのポインタを通じた関数呼出しの形式は **(*fp)()** でした（**fp()** とすることはできませんでした）。

■ 標準Cの構文

標準Cでは、関数呼出し式の構文が、

後置式 (実引数並び $_{opt}$)

へと大きく変更されました。

そのため、関数呼出し式 **f()** は、次のように解釈されます。

関数へのポインタ型へと型変換された後置式 f に対して関数呼出し演算子 ( ) を適用した式

また、関数へのポインタ **fp** も後置式とみなされるため、それに対して関数呼出し演算子 **( )** を直接適用する **fp()** という形式の式が可能となったのです。

その結果、初期のC言語と互換性がある形式の **(*fp)()** は、

関数へのポインタ **fp** に間接演算子を適用して関数型に型変換した ***fp** を、関数へのポインタへと再び逆に型変換したものに対して、関数呼出し演算子 **( )** を適用した式

と、まわりくどく解釈されます。

間接演算子 ***** は完全に冗長です。そのため、**f()** と ***f()** と ****f()** はすべて同じですし、**fp()** と ***fp()** と ****fp()** もすべて同じです。

なお、関数名に対してアドレス演算子 **&** を適用すると、その関数へのポインタが生成されるという例外的な規則があります（ポインタへのポインタとはなりません）。そのため、式 **f** は関数 **f** へのポインタですが、アドレス演算子を適用した式 **&f** も、関数 **f** へのポインタとなります。

atexit 関数：プログラム終了時に呼び出される関数の登録

C言語の標準ライブラリには、関数へのポインタを引数に受け取るものがあります。その一つが、**atexit 関数**です。右ページに概要を示すように、**プログラムが正常に終了した際に自動的に呼び出される関数を登録する関数**です。

その atexit 関数を利用したプログラム例を **List 7-6** に示します。

List 7-6 chap07/atexit_test.c

```
// プログラム終了時にメッセージと時刻を表示

#include <time.h>
#include <stdio.h>
#include <stdlib.h>

//--- 終了メッセージ表示 ---//
void good_bye(void)
{
    puts("さようなら！");
}

//--- 現在の時刻を表示 ---//
void put_time(void)
{
    time_t current = time(NULL);                // 現在の時刻を取得
    struct tm *lctm = localtime(&current);      // 地方時の構造体に変換

    printf("%02d:%02d:%02d\n", lctm->tm_hour, lctm->tm_min, lctm->tm_sec);
}

int main(void)
{
    int x;

    atexit(good_bye);    // 関数good_byeを登録
    atexit(put_time);    // 関数put_timeを登録            ―1

    printf("(0)…成功終了 (1)…失敗終了：");
    scanf("%d", &x);                                       ―2

    if (x) abort();      // 失敗終了（登録関数は呼び出されない）―3

    return 0;            // 成功終了（登録関数が自動的に呼び出される）―4
}
```

実行例

```
1 (0)…成功終了 (1)…失敗終了：0
17:00:45
さようなら！

2 (0)…成功終了 (1)…失敗終了：1
```

関数 good_bye は、『さようなら！』と表示する関数で、関数 put_time は、現在すなわちプログラム実行時の時刻を表示する関数です。いずれも、引数を受け取らず値を返却しない形式の関数です。

▶ atexit 関数の仕様上、仮引数 func に受け取るのは、“引数を受け取らず値を返却しない関数へのポインタ”に限られます。

1 atexit 関数を呼び出すことによって、関数 good_bye と関数 put_time を順に登録します。

このように、atexit 関数を呼び出す際に、プログラム終了時に自動実行する関数へのポインタを引数として渡すだけで、登録作業は完了します（右ページ **Fig.7-2 a**）。

	atexit
ヘッダ	`#include <stdlib.h>`
形　式	`int atexit(void (*func)(void));`
機　能	正常なプログラム終了時に実引数無しで呼び出される関数として、*func* が指す関数を登録する。登録できる関数の数は、処理系に依存するが少なくとも 32 個である。
返却値	登録が成功すれば 0 を、失敗すれば 0 以外の値を返す。

2　プログラムを成功終了するか失敗終了するかの選択を行います。

▶　現実のプログラムで、このような選択を促すことはないでしょうが、ここでは原理を理解するために、わざとらしいコードとなっています。

main 関数が無事に終了したときや、***exit*** 関数の呼出しによって終了すると、プログラムは**成功終了**（successful termination）です。一方、***abort*** 関数によって終了したときのプログラムの終了は**失敗終了**（unsuccessful termination）です。

3　変数 ***x*** に読み込まれた値が 0 でなければ、***abort*** 関数によってプログラムを失敗終了させます。プログラムはそのまま終了します。

4　変数 ***x*** に読み込まれた値が 0 であれば、**return** 文によってプログラムを成功終了させます。このとき、図bに示すように、***atexit* 関数によって登録されていた関数が自動的に逆順に呼び出されます。**

そのため、まず関数 ***put_time*** が実行され、それから関数 ***good_bye*** が実行されます。

▶　関数 ***put_time*** の実行によって現在の時刻が表示され、関数 ***good_bye*** の実行によって『さようなら！』と表示されます。

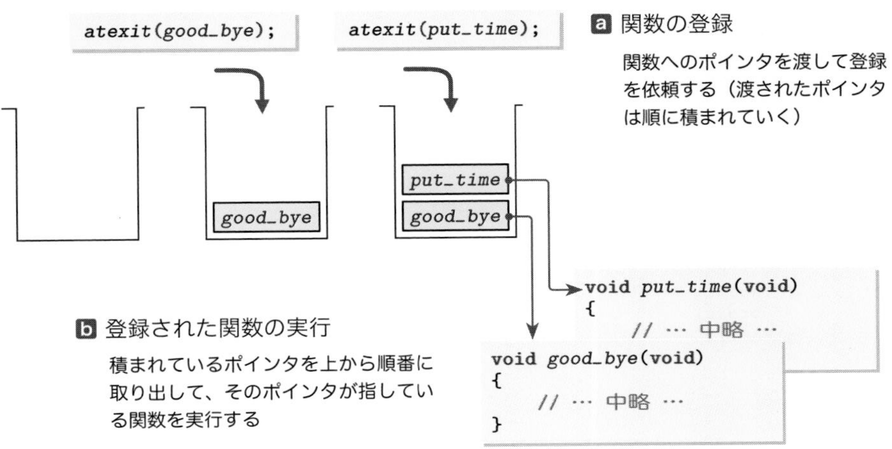

Fig.7-2　atexit 関数の働き

関数へのポインタを返却する関数

関数の返却値型は、関数へのポインタ型であっても構わないことになっています。そのため、**関数へのポインタを返却する関数**を作ることができます。

List 7-7 に示すのが、関数へのポインタを返却する関数を定義・利用するプログラム例です。

List 7-7 chap07/animal.c

```
// 選ばれた動物の鳴き声を表示

#include <stdio.h>

typedef enum {Dog, Cat, Monkey, Invalid} Animal;

//--- 犬が鳴く ---//
void dog(void)
{
    puts("ワンワン!!");
}

//--- 猫が鳴く ---//
void cat(void)
{
    puts("ニャ～オ!!");
}

//--- 猿が鳴く ---//
void monkey(void)
{
    puts("キッキッ!!");
}

//--- 動物を選ぶ（選ばれた関数へのポインタを返却） ---//
void (*selected_animal(void))(void)
{
    int temp;

    while (1) {
        printf("(0)…犬  (1)…猫  (2)…猿  (3)…終了：");
        scanf("%d", &temp);
        switch (temp) {
         case Dog :     return dog;           // 関数dogへのポインタを返却
         case Cat :     return cat;           // 関数catへのポインタを返却
         case Monkey :  return monkey;        // 関数monkeyへのポインタを返却
         case Invalid : return NULL;          // 空ポインタを返却
        }
    }
}

int main(void)
{
    while (1) {
        void (*animal)(void) = selected_animal();
        if (animal == NULL)      // 空ポインタであれば終了
            break;
        animal();                // animalが指す関数を呼び出す
    }

    return 0;
}
```

実行例1

```
(0)…犬  (1)猫  (2)…猿  (3)終了：0↵
ワンワン!!
(0)…犬  (1)猫  (2)…猿  (3)終了：3↵
```

このプログラムは、犬、猫、猿のいずれかを利用者に選択してもらい、その鳴き声を表示します。

関数 ***selected_animal*** は、犬、猫、猿のいずれを選ぶのかを、**0**、**1**、**2** の整数として入力するように促します。そして、**switch** 文の働きによって、選ばれた動物に対応する各関数 ***dog***、***cat***、***monkey*** へのポインタを返却します（ただし、3番の「終了」が選択された場合に返却するのは、空ポインタです）。

main 関数では、関数 ***selected_animal*** の返却値が変数 ***animal*** に入れられています。変数 ***animal*** の型は、引数を受け取らず値を返却しない関数へのポインタ型です。返却された値が空ポインタでなければ、そのポインタ ***animal*** が指す関数を呼び出します。

Column 7-2　マージソートのアルゴリズム

List 7-13（p.250）では、ソートずみ配列のマージを応用して、分割統治法でソートを行うアルゴリズムである**マージソート**（merge sort）を利用しています。

※ ソートずみ配列のマージは、**『二つのソートずみ配列の着目要素の値を比較して、小さいほうの値をもつ要素を取り出して別の配列に格納する』**作業を繰り返して、（極めて高速に）ソートずみの配列を得る作業です。

マージソートのアルゴリズムの概要を理解しましょう。**Fig.7C-1** に示すように、配列を前半部と後半部の二つに分けます。この例では、配列の要素数が 12 ですから、6個ずつに分割します。

前半部と後半部のそれぞれをソートすれば、それらをマージするだけで、配列全体がソートできます。

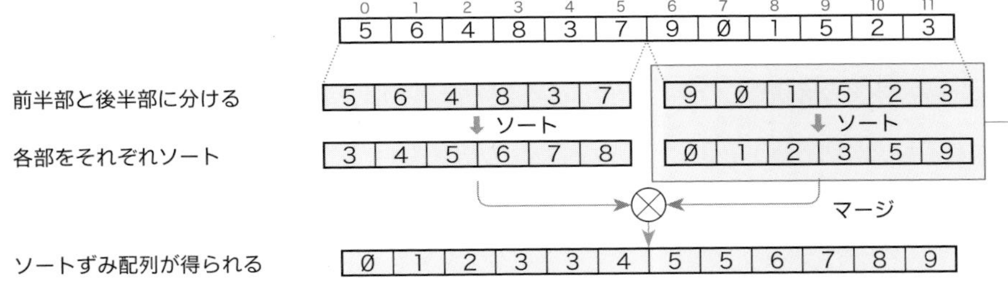

Fig.7C-1　マージソートの考え方

前半部のソートと後半部のソートも、まったく同じ手続きで行います。

たとえば、後半部 {9, 0, 1, 5, 2, 3} のソートの手続きは、**Fig.7C-2** のようになります。

この過程で新たに作られる前半部 {9, 0, 1} と後半部 {5, 2, 3} のそれぞれも、同じ手続きでソートします。

ソートずみの {0, 1, 9} と {2, 3, 5} に対して高速なマージ作業を施すと {0, 1, 2, 3, 5, 9} が得られます。

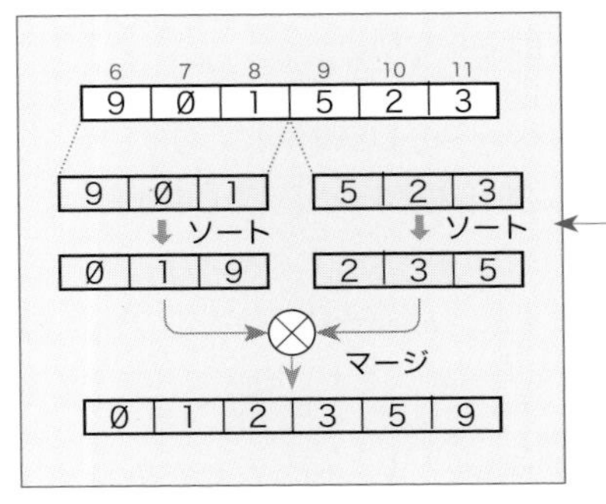

Fig.7C-2　後半部のソート

7-2 汎用ユーティリティ関数

標準のライブラリ関数の中には、関数へのポインタを有効に活用したユーティリティ関数があります。本節では、それらの関数を学習していきます。

bsearch 関数：ソートずみ配列からの探索

C言語の標準ライブラリでは、あらゆる要素型の配列からの探索が可能な **bsearch 関数**が提供されます。次に示すのが、その仕様です。

▶ この後で学習するソート用の qsort 関数とあわせて、**汎用ユーティリティ関数**と呼ばれます。

	bsearch
ヘッダ	`#include <stdlib.h>`
形　式	`void *bsearch(const void *key, const void *base, size_t nmemb, size_t size, int (*compar)(const void *, const void *));`
機　能	先頭要素を base が指している、要素数が nmemb 個で要素の大きさが size であるオブジェクトの配列から key が指すオブジェクトに一致する要素を探索する。 compar が指す比較関数は、key オブジェクトへのポインタを第１引数とし、配列要素へのポインタを第２引数として呼び出される。その関数は、key オブジェクトが配列要素より小さい／一致する／大きいとみなされると、それぞれ 0 より小さい／等しい／大きい整数を返すこと。配列は、key オブジェクトと比較して、小さい要素だけの部分、等しい要素だけの部分および大きい要素だけの部分から構成され、これら三つの部分が、この順序で存在していなければならない。
返却値	配列中の一致する要素へのポインタを返す。一致する要素がないときは、空ポインタを返す。二つの要素が等しいとき、どちらの要素と一致するかは規定されない。

関数名は**2分探索**（binary search）に由来し、次の特徴をもちます（いずれも2分探索アルゴリズムの性質ですが、具体的なアルゴリズムは処理系に任せられています）。

- **探索対象の配列は、ソートずみでなければならない。**
- **探索する値と同じ値をもつ要素が複数個存在する場合に、最も先頭の要素を見つけるとは限らない。**

右ページの **List 7-8** に示すのが、この関数を利用して探索を行うプログラム例です。昇順に並んでいる配列 x の要素の中から、読み込んだ値 ky と同じ値をもつ要素を探します。

＊

まずは、bsearch 関数を呼び出す❷に着目しましょう。高機能な関数であるため、使い方が難しくなっています。引数が5個も必要です（p.238 の **Fig.7-3** にまとめています）。

- 第１引数：**キー値**すなわち探索すべき値が格納されたオブジェクトへのポインタです。本プログラムでは、キー値は変数 ky に格納されていますので、&ky を渡しています。
- 第２引数：探索対象である配列の先頭要素へのポインタです。

7

汎用ライブラリの開発

List 7-8 chap07/bsearch_test1.c

```
// bsearch関数を利用した昇順に並んだ配列からの探索

#include <stdio.h>
#include <stdlib.h>

//--- 整数を比較する関数（昇順用）---//                    1
int int_cmp(const int *a, const int *b)
{
    if (*a < *b)
        return -1;
    else if (*a > *b)
        return 1;
    else
        return 0;
}

int main(void)
{
    int nx, ky;

    printf("要素数 : ");
    scanf("%d", &nx);
    int *x = calloc(nx, sizeof(int));    // 要素数nxのint型配列xを生成

    printf("昇順に入力せよ。\n");
    printf("x[0] : ");
    scanf("%d", &x[0]);

    for (int i = 1; i < nx; i++) {
        do {
            printf("x[%d] : ", i);
            scanf("%d", &x[i]);
        } while (x[i] < x[i - 1]);        // 一つ前の値よりも小さければ再入力
    }

    printf("探す値 : ");
    scanf("%d", &ky);

    int *p = bsearch(                                                  2
                &ky,                          // 探索値へのポインタ
                x,                            // 配列
                nx,                           // 要素数
                sizeof(int),                  // 要素の大きさ
                (int (*)(const void *, const void *))int_cmp    // 比較関数
             );

    if (p == NULL)
        puts("探索に失敗しました。");
    else
        printf("%dはx[%d]にあります。\n", ky, (int)(p - x));

    free(x);                                  // 配列xを破棄

    return 0;
}
```

実行例

```
要素数 : 8
昇順に入力せよ。
x[0] : 1
x[1] : 2
x[2] : 4
x[3] : 5
x[4] : 6
x[5] : 7
x[6] : 8
x[7] : 9
探す値 : 5
5はx[3]にあります。
```


- 第3引数：配列の要素数です。本プログラムでは **nx** です。
- 第4引数：配列の要素の大きさです。本プログラムでは、探索対象である配列 **x** の要素型が **int** 型ですから、その大きさである **sizeof(int)** を渡しています。

▶ 第5引数は次ページで学習します。

比較関数

最も複雑な形の第5引数は**関数へのポインタ**です（本プログラムで渡しているのは、❶で定義された関数 ***int_cmp*** へのポインタです）。

探索の過程では、探索するキー値と配列内の要素の値とを比較して、大小関係を判定する必要があります。ところが、大小関係の判定方法は、要素型によって異なります。

要素型は整数であるかもしれませんし、文字列や構造体であるかもしれません。そのため、二つの値を比較した結果を、次に示す値として返却する**比較関数**を利用者が用意して、その関数へのポインタを **bsearch** 関数の第5引数として渡す、という仕組みがとられています。

- 第1引数が指す値のほうが小さければ：　負の値
- 第1引数が指す値と第2引数が指す値が等しければ：　0
- 第1引数が指す値のほうが大きければ：　正の値

❶の比較関数 ***int_cmp*** の定義を再掲しています。比較対象は、次の二つです。

- 第1引数 **a** が指すオブジェクト ***a** の値
- 第2引数 ***b*** が指すオブジェクト ****b*** の値

前者が小さければ **-1** を、大きければ **1** を、等しければ **0** を返します。

```
//--- 整数を比較する関数（昇順用）---//
int int_cmp(const int *a, const int *b)
{
    if (*a < *b)
        return -1;
    else if (*a > *b)
        return 1;
    else
        return 0;
}
```

▶条件演算子 **? :** を使って書きかえると、次のように短く簡潔に実現できます。

```
//--- 条件演算子を用いた比較関数 ---//
int int_cmp(const int *a, const int *b)
{
    return *a < *b ? -1 : *a > *b ? 1 : 0;
}
```

Column 7-3　比較関数の誤った実現

比較関数は、第1引数が指す値のほうが小さければ負の値、大きければ正の値を返せばよいものであり、**-1** や **1** といった特定の値を返す必要はありません。

そのためでしょうか、次のように定義された比較関数を頻繁に見受けます。

```
//--- 高速な（？）比較関数（誤り）---//
int int_cmp(const int *a, const int *b)
{
    return *a - *b;
}
```

✕

高速かつコンパクトに実現しようという意図でしょう。しかし、減算の演算結果が **int** 型で表現できる値を超えて、オーバフローする可能性があるため、完全にNGです。

たとえば、**int** 型の表現範囲が **-32768** ～ **32767** であるとします。もし、“**30000** から **-10000** を引く” あるいは “**-20000** から **20000** を引く” といった減算を行うと、**int** 型の表現範囲に収まらないのは明らかです。

bsearch 関数の呼出し

比較関数 *int_cmp* が受け取る引数の型が const int * であるのに対し、*bsearch* 関数が受け取る比較関数の引数は const void * です。両者の型が異なるため、*bsearch* 関数の呼出しにあたっては、キャストが必要です。

本プログラムでは、次のように行っています（水色部がキャスト式です）。

```
int *p = bsearch(
            &ky,                                    // 探索値へのポインタ
            x,                                      // 配列
            nx,                                     // 要素数
            sizeof(int),                            // 要素の大きさ
            (int (*)(const void *, const void *))int_cmp     // 比較関数
        );
```

▶ 関数 *int_cmp* を次のように定義すると、呼び出し時のキャストは不要となり、単なる *int_cmp* を第5引数として渡せるようになります（"chap07/bsearch_test1a.c"）。

```
//--- キャストせずに利用できる比較関数 ---//
int int_cmp(const void *a, const void *b)
{
    if (*(int *)a < *(int *)b)
        return -1;
    else if (*(int *)a > *(int *)b)
        return 1;
    else
        return 0;
}
```

ただし、見て分かるとおり、比較関数の中がキャストだらけになります。

void * 型のポインタ a を int * 型に型変換したポインタ (int *)a に間接演算子 * を適用したのが、式 *(int *)a です。この式の値は、ポインタ a が指す領域を先頭とする int 型の値となります。

Column 7-4　ソートの安定性

ソートアルゴリズムには、**安定な**（stable）ものと、そうでないものとがあります。安定なソートのイメージを表したのが、**Fig.7C-3** です。棒の高さが点数で、棒中の 1 から 9 の数値が学籍番号です。左の図では、テストの点数が学籍番号順に並んでおり、点数をキーとしてソートしたのが右の図です。ソート後、同じ点数の学生は、学籍番号の小さいほうが前に位置し、学籍番号の大きいほうが後ろに位置しています。

このように、**同じキーをもつ要素の順序がソート前後で維持される**のが、安定なソートです。

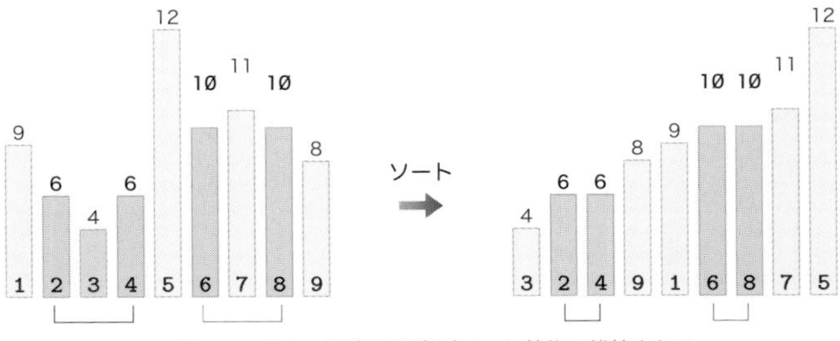

Fig.7C-3　安定なソート

bsearch 関数の返却値

bsearch 関数が返却するのは、**探索によって見つけた要素へのポインタ**です（ただし、探索に失敗したときは、空ポインタ **NULL** を返却します）。

Fig.7-3 を見ながら理解していきましょう。この図は、配列 **{1, 2, 4, 5, 6, 7, 8, 9}** から **5** を探索する例であって、返却されるのは、値が **5** である4番目の要素を指すポインタです。返却値が代入されたポインタ ***p*** は、その要素を指すことになります。

▶ すなわち、ポインタ ***p*** の指す先は、4番目の要素 ***x*[3]** となります。

見つけた要素の添字は、ポインタ *p* から、先頭要素へのポインタ *x* を引く *p* - *x* で得られます（この図の場合、***p*** - ***x*** は **3** となります）。

というのも、ポインタ **a** と ***b*** が同じ配列内の要素を指すとき、***b*** - **a** の減算を行った結果は、それらの要素の添字の差となるからです。

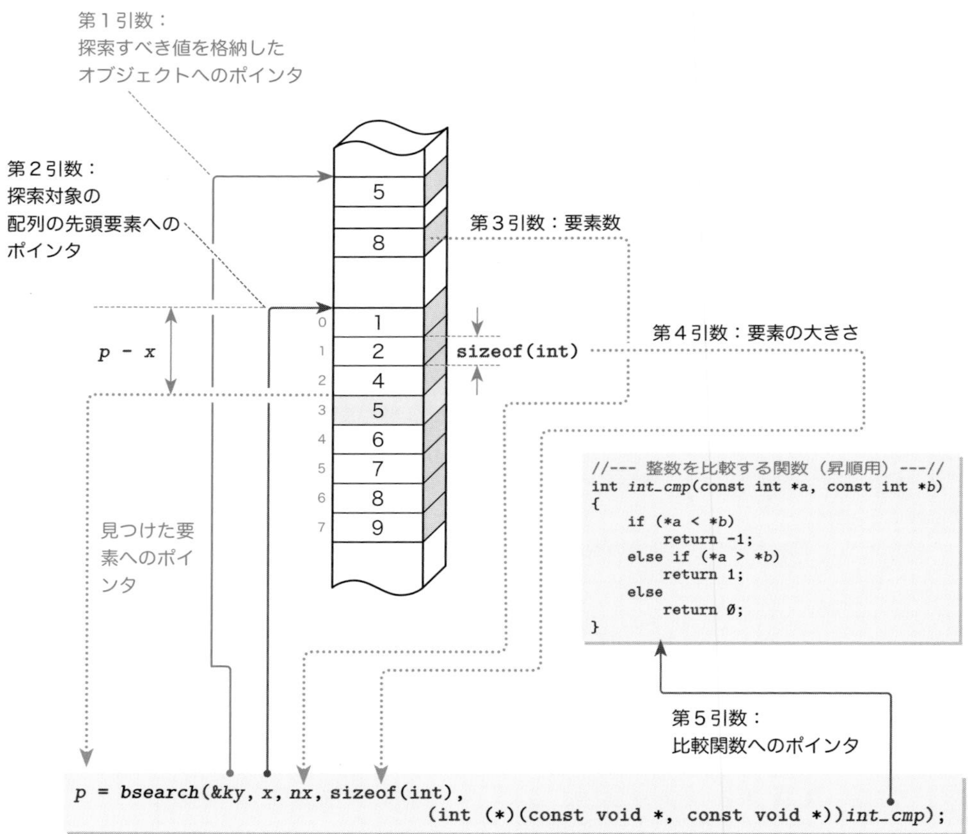

Fig.7-3　bsearch 関数による探索

昇順ではなく、降順にソートされた配列からの探索を行ってみましょう。**List 7-9** に示すのが、そのプログラム例です。

List 7-9 chap07/bsearch_test2.c

```
// bsearch関数を利用した降順に並んだ配列からの探索

#include <stdio.h>
#include <stdlib.h>

//--- 整数を比較する関数（降順用）---//
int int_cmpr(const int *a, const int *b)
{
    if (*a < *b)
        return 1;
    else if (*a > *b)
        return -1;
    else
        return 0;
}

int main(void)
{
    int nx, ky;

    printf("要素数 : ");
    scanf("%d", &nx);
    int *x = calloc(nx, sizeof(int));    // 要素数nxのint型配列xを生成

    printf("降順に入力せよ。\n");
    printf("x[0] : ");
    scanf("%d", &x[0]);

    for (int i = 1; i < nx; i++) {
        do {
            printf("x[%d] : ", i);
            scanf("%d", &x[i]);
        } while (x[i] > x[i - 1]);       // 一つ前の値よりも大きければ再入力
    }

    printf("探す値 : ");
    scanf("%d", &ky);

    int *p = bsearch(
                &ky,                                  // 探索値へのポインタ
                x,                                    // 配列
                nx,                                   // 要素数
                sizeof(int),                          // 要素の大きさ
                (int (*)(const void *, const void *))int_cmpr   // 比較関数
             );

    if (p == NULL)
        puts("探索に失敗しました。");
    else
        printf("%dはx[%d]にあります。\n", ky, (int)(p - x));
    free(x);                                  // 配列xを破棄

    return 0;
}
```

実行例

```
要素数 : 8
降順に入力せよ。
x[0] : 79
x[1] : 68
x[2] : 57
x[3] : 39
x[4] : 23
x[5] : 22
x[6] : 15
x[7] : 13
探す値 : 22
22はx[5]にあります。
```

前のプログラムと異なるのは、水色の箇所です。比較関数 ***int_cmpr*** が返却する値の符号が、昇順ソートのプログラムとは逆です。

Column 7-5　2分探索のアルゴリズム

2分探索（binary search）は、要素が昇順または降順にソート（整列）されている配列から効率よく探索を行うアルゴリズムです。

Fig.7C-4 aに示す昇順にソートされたデータの並びから、キー値 39 を探索する例で、2分探索のアルゴリズムを理解していきましょう。

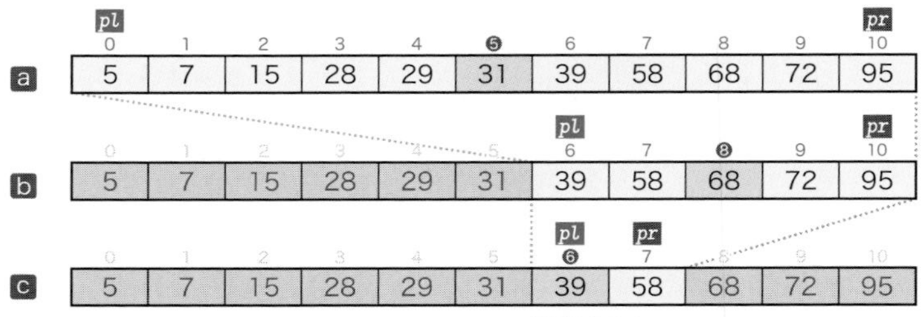

Fig.7C-4　2分探索（探索成功）

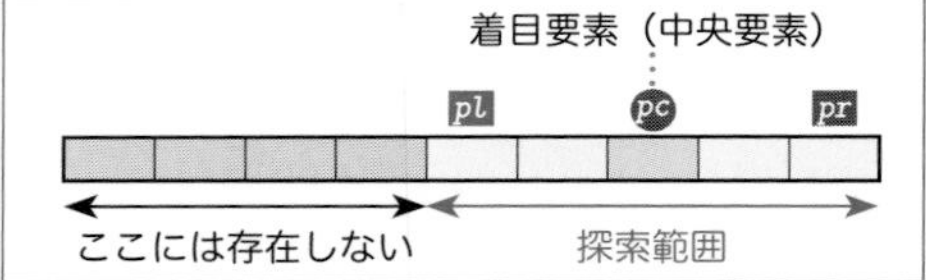

まず、配列の中央に位置する要素 a[5] に着目します。目的とする 39 は、この要素 31 よりも末尾側に存在するはずです。そこで、探索の対象を末尾側の a[6] ～ a[10] の５個に絞り込みます（図b）。

次に、絞り込まれた対象範囲の中央要素である a[8] に着目します。目的とする値 39 は、この要素 68 より先頭側に存在するはずです。そこで、探索の対象を先頭側の２個すなわち a[6] ～ a[7] に絞り込みます（図c）。

二つの要素の中央要素は、先頭側の 39 と末尾側の 58 のどちらでも構いませんが、先頭側の値である 39 に着目します（添字 6 と 7 の値の中央値 (6 + 7) / 2 は 6 となります）。着目した 39 は、目的とするキー値と一致しますので、探索成功です。

n 個の要素が昇順に並んでいる配列 a から *key* を探索するとして、このアルゴリズムを一般的に表現しましょう。探索範囲の先頭の添字を *pl*、末尾の添字を *pr*、中央の添字を *pc* と表すことにします。探索開始時の *pl* は 0、*pr* は *n* - 1、*pc* は (*n* - 1) / 2 です。これが図aに示していた状態です。

a[*pc*] と *key* を比較して、等しければ探索成功です（図c）が、そうでなければ探索範囲を次のように縮小します。

- a[*pc*] < *key* のとき
  a[*pl*] ～ a[*pc*] は *key* よりも小さいことが明らかです。
  探索範囲は中央要素より後方の a[*pc* + 1] ～ a[*pr*] に絞り込めます。
  そのために、*pl* の値を *pc* + 1 に更新します（図a⇨図b）。

- a[*pc*] > *key* のとき
  a[*pc*] ～ a[*pr*] は *key* よりも大きいことが明らかです。
  探索範囲は中央要素より前方の a[*pl*] ～ a[*pc* - 1] に絞り込めます。
  そのために、*pr* の値を *pc* - 1 に更新します（図b⇨図c）。

探索範囲は、比較のたびに（ほぼ）半分に絞り込まれていきます。また、一つずつ着目要素をずらしていく線形探索とは異なり、●で示す着目要素（探索対象の中央要素）は一気に移動します。

アルゴリズムの終了条件は、次に示す条件①と②のいずれか一方が成立することです。

1. a[*pc*] と *key* が一致した。
2. 探索範囲がなくなった。

左ページの **Fig.7C-4** に示したのは、条件①が成立して、探索に成功する例でした。

条件②が成立して、探索に失敗する具体例も考えてみましょう。同じ配列から 6 を探索する様子を **Fig.7C-5** に示します。

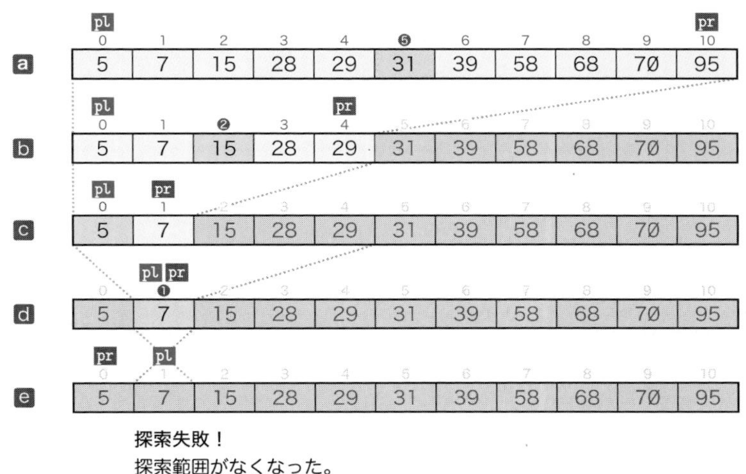

Fig.7C-5　2分探索（探索失敗）

a 探索すべき範囲は配列全体すなわち a[0] ～ a[10] であり、中央要素 a[5] の値は 31 です。これは *key* の値 6 より大きいため、探索すべき範囲を先頭から a[5] の直前の要素まで、すなわち a[0] ～ a[4] に絞り込みます。

b 縮小された範囲の中央要素 a[2] の値は 15 です。これは *key* の値 6 より大きいため、探索すべき範囲を a[2] の直前の要素まで、すなわち a[0] ～ a[1] に絞り込みます。

c 縮小された範囲の中央要素 a[0] の値は 5 です。これは *key* の値 6 より小さいため、*pl* を *pc* + 1 すなわち 1 に更新します。そうすると、*pl* と *pr* は 1 になります。

d 縮小された範囲の中央要素 a[1] の値は 7 です。これは *key* の値 6 より大きいため、*pr* を *pc* - 1 すなわち 0 に更新します。そうすると、*pl* が *pr* よりも大きくなって探索範囲がなくなって終了条件② が成立しますので、探索に失敗します。

繰返しのたびに探索範囲が（ほぼ）半分になるため、必要となる比較回数の平均は log *n* です。なお、探索に失敗した場合は ⌈log(*n* + 1)⌉ 回、探索に成功した場合は約 log *n* - 1 回となります。

▶ ⌈*x*⌉ は、*x* の**天井関数**（ceiling function）であり、*x* 以上の最小の整数を表します。たとえば、⌈3.5⌉ は 4 です。

qsort 関数：配列のソート

C言語の標準ライブラリでは、ソートを行うための **qsort 関数**が提供されます。

	qsort
ヘッダ	`#include <stdlib.h>`
形　式	`void qsort(void *base, size_t nmemb, size_t size, int (*compar)(const void *, const void *));`
機　能	先頭要素を *base* が指している、要素数が *nmemb* 個で要素の大きさが *size* であるオブジェクトの配列を、*compar* が指す比較関数にしたがって整列する。 比較されるオブジェクトを指す二つの実引数を渡されて呼び出される比較関数は、第１引数が第２引数より小さい／等しい／大きいとみなされるとき、それぞれ 0 より小さい／等しい／大きい整数を返すこと。 二つの要素が等しいとき、整列された配列内でのそれらの順序は規定されない。

先ほど学習した **bsearch** 関数と同様に、**int** 型や **double** 型などの基本型の配列だけでなく、構造体型の配列など、あらゆる型の配列に適用できるのが特徴です。

関数名の **qsort** は、『クイックソート』に由来しますが、そのアルゴリズムが使われる保証はなく、処理系まかせです。ソートが安定であるとは限らないことに注意しましょう。

▶ クイックソート以外のアルゴリズムを利用して安定なソート（**Column 7-4**: p.237）を行う処理系があるかもしれませんが、それに依存したプログラムは可搬性に欠けたものとなってしまいます。

＊

この関数が受け取る引数は４個であり、それらは **bsearch** 関数の第２引数～第５引数に対応します。すなわち、先頭から順に、配列の先頭要素へのポインタ、要素数、要素の大きさ、比較関数へのポインタです（**Fig.7-3**：p.238）。

▶ **bsearch** 関数の第１引数は、探索すべきキー値へのポインタです。**qsort** 関数には、この引数に相当するものが欠けています。

比較関数は、次の値を返却する関数として、ユーザ自身が用意します。

- 第１引数が指す値のほうが小さければ：　　負の値
- 第１引数が指す値と第２引数が指す値が等しければ：　0
- 第１引数が指す値のほうが大きければ：　　正の値

この点も、**bsearch** 関数に与える比較関数と同じ仕様です。

＊

右ページの **List 7-10** が、**qsort** 関数を利用してソートを行うプログラム例です。

int 型配列の各要素に値を読み込んで、昇順にソートした上で出力します。比較関数 **int_cmp** は、**bsearch** 関数で探索を行う **List 7-8**（p.235）のものと同じです。

▶ **List 7-9**（p.239）の関数 **int_cmpr** を比較関数として与えれば、降順ソートが行えます（"chap07/qsort_test2.c"）。

List 7-10 chap07/qsort_test1.c

```
// qsort関数を利用して整数配列の要素を値の昇順にソート

#include <stdio.h>
#include <stdlib.h>

//--- int型の比較関数（昇順ソート用）---//
int int_cmp(const int *a, const int *b)
{
    if (*a < *b)
        return -1;
    else if (*a > *b)
        return 1;
    else
        return 0;
}

int main(void)
{
    int nx;

    printf("qsortによるソート\n");
    printf("要素数 : ");
    scanf("%d", &nx);
    int *x = calloc(nx, sizeof(int));    // 要素数nxのint型配列xを生成

    for (int i = 0; i < nx; i++) {
        printf("x[%d] : ", i);
        scanf("%d", &x[i]);
    }

    qsort(x,                                                  // 配列
          nx,                                                 // 要素数
          sizeof(int),                                        // 要素の大きさ
          (int (*)(const void *, const void *))int_cmp        // 比較関数
         );

    puts("昇順にソートしました。");
    for (int i = 0; i < nx; i++)
        printf("x[%d] = %d\n", i, x[i]);

    free(x);                                 // 配列xを破棄

    return 0;
}
```

実行例

```
qsortによるソート
要素数 : 7
x[0] : 6
x[1] : 4
x[2] : 3
x[3] : 7
x[4] : 1
x[5] : 9
x[6] : 8
昇順にソートしました。
x[0] = 1
x[1] = 3
x[2] = 4
x[3] = 6
x[4] = 7
x[5] = 8
x[6] = 9
```


Column 7-6 代表的なソートアルゴリズムの安定性

ソートアルゴリズムの安定性について **Column 7-4**（p.237）で学習しました。ソートを行うプログラムを作る際は、使うアルゴリズムが安定であるか、そうでないかを知っておく必要があります。

- 安定なソート

単純交換ソート（バブルソート）、単純挿入ソート、マージソート

- 安定でないソート

単純選択ソート、２分挿入ソート、シェルソート、クイックソート

基本的には、高速なソートは安定ではありません。

Column 7-7 クイックソートのアルゴリズム

クイックソート（quick sort）は、最も高速なソートのアルゴリズムの一つとして知られ広く利用されています。**素早いソート**という名称は、その高速性が劇的であったために考案者のC. A. R. Hoare氏自身によって与えられたものです。

配列内のどれか一つの要素に着目します。これを**枢軸**（pivot）と呼びます。そして、枢軸以下のグループと、枢軸以上のグループに分割する作業を繰り返すことによってソートを行います。

Fig.7C-6 aに示している要素数9の配列aから枢軸として6を選んで分割を行っていきましょう。ここでは、枢軸を*x*とし、配列両端の要素の添字である*pl*を左カーソル、*pr*を右カーソルと呼ぶことにします。

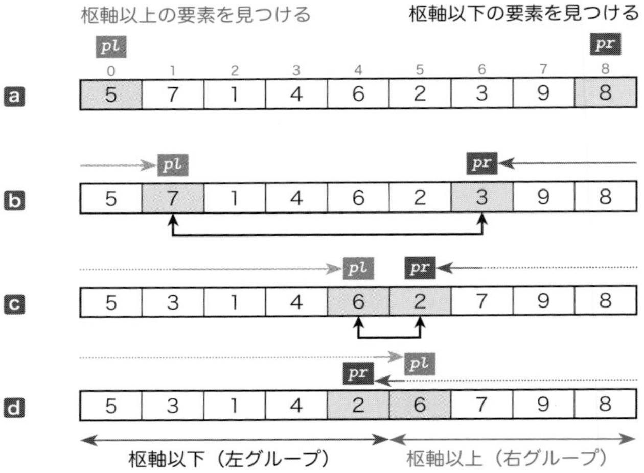

Fig.7C-6 枢軸による配列の分割（その１）

分割の際は、枢軸*x*以下の要素を左（先頭）側に移動して、枢軸*x*以上の要素を配列の右（末尾）側に移動します。そのために、まず次のことを行います。

- `a[pl] >= x`が成立する要素が見つかるまで*pl*を右方向へ走査する。
- `a[pr] <= x`が成立する要素が見つかるまで*pr*を左方向へ走査する。

走査を行うと、*pl*と*pr*は図bの位置でストップします。左カーソルは枢軸以上の要素に位置して、右カーソルは枢軸以下の要素に位置しています。

ここで、左右のカーソルが位置する要素`a[pl]`と`a[pr]`の値を交換します。その結果、枢軸以下の値が左側に移動して、枢軸以上の値が右側に移動します。

再び走査を続けると、左右のカーソルは図cの位置でストップします。そこで、これら二つの要素`a[pl]`と`a[pr]`の値を交換します。

さらに走査を続けようとすると、図dのようにカーソルが交差します。

これで分割は完了です。配列は、次のようにグループ分けされています（*n*は要素数）。

- 枢軸以下のグループ　…　`a[0], … , a[pl - 1]`
- 枢軸以上のグループ　…　`a[pr + 1], …, a[n - 1]`

なお、*pl* > *pr* + 1のときに限り、次のグループができます。

- 枢軸と一致するグループ　…　`a[pr + 1], … , a[pl - 1]`

左ページの **Fig.7C-6** は、枢軸と一致するグループが生成されない例でした。

枢軸と一致するグループが生成される例を **Fig.7C-7** に示します。図**a**が最初の状態であり、枢軸の値は **5** です。

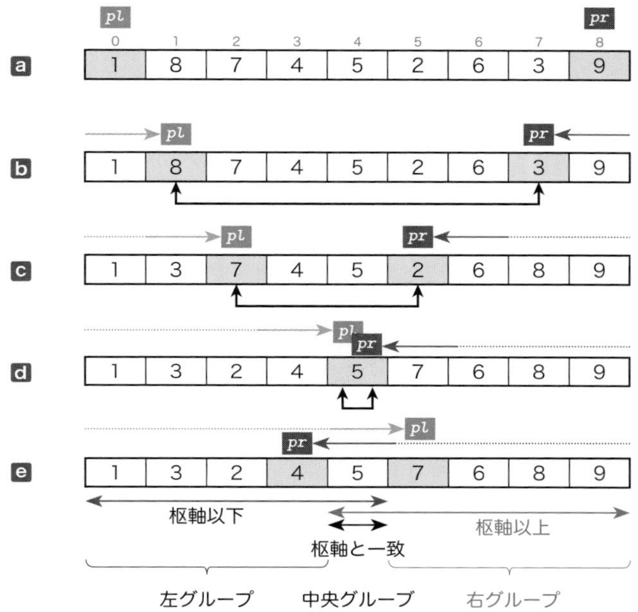

Fig.7C-7　枢軸による配列の分割（その２）

図**b**・図**c**・図**d**が示すのは、左カーソル／右カーソルが、枢軸以上／枢軸以下の要素を見つけてストップした状態です。

３回目にストップした図**d**では、*pl* と *pr* が同じ要素上に位置しています。このとき、同一要素である `a[4]` と `a[4]` を交換します。

『同一要素の交換』は無駄と感じられるでしょうが、最大で１回しか行われません。ちなみに、同一要素の交換の回避のためには、要素の交換を行おうとするたびに“*pl* と *pr* が同じ値かどうか”をチェックする必要があります。そのようなチェックを毎回行うよりも、高々１回しか行われない『同一要素の交換』を行ったほうが、コストは低くなるのが一般的です。

走査を続けようとすると、*pl* と *pr* が交差するため分割は終了します（図**e**）。

＊

いったん配列の分割が完了すると、二つの部分に対して同じ手続きを適用して再分割を行います。ただし、分割によって作られたグループの要素数が **1** になったら、それ以上分割する必要はありません。

そこで、次の手順にしたがって、再分割を行います。

- *pr* が先頭より右側に位置する（*left* < *pr*）のであれば、左グループを分割する。
- *pl* が末尾より左側に位置する（*pl* < *right*）のであれば、右グループを分割する。

なお、中央グループ（`a[pr + 1]` ～ `a[pl - 1]`）ができた場合は、その部分は分割の対象から外します（分割の必要がないからです）。

7-3 汎用ユーティリティ関数の開発

前節で学習したbsearch関数とqsort関数は、利用可能な局面が限られます。不足部分を補うために、汎用ユーティリティ関数を開発します。

ssearch関数：線形探索

まず最初に作成するのは、**線形探索**を行う関数です。線形探索のアルゴリズムには、次の特徴があります。

- 探索の対象となる配列は、ソートずみでなくてもよい。
- キー値と同じ値をもつ要素が複数個存在する場合は、最も先頭の要素を見つける。
- 2分探索に比べると効率が悪い（探索に時間がかかる）。

汎用の線形探索を実現した *ssearch* 関数を **List 7-11** に示します。

List 7-11 chap07/ssearch.c

```
// 汎用線形探索関数

#include <stdlib.h>

// baseが指す要素の大きさがsizeで要素数がnmembの配列からkeyと一致する要素を
// 比較関数comparを用いて線形探索
void *ssearch(const void *key, const void *base, size_t nmemb, size_t size,
              int (*compar)(const void *, const void *))
{
    char *x = (char *)base;

    for (size_t i = 0; i < nmemb; i++)
        if (!compar(key, (const void *)&x[i * size]))
            return &x[i * size];          // 探索成功
    return NULL;                          // 探索失敗
}
```

キー値と着目要素の等価性を判定

引数の並びと返却値型は、前節で学習した *bsearch* 関数と同じです。

	ssearch
形　式	void *ssearch(const void *key, const void *base, size_t nmemb, size_t size, int (*compar)(const void *, const void *))
機　能	先頭要素を base が指している、要素数が nmemb 個で要素の大きさが size であるオブジェクトの配列から key が指すオブジェクトに一致する最も先頭の要素を探索する。 なお、compar が指す比較関数は、bsearch 関数と同じ仕様とする。
返却値	配列中の一致する要素へのポインタを返す。一致する要素がないときは、空ポインタを返す。二つの要素が等しいとき、先頭側の要素と一致する。

さて、本関数のツボは、**void** へのポインタ型の仮引数 *base* に受け取った値を、型変換した上で **char** へのポインタ型の変数 *x* に入れていることです。

▶ void * 型ポインタには、添字演算子 [ ] や間接演算子 * を適用できないからです。

char 型は1バイトですから、char へのポインタ型の x が先頭を指す領域の各バイトのアドレスは、&x[0]、&x[1]、… の添字式で表せます（Fig.7-4 a）。

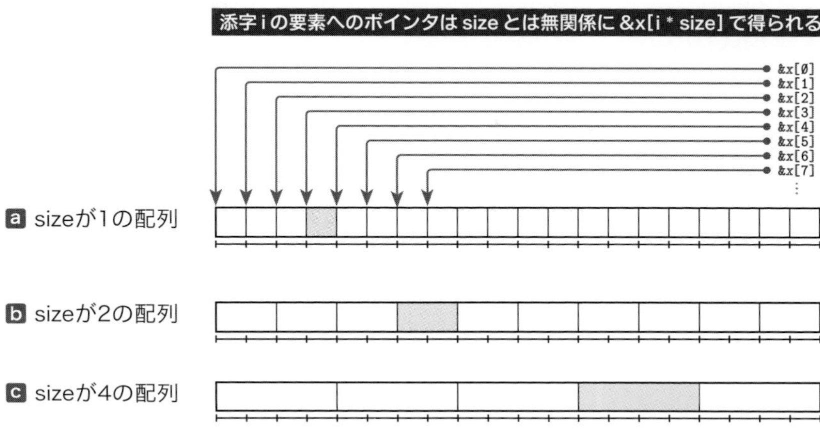

Fig.7-4　char * 型ポインタによる配列要素のアクセス

ただし、探索の対象の要素の大きさは第3引数で指定された *size* バイトです（1バイトとは限りません）。プログラムの水色部では、要素の大きさが *size* バイトの配列の、添字が *i* の要素へのポインタを、式 &x[*i* * *size*] で表しています。

この式で要素をアクセスできることを、図で確認しましょう。図aは *size* が 1、図bは *size* が 2、図cは *size* が 4 の配列です。図中水色で示しているのは、添字 3 の要素であり、それぞれ次のように格納されています。

- 図a　&x[3] を先頭にした 1 バイトの記憶域に格納される。
- 図b　&x[6] を先頭にした 2 バイトの記憶域に格納される。
- 図c　&x[12] を先頭にした 4 バイトの記憶域に格納される。

さて、プログラムの水色部の compar(key, (const void *)&x[*i* * *size*]) は、比較関数を呼び出して、次の二つの値の等価性を判定しています。

- 探索すべきキー値（*key* が指すオブジェクトの値）
- 着目要素すなわち添字 *i* の要素（&x[*i* * *size*] が指すオブジェクトの値）

比較関数が返す値が 0 であれば、探索成功です。

▶　比較関数の返却値が 0 であるかどうかのみを判定に利用しますので、正であるのか／負であるのかといった区別は無視します。

bsearchx 関数：拡張された２分探索関数

標準ライブラリの **bsearch** は、探索すべきキーと同じ値の要素が複数存在するケースにおいて、どの要素を見つけるのかが不定です。同じ値の並びの先頭の位置を調べられるように**拡張した２分探索アルゴリズム**に基づく **bsearchx** 関数を作りましょう。当然、仮引数の並びと返却値型は **bsearch** 関数と揃えます。

	bsearchx
形　式	`void *bsearchx(const void *key, const void *base, size_t nmemb, size_t size, int (*compar)(const void *, const void *));`
機　能	先頭要素を base が指している、要素数が nmemb 個で要素の大きさが size であるオブジェクトの配列から key が指すオブジェクトに一致する最も先頭の要素を探索する。 なお、compar が指す比較関数は、bsearch 関数と同じ仕様とする。
返却値	配列中の一致する要素へのポインタを返す。一致する要素がないときは、空ポインタを返す。二つの要素が等しいとき、先頭側の要素と一致する。

List 7-12 に示すのが、関数 **bsearchx** のプログラムです。

List 7-12 chap07/bsearchx.c

```
// 汎用２分探索関数（bsearch関数を拡張）

#include <stdlib.h>

// baseが指す要素の大きさがsizeで要素数がnmembの配列からkeyと一致する要素を
// 比較関数comparを用いて２分探索
// ※ keyと等しい要素が複数存在する場合は最も先頭の要素を探す
void *bsearchx(const void *key, const void *base, size_t nmemb, size_t size,
               int (*compar)(const void *, const void *))
{
    if (nmemb > 0) {
        char *x = (char *)base;
        size_t pl = 0;                      // 探索範囲先頭の添字
        size_t pr = nmemb - 1;              // 探索範囲末尾の添字

        while (1) {
            size_t pc = (pl + pr) / 2;      // 探索範囲中央の添字

            int comp = compar(key, (const void *)&x[pc * size]);

            if (comp == 0) {                // 探索成功
                for ( ; pc > pl; pc--)      // keyと等しい先頭の要素を探す
                    if (compar((const void *)&x[(pc - 1) * size], key))
                        break;
                return &x[pc * size];
            } else if (pl == pr)            // 探索範囲がなくなった
                break;
            else if (comp > 0)
                pl = pc + 1;                // 探索範囲を後半に絞り込む
            else
                pr = pc - 1;                // 探索範囲を前半に絞り込む
        }
    }
    return NULL;                            // 探索失敗
}
```

本関数による探索の概要を **Fig.7-5** に示しています。

まず、通常の2分探索のアルゴリズムに基づいて、いったん **7** を見つけます（図**b**）。

その後、同じ値が存在する限り、配列の前方へ向かって要素を走査しながら、先頭の **7** の位置を見つけます（図**c**・**d**）。

▶ プログラムの水色部を削除すると、通常の2分探索アルゴリズムとなります（図**b**で **7** を見つけた段階で、探索を終了します）。

なお、本プログラムでは、探索範囲を絞り込む（左右のカーソルである ***pl*** と ***pr*** の更新を行う）作業に先立って、探索範囲がなくなったかどうかの判定を `if (pl == pr)` によって行っています。

符号無し整数である ***pr*** に **-1** が代入されることで誤った処理が行われるのを避けるためです。

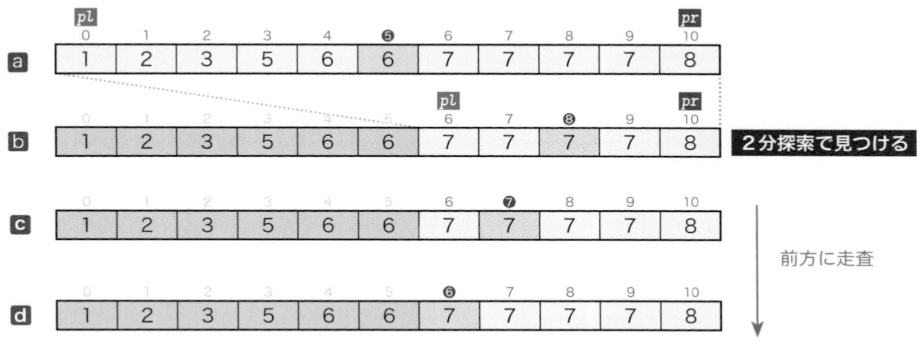

Fig.7-5　bsearchx 関数による探索例

msort 関数：安定なソート

安定なソート（**Column 7-4**：p.237）が必要とされる局面では、標準ライブラリの ***qsort*** 関数は使いものになりません。安定なソートを行う汎用ライブラリ ***msort*** を関数を作りましょう。もちろん、返却値型と引数の並びは ***qsort*** 関数と揃えます。

	msort
形　式	`void msort(void *base, size_t nmemb, size_t size,` `           int (*compar)(const void *, const void *));`
機　能	先頭要素を *base* が指している、要素数が *nmemb* 個で要素の大きさが *size* であるオブジェクトの配列を、*compar* が指す比較関数にしたがって整列する。 なお、*compar* が指す比較関数は、***bsearch*** 関数と同じ仕様とする。 安定なソートを行うため、二つの要素が等しいとき、整列された配列内でのそれらの順序は保たれる。

次ページの **List 7-13** にプログラムを示します。使っているアルゴリズムは、安定なソートを比較的高速に行える**マージソート**（**Column 7-2**：p.233）です。

List 7-13 chap07/msort.c

```
// 汎用ソート関数（マージソートによる安定なソート）

// baseが指す要素の大きさがsizeで要素数がnmembの配列を
// 比較関数comparを用いて安定にソート
#include <stdlib.h>
#include <string.h>
#include <lib/swap.h>

#define INSERTIONSORT_THRESHOLD     7       // この要素数未満は挿入ソート

//--- xとyが指すnバイトの領域を交換 ---//
static void memswap(void *x, void *y, size_t n)
{
    unsigned char *a = (unsigned char *)x;
    unsigned char *b = (unsigned char *)y;

    for ( ; n--; a++, b++)
        swap(unsigned char, *a, *b);
}

static size_t __sz;                                     // 要素の大きさ
static int (*__comp)(const void *, const void *);     // 比較関数

//--- 要素a[idx]をアクセス ---//
#define E(a, idx)                   ((void *)&a[(idx) * __sz])

//--- 要素a[idx1]と要素a[idx2]を比較 ---//
#define comp(a, idx1, idx2)         __comp(E(a, idx1), E(a, idx2))

//--- 要素a[idx1]と要素a[idx2]を交換 ---//
#define swap_elem(a, idx1, idx2)    memswap(E(a, idx1), E(a, idx2), __sz)

//--- マージソート ---//
static void merge_sort(char *src, char *dest, int low, int high, int off)
{
    int length = high - low;

    if (length < INSERTIONSORT_THRESHOLD) {      // 要素数が小さい部分配列に
        for (int i = low; i < high; i++)         // 対しては挿入ソートを適用
            for (int j = i; j > low && comp(dest, j - 1, j) > 0; j--)
                swap_elem(dest, j, j - 1);
        return;
    } else {
        int dest_low  = low;
        int dest_high = high;

        low  += off;
        high += off;
        int mid = (low + high) / 2;

        merge_sort(dest, src, low, mid,  -off);
        merge_sort(dest, src, mid, high, -off);

        if (comp(src, mid - 1, mid) <= 0) {
            memcpy(dest + dest_low * __sz, src + low * __sz, length * __sz);
            return;
        }

        for (int i = dest_low, p = low, q = mid; i < dest_high; i++) {
            if (q >= high || p < mid && comp(src, p, q) <= 0)
                memcpy(E(dest, i), E(src, p++), __sz);
            else
                memcpy(E(dest, i), E(src, q++), __sz);
```

```
        }
    }
}

//--- sizeバイト×nmemb個の配列baseを比較関数comparを用いてマージソート ---//
void msort(void *base, size_t nmemb, size_t size,
           int (*compar)(const void *, const void *))
{
    char *p = calloc(nmemb, size);          // バッファを確保
    __sz = size;
    __comp = compar;

    if (p == NULL) {                        // 確保に失敗したら挿入ソート
        char *x = (char *)base;
        for (size_t i = 1; i < nmemb; i++)
            for (size_t j = i; j > 0 && comp(x, j - 1, j) > 0; j--)
                swap_elem(x, j, j - 1);
    } else {
        memcpy(p, base, nmemb * size);      // 配列をバッファにコピー
        merge_sort(p, base, 0, nmemb, 0);   // マージソート
        free(p);
    }
}
```

▶ 本プログラムでは、第1章のp.15で作成した"swap.h"を`#include <lib/swap.h>`によってインクルードしています（ライブラリ用ディレクトリへのコピーが必要です）。

プログラムのツボとなるのが、関数`memswap`です。**Fig.7-6**に示すように、ポインタ`x`が先頭を指す`n`バイトの領域の内容と、ポインタ`y`が先頭を指す`n`バイトの領域の内容をそっくり交換します。

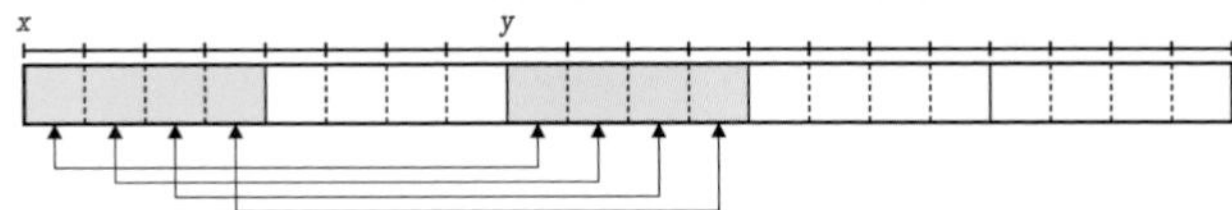

Fig.7-6　関数memswapの働き

▶ プログラムでは、3個の関数形式マクロが定義されています。

`E(a, idx)`	配列の要素`a[idx]`に相当するバイト位置へのポインタを生成します。
`comp(a, idx1, idx2)`	配列の要素`a[idx1]`と`a[idx2]`の値を比較関数で比較します。
`swap_elem(a, idx1, idx2)`	配列の要素`a[idx1]`と`a[idx2]`の値を交換します。

is_sorted関数：ソートずみであるかどうかの判定

探索とソートの他に、配列がソートずみであるかどうかの判定を行う関数が必要です。そのための`is_sorted`関数を作りましょう。

▶ 2分探索を行う際は、配列がソートずみであるかどうかを知る必要がありますし、配列がソートずみであることが分かれば、ソートを行う必要がないと判定できます。

	is_sorted
形　式	int *is_sorted*(const void **base*, size_t *nmemb*, size_t *size*, 　　　　　　　int (**compar*)(const void *, const void *));
機　能	先頭要素を *base* が指している、要素数が *nmemb* 個で要素の大きさが *size* であるオブジェクトの配列がソートずみであるかどうかを調べる。 なお、*compar* が指す比較関数は、**bsearch** 関数と同じ仕様とする。
返却値	ソートずみであれば 1 を、そうでなければ 0 を返す。

is_sorted 関数のプログラムを **List 7-14** に示します。

List 7-14 chap07/is_sorted.c

```
// ソートずみであるかの判定

#include <stdlib.h>

// baseが指す要素の大きさがsizeで要素数がnmembの配列が比較関数comparを用いて
// ソートずみであるかを判定
int is_sorted(const void *base, size_t nmemb, size_t size,
              int (*compar)(const void *, const void *))
{
    char *x = (char *)base;
    for (size_t i = 0; i < nmemb - 1; i++)
        if (compar((const void *)&x[i * size], (const void *)&x[(i + 1) * size]) > 0)
            return 0;       // ソートずみではない
    return 1;               // ソートずみ
}
```


基本ユーティリティ関数

標準ライブラリのユーティリティ関数と、本章で開発したユーティリティ関数を合わせることで、実用的なプログラミング開発で必要な最低限のライブラリが揃います。

その一覧を **Table 7-1** に示しています。なお、これら6個の関数を、これ以降**基本ユーティリティ関数**と呼びます。

Table 7-1　基本ユーティリティ関数の一覧

ssearch	線形探索	探索対象の配列はソートされていなくてもよい：低速
bsearch	2分探索	探索対象の配列はソートされていなければならない：高速
bsearchx	2分探索	*bsearch* と同様：同一キー値の要素が複数存在すれば先頭要素を見つける
qsort	クイックソート	非安定（同一キー値の要素の順序が保たれない）
msort	マージソート	安　定（同一キー値の要素の順序が保たれる）
is_sorted	ソートずみであるかどうかの判定	

※ 水色行の関数は <stdlib.h> ヘッダで提供される標準ライブラリ

基本ユーティリティ関数用のヘッダを **List 7-15** に示します。

▶ 各種の設定を行って、#include <lib/utility.h> のみで利用できるようにしましょう。

List 7-15 chap07/utility.h

```
// <lib/utility.h> 基本ユーティリティ

#ifndef __LIB_UTILITY
#define __LIB_UTILITY

// bsearch関数とqsort関数は標準ライブラリ<stdlib.h>
#include <stdlib.h>

// 線形探索
void *ssearch(const void *key, const void *base, size_t nmemb, size_t size,
              int (*compar)(const void *, const void *));

// 拡張２分探索
void *bsearchx(const void *key, const void *base, size_t nmemb, size_t size,
               int (*compar)(const void *, const void *));

// マージソート（安定なソート）
void msort(void *base, size_t nmemb, size_t size,
           int (*compar)(const void *, const void *));

// ソートずみであるかどうかの判定
int is_sorted(const void *base, size_t nmemb, size_t size,
              int (*compar)(const void *, const void *));

#endif
```

▶ 本ヘッダには `<stdlib.h>` ヘッダをインクルードする宣言が置かれています。そのため、たとえユーザのプログラムに `<stdlib.h>` ヘッダのインクルードが欠如していても、６個の基本ユーティリティのすべての関数原型宣言を取り入れられる仕組みとなっています。

なお、本節で作成したライブラリを利用するプログラムは、次節で作成します。

Column 7-8 restrictポインタ

標準ライブラリ関数（*strcpy* 関数などの文字列関連や *fopen* 関数などのファイル関連の関数）が受け取るポインタ型の引数の一部は、**restrict 型修飾子**付きで宣言されています。

ポインタを restrict 付きで宣言することによって、そのポインタによって指されるオブジェクトが、そのポインタを通じてのみアクセスされることを、コンパイラに伝えることができます（別のポインタを通じてアクセスされないことが保証されることから、コンパイラが最適化を行って高速なコードを生成できるようになります）。

7-4 ユーティリティ関数の応用

本節では、基本ユーティリティ関数を補う文字列の配列用ライブラリの開発と、基本ユーティリティ関数の構造体の配列への応用を学習します。

文字列の配列からの探索とソートを行うユーティリティ

本節の最初に考えるのは、『文字列の配列』からの探索とソートです。基本ユーティリティ関数を呼び出すことで実現できるものの、キャストを含めた引数の設定や比較関数の準備など、面倒な点があります。

簡単に呼び出せるようにライブラリ化したのが、右ページの **List 7-16** です。関数形式マクロを提供するヘッダとして実現されています（インクルードだけで利用できます）。

▶ 関数（比較関数）も含まれていますが、内部結合が与えられた下請け的な位置付けのものです。

2次元配列版の文字列の配列用ユーティリティ

ライブラリの前半は、**2次元配列**版の**文字列の配列**用ユーティリティです。

▶ 2次元配列版の文字列の配列は、列数（各文字列に割り当てられたバイト数）が固定であって、全構成要素が連続した記憶域に格納されています。

- マクロ名は、対応する基本ユーティリティ関数の名前の前に ***str_*** を置いた形式です（降順ソートを行うマクロ名は、末尾に ***r*** が置かれています）。
- 先頭側の引数は、次のとおりです。

  探索：　第1引数 ***s***：探索する文字列
  　　　　第2引数 ***p***：探索対象の配列（の先頭要素）へのポインタ

  ソート：第1引数 ***p***：ソート対象の配列（の先頭要素）へのポインタ
- 末尾側の引数 ***n1*** と ***n2*** は、行数（文字列の個数）と、列数（各文字列のナル文字を含めた最大長）です。

探索と昇順ソートでは、標準ライブラリ ***strcmp*** が比較関数として利用され、降順ソートでは、水色部で定義された関数 ***strrcmp*** が比較関数として利用されます。

▶ 関数 ***strrcmp*** は、**inline** 付きで定義されているため高速なコードとなることが期待できます。
　また、**static** によって内部結合が与えられていますので、関数名 ***strrcmp*** は、このヘッダをインクルードしたソースファイルのみに通用する**内部名**となります（**inline** 関数には自動的に内部結合が与えられるため **static** は不要です。ただし、標準Cの第2版に対応していないコンパイラであれば、**inline** が使えないため、**static** の指定が欠かせません）。
　以下に、呼出しコードの一例を示します（探索する文字列を ***key*** とします）。

```
char s[][5]= {
    "FBI", "KGB", "RGB", "CYMK"
};
str_ssearch(key, s, 4, 5);        // 4行5列の配列sから文字列keyを探索
str_msort(s, 4, 5);               // 4行5列の配列を安定にソート
```

List 7-16 [A]　　chap07/strutility.h

```
// <lib/strutility.h> 文字列ユーティリティ

#ifndef __LIB_STRUTILITY
#define __LIB_STRUTILITY

// 文字列の配列（n1×n2の２次元配列）p用のユーティリティ

#include <string.h>
#include <lib/utility.h>

//--- s1とs2が指す文字列の比較関数（降順用：s1 > s2）---//
inline static int strrcmp(const void *s1, const void *s2)
{
    int cmp = strcmp((const char *)s1, (const char *)s2);
    return (cmp < 0) ? 1 : (cmp == 0) ? 0 : -1;
}

//--- pからsと一致する文字列を線形探索 ---//
#define str_ssearch(s, p, n1, n2)                                              \
            ssearch((const void *)s, (const void *)p, (size_t)n1, (size_t)n2,  \
                    (int(*)(const void *, const void *))strcmp)

//--- pからsと一致する文字列を２分探索 ---//
#define str_bsearch(s, p, n1, n2)                                              \
            bsearch((const void *)s, (const void *)p, (size_t)n1, (size_t)n2,  \
                    (int(*)(const void *, const void *))strcmp)

//--- pからsと一致する文字列を２分探索（先頭要素）---//
#define str_bsearchx(s, p, n1, n2)                                             \
            bsearchx((const void *)s, (const void *)p, (size_t)n1, (size_t)n2, \
                    (int(*)(const void *, const void *))strcmp)

//--- pを昇順にソート（非安定）---//
#define str_qsort(p, n1, n2)                                \
            qsort((const void *)p, (size_t)n1, (size_t)n2,  \
                    (int(*)(const void *, const void *))strcmp)

//--- pを降順にソート（非安定）---//
#define str_qsortr(p, n1, n2)                               \
            qsort((const void *)p, (size_t)n1, (size_t)n2,  \
                    (int(*)(const void *, const void *))strrcmp)

//--- pを昇順にソート（安定）---//
#define str_msort(p, n1, n2)                                \
            msort((const void *)p, (size_t)n1, (size_t)n2,  \
                    (int(*)(const void *, const void *))strcmp)

//--- pを降順にソート（安定）---//
#define str_msortr(p, n1, n2)                               \
            msort((const void *)p, (size_t)n1, (size_t)n2,  \
                    (int(*)(const void *, const void *))strrcmp)

//--- pは昇順にソートずみか ---//
#define str_is_sorted(p, n1, n2)                                \
            is_sorted((const void *)p, (size_t)n1, (size_t)n2,  \
                        (int(*)(const void *, const void *))strcmp)

//--- pは降順にソートずみか ---//
#define str_is_sortedr(p, n1, n2)                               \
            is_sorted((const void *)p, (size_t)n1, (size_t)n2,  \
                        (int(*)(const void *, const void *))strrcmp)
```

➡

ポインタの配列版の文字列の配列用ユーティリティ

ライブラリの後半は、**ポインタの配列**版の**文字列の配列**用ユーティリティです。

▶ ポインタの配列版の文字列の配列は、要素は各文字列（の先頭文字）へのポインタです。2次元配列版とは異なり、各文字列の長さが同一である必要はありません。

- マクロ名は、対応する基本ユーティリティ関数の名前の前に*pstr_*を置いた形式です（降順ソートを行うマクロ名は、末尾に*r*が置かれています）。
- 先頭側の引数は、次のとおりです。

探索：　第１引数*s*：探索する文字列
　　　　第２引数*p*：探索対象の配列（の先頭要素）へのポインタ

ソート：第１引数*p*：ソート対象の配列（の先頭要素）へのポインタ

※ 引数*p*の型をより厳密に表現すると、**文字列（の先頭文字）へのポインタの配列（の先頭要素）へのポインタ**です。

- 末尾の引数*n*は、文字列の個数です。

引数*p*と*n*のイメージの一例を**Fig.7-7**に示しています。

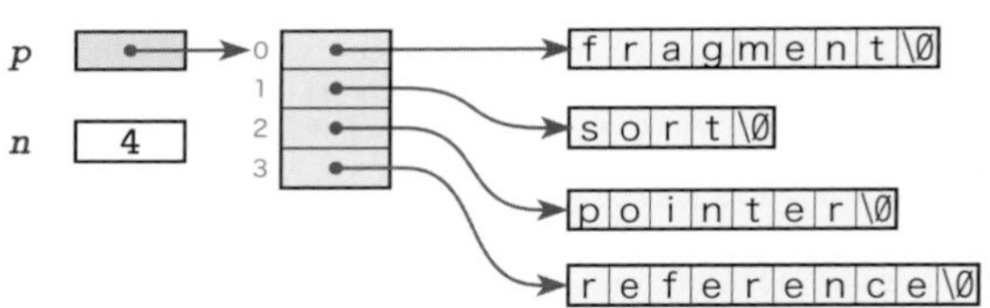

Fig.7-7　文字列ユーティリティに与える二つの引数

探索やソートの対象となる先頭文字列が、『**ポインタ*p*が指すポインタ**が指す文字列』であることが分かるでしょう。

▶ ポインタ*p*は`char **`型です。*p*が指す先のポインタが`char *`型であって、そのポインタが文字列の先頭文字（文字は`char`型です）を指します。

二つの比較関数がプログラム水色部で定義されています。探索と昇順ソートに使うのが*pstrcmp*で、降順ソートに使うのが*pstrrcmp*です。いずれの関数も、関数本体で二つの引数*s1*と*s2*に対してキャスト演算子と間接演算子の両方を適用しています（よく読んで理解しましょう）。

▶ 以下に、呼出しコードの例を示します。

```
char *s[] = {
    "FBI", "KGB", "Long Long Time Ago", "CYMK"
};
pstr_ssearch(key, s, 4);         // ４要素の配列sから文字列keyを探索
pstr_msort(s, 4);                // ４要素の配列を安定にソート
```

ヘッダをインクルードするだけで、文字列の配列の探索やソートがいとも簡単に行えるようになりました。

List 7-16 [B] chap07/strutility.h

```
// 文字列（の先頭文字）へのn個のポインタの配列p用のユーティリティ

//--- s1とs2が指す文字列の比較関数（昇順用：s1 < s2）---//
inline static int pstrcmp(const void *s1, const void *s2)
{
    return strcmp(*(const char **)s1, *(const char **)s2);
}

//--- s1とs2が指す文字列の比較関数（降順用：s1 > s2）---//
inline static int pstrrcmp(const void *s1, const void *s2)
{
    int cmp = strcmp(*(const char **)s1, *(const char **)s2);
    return (cmp < 0) ? 1 : (cmp == 0) ? 0 : -1;
}

//--- pからsと一致する文字列を線形探索 ---//
#define pstr_ssearch(s, p, n)                                          \
            ssearch((const void *)s, (const void *)p, (size_t)n,      \
                    sizeof(char *), pstrcmp);

//--- pからsと一致する文字列を２分探索 ---//
#define pstr_bsearch(s, p, n)                                          \
            bsearch((const void *)s, (const void *)p, (size_t)n,      \
                    sizeof(char *), pstrcmp);

//--- pからsと一致する文字列を２分探索（先頭要素）---//
#define pstr_bsearchx(s, p, n)                                         \
            bsearchx((const void *)s, (const void *)p, (size_t)n,     \
                    sizeof(char *), pstrcmp);

//--- pを昇順にソート（非安定）---//
#define pstr_qsort(s, n)                                                   \
            qsort((const void *)p, (size_t)n, sizeof(char *), pstrcmp);

//--- pを降順にソート（非安定）---//
#define pstr_qsortr(s, n)                                                  \
            qsort((const void *)p, (size_t)n, sizeof(char *), pstrrcmp);

//--- pを昇順にソート（安定）---//
#define pstr_msort(s, n)                                                   \
            msort((const void *)p, (size_t)n, sizeof(char *), pstrcmp);

//--- pを降順にソート（安定）---//
#define pstr_msortr(s, n)                                                  \
            msort((const void *)p, (size_t)n, sizeof(char *), pstrrcmp);

//--- pは昇順にソートずみか ---//
#define pstr_is_sorted(p, n) is_sorted((const void *)p, (size_t)n, \
            sizeof(char *), pstrcmp)

//--- pは降順にソートずみか ---//
#define pstr_is_sortedr(p, n) is_sorted((const void *)p, (size_t)n, \
            sizeof(char *), pstrrcmp)

#endif
```

▶ 本ヘッダを適切なディレクトリにコピーして、`#include <lib/strutility.h>` でインクルードできるように設定しましょう（本ライブラリは、前節で作成したライブラリが呼び出し可能となっている状態であることを前提としています）。

本ライブラリを利用するプログラム例は、"chap07/strutility_test.c" です。

構造体の配列の探索とソート

本章の最後は、構造体の配列の探索とソートです。プログラムを **List 7-17** に示します。

List 7-17 chap07/struct_test.c

```
// 構造体の配列の探索とソート

#include <stdio.h>
#include <stdlib.h>
#include <string.h>
#include <lib/utility.h>

//--- 会員 ---//
typedef struct {
    int   no;             // 会員番号
    char  name[13];       // 名前
    int   height;         // 身長
} Member;

//--- Member型の比較関数（会員番号昇順）---//
int no_cmp(const Member *x, const Member *y)
{
    return (x->no > y->no) ? 1 : (x->no < y->no) ? -1 : 0;
}

//--- Member型の比較関数（名前昇順）---//
int name_cmp(const Member *x, const Member *y)
{
    return strcmp(x->name, y->name);
}

//--- Member型の比較関数（身長降順）---//
int height_cmpr(const Member *x, const Member *y)
{
    return (x->height < y->height) ? 1 : (x->height > y->height) ? -1 : 0;
}

//--- Member型の配列を表示 ---//
void print_all(const Member x[], int n)
{
    for (int i = 0; i < n; i++)
        printf("[%02d] %2d %-12.12s%4d\n",
                        i, x[i].no, x[i].name, x[i].height);
}

//--- 探索結果を表示 ---//
void print_result(const Member *base, const Member *ptr)
{
    if (ptr == NULL)
        puts("探索に失敗しました。");
    else
        printf("[%02d] %2d %-12.12s%4d\n",
                        (int)(ptr - base), ptr->no, ptr->name, ptr->height);
}

int main(void)
{
    Member temp, *p;
    Member x[] = {
        { 1, "Nangoh", 172},  { 2, "Shigaki",   171},  { 3, "Enomoto", 176},
        { 4, "Saitoh", 175},  { 5, "Sugiyama",  165},  { 6, "Takaoka", 181},
        { 7, "Kaneko", 174},  { 8, "Matsuo",    178},  { 9, "Nagano",  172},
        {10, "Kido",   174},  {11, "Hashimoto", 174},  {12, "Tsuji",   172},
    };
    int nx = sizeof(x) / sizeof(x[0]);      // 配列xの要素数
```

```
    // 会員一覧表
    print_all(x, nx);
    printf("会員番号でソートされていま%s。\n",
      is_sorted(x, nx, sizeof(Member), (int (*)(const void *, const void *))no_cmp)
        ? "す" : "せん");

    printf("探索する会員番号：");
    scanf("%d", &temp.no);

    // 名前で線形探索
    p = ssearch(&temp, x, nx, sizeof(Member),
                        (int (*)(const void *, const void *))no_cmp);
    print_result(x, p);

    // 身長の降順に安定ソート
    msort(x, nx, sizeof(Member), (int (*)(const void *, const void *))height_cmpr);
    puts("■身長降順一覧表 (msort) ");
    print_all(x, nx);

    // 身長で２分探索
    printf("探索する身長：");
    scanf("%d", &temp.height);
    p = bsearch(&temp, x, nx, sizeof(Member),
                        (int (*)(const void *, const void *))height_cmpr);
    printf("bsearchの探索結果\n");
    print_result(x, p);

    p = bsearchx(&temp, x, nx, sizeof(Member),
                        (int (*)(const void *, const void *))height_cmpr);
    printf("bsearchxの探索結果\n");
    print_result(x, p);

    // 会員番号の昇順に非安定ソート
    qsort(x, nx, sizeof(Member), (int (*)(const void *, const void *))no_cmp);
    puts("□ 番号順一覧表 (qsort) □");
    print_all(x, nx);

    return 0;
}
```

実行結果一例

```
[00]  1 Nangoh      172
[01]  2 Shigaki     171
[02]  3 Enomoto     176
[03]  4 Saitoh      175
[04]  5 Sugiyama    165
[05]  6 Takaoka     181
[06]  7 Kaneko      174
[07]  8 Matsuo      178
[08]  9 Nagano      172
[09] 10 Kido        174
[10] 11 Hashimoto   174
[11] 12 Tsuji       172
会員番号でソートされています。
探索する会員番号：2⏎
[01]  2 Shigaki     171
■身長降順一覧表 (msort)
[00]  6 Takaoka     181
[01]  8 Matsuo      178
[02]  3 Enomoto     176
[03]  4 Saitoh      175
[04]  7 Kaneko      174
[05] 10 Kido        174
[06] 11 Hashimoto   174
[07]  1 Nangoh      172
[08]  9 Nagano      172
[09] 12 Tsuji       172
[10]  2 Shigaki     171
[11]  5 Sugiyama    165
探索する身長：174⏎
bsearchの探索結果
[05] 11 Hashimoto   174
bsearchxの探索結果
[04]  7 Kaneko      174
      … 以下省略 …
```

本プログラムでは、会員番号、名前、身長の3個のメンバで構成される構造体**Member**型の配列**x**からの探索とソートを行っています。

探索あるいはソートの際のキーを、どのメンバの値とするかなどの条件に応じて、比較関数**no_cmp**、**name_cmp**、**height_cmpr**を使い分けています。

プログラムをよく読んで、理解しましょう。

▶ 右の実行例では、**bsearchx**関数による174cmの探索では、最も先頭に位置する『7番のKaneko君』を見つけています。

その一方で、**bsearch**関数による探索では、174cmの3人の会員のうち、どの会員を見つけるのかは、処理系に依存します。

第８章

ファイルの活用

呼び出している関数が実行されない、無効なデータが含まれるファイルの処理につまづいている、などの相談がありました。

コンソールやファイルの入出力について学習して問題を解決します。具体的には、意外と難しい《文字》の取扱い、書式を伴う文字列やストリームへの入出力、ストリームとバッファリング、テキストとバイナリの相違点などを学習します。

8-1 テキストファイル

本節では、ファイル処理の基礎とテキストファイルについて学習します。

ファイルとストリーム

テキストファイルの処理に関する相談を、Jさんからいただきました。

Fig.8-1 のデータを読み込んで、集計処理を行う List 8-1 のプログラムを作成しました。《完納日》などのフィールドの一部が未入力のことがあるため、受注日ごとの集計を出す際などに対応できません。どうすればよいでしょうか。

List 8-1 chap08/read1.c

```
// ファイルから項目を読み込んで表示（Jさんのプログラム）
#include <stdio.h>

FILE *fp;
char *field = "%s\t%s\t%s\t%s\t%s";
char a[9];        // 受注日
char b[7];        // 商品種類
char c[9];        // 完納日
char d[10];       // 金額
char e[8];        // 単価

int main(void)
{
    fp = fopen("data1.txt", "r");
    while (fscanf(fp, field, a, b, c, d, e) != EOF) {
        printf(field, a, b, c, d, e);
        putchar('\n');
    }
    fclose(fp);

    return 0;
}
```

実行結果

```
20250815  Note-A  20250820  5385.0   538.5
20250815  Note-A  20250821  23840.0  1192
20250815  Note-C  20250820  4698.0   469.8
20250816  Note-B  20250821  58732.0  2936.6
```

▶ 送られてきたプログラムから、ファイル関連の部分のみを抽出したものです。実行によって表示される文字列の間隔は、実行環境の水平タブ位置に応じて異なります。

⇨ … タブ文字
↵ … 改行文字

受注日 / 商品種類 / 完納日 / 金額 / 単価

```
20250815⇨Note-A⇨20250820⇨5385.0⇨538.5↵
20250815⇨Note-A⇨20250821⇨23840.0⇨1192↵
20250815⇨Note-C⇨20250820⇨4698.0⇨469.8↵
20250816⇨Note-B⇨20250821⇨58732.0⇨2936.6↵
```

Fig.8-1 データの例（完全なデータ）"data1.txt"

まずは、ファイル処理の基本を簡単に復習しましょう。

ファイルの入出力は**ストリーム**（stream）を通じて行います。右ページの **Fig.8-2** に示すように、文字が流れる川ともいえるストリームに、読み書きするデータをのせるイメージです。

FILE 型

ストリームの利用に必須の **FILE 型**は、おなじみの **<stdio.h> ヘッダ**で定義されています。ストリーム制御に必要な情報を記録するための型であって、次の情報が含まれます。

- **ファイル位置表示子**（file position indicator）

現在アクセスしているアドレス（ファイル上の位置）を記録します。

- **エラー表示子**（error indicator）

読取りエラーまたは書込みエラーが起こったかどうかを記録します。

- **ファイル終了表示子**（end-of-file indicator）

ファイルの終わりに達したかどうかを記録します。

FILE型の具体的な実現法は処理系によって異なりますが、多くの処理系では構造体で実現されています。

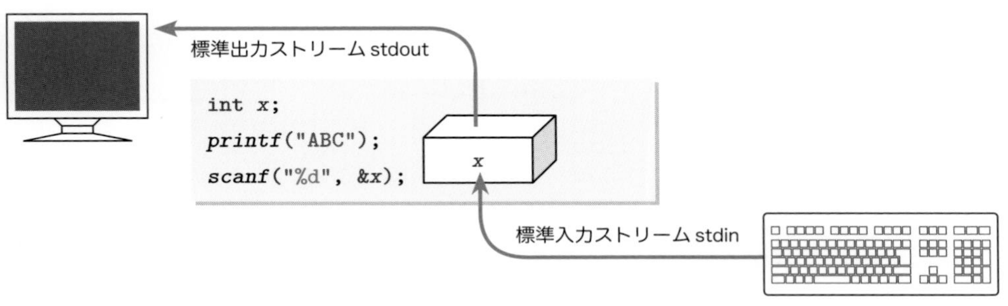

Fig.8-2 ストリームによる入出力のイメージ

標準ストリーム

次に示す三つの標準ストリームが提供されます。

- **stdin … 標準入力ストリーム**（standard input stream）

通常の入力を読み取るストリームです。多くの場合、キーボードに割り当てられています。*scanf*関数、*getchar*関数といった関数は、このストリームからの入力を行います。

- **stdout … 標準出力ストリーム**（standard output stream）

通常の出力を書き込むストリームです。多くの場合、コンソール画面に割り当てられています。*printf*関数、*puts*関数、*putchar*関数といった関数は、このストリームへの出力を行います。

- **stderr … 標準エラーストリーム**（standard error stream）

エラーを書き込むストリームです。多くの場合、コンソール画面に割り当てられています。

標準ストリーム**stdin**、**stdout**、**stderr**の型は、いずれも**FILE ***型です。これら三つの変数に対して、値の初期化などが完了したFILE型へのポインタを格納する作業は、**main**関数の開始までに終了する規則となっています。

ファイルのオープンとクローズ

ファイルは、ストリームと結び付けることによって読み書きできるようになります。結び付ける操作である**オープン**（open）を行うのが、右ページに示す**fopen関数**です。

Fig.8-3に示すように、第1引数にオープンするファイル名を与えて、第2引数にファイルの種類やモードを与えます。

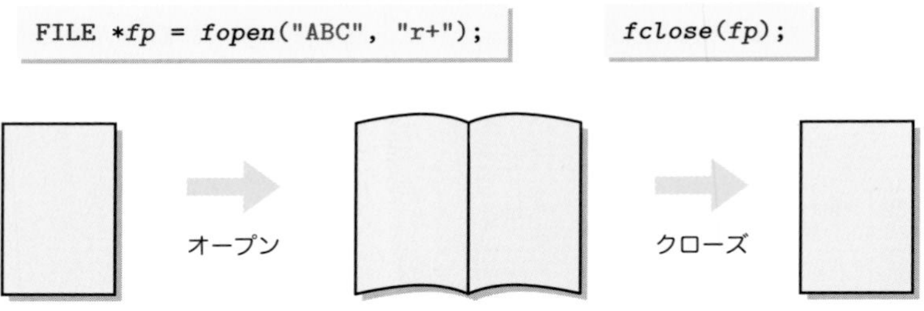

Fig.8-3 ファイルのオープンとクローズ

この関数は、ファイルのオープンに成功すると、ストリームを新設して、その制御用の情報を格納するFILE型のオブジェクトへのポインタを返却します。

▶ オープン時に与える"モード"の概略は、次のとおりです。
- **読取りモード**… ファイルからの入力だけを行う。
- **書込みモード**… ファイルへの出力だけを行う。
- **更新モード** … ファイルに対する入出力を行う。
- **追加モード** … ファイルの末尾位置以降への出力を行う。

ファイルの使用が終了してストリームが不要となったら、ファイルとの結び付きを切り離すことになります。その作業であるファイルの**クローズ**（close）を行うのは**fclose関数**です。

図に示すように、オープン時にfopen関数が返したポインタを引数として渡すだけです。

	fclose
ヘッダ	#include <stdio.h>
形　式	int fclose(FILE *stream);
機　能	streamが指すストリームをフラッシュし、そのストリームに結び付けられたファイルをクローズする。そのストリームに対してバッファリングされただけでまだ書き込まれていないデータは、ホスト環境に引き渡し、ホスト環境がそのデータをファイルに書き込む。バッファリングされただけでまだ読み取られていないデータは切り捨てる。そしてそのストリームをファイルから切り離す。そのストリームに結び付けられたバッファが自動的に割り付けられたものであれば、そのバッファを解放する。
返却値	ストリームのクローズに成功したとき0を返し、何らかのエラーを検出したときEOFを返す。

fopen

ヘッダ `#include <stdio.h>`

形　式 `FILE *fopen(const char * restrict filename, const char * restrict mode);`

機　能

filename が指す文字列を名前とするファイルをオープンし、そのファイルにストリームを結び付ける。

実引数 *mode* が指す文字列は、次の文字の並びのいずれかで始まる。

- r　テキストファイルを読取りモードでオープンする。
- w　テキストファイルを書込みモードで生成するか、または長さ0に切り捨てる。
- a　追加、すなわちテキストファイルをファイルの終わりの位置からの書込みモードでオープンまたは生成する。
- rb　バイナリファイルを読取りモードでオープンする。
- wb　バイナリファイルを書込みモードで生成するか、または長さ0に切り捨てる。
- ab　追加、すなわちバイナリファイルをファイルの終わりの位置から書込みモードでオープンまたは生成する。
- r+　テキストファイルを更新（読取りと書込み）モードでオープンする。
- w+　テキストファイルを更新モードで生成するか、または長さ0に切り捨てる。
- a+　追加、すなわちテキストファイルをファイルの終わりの位置から書込みをする更新モードでオープンまたは生成する。
- r+b または rb+　バイナリファイルを更新（読取りと書込み）モードでオープンする。
- w+b または wb+　バイナリファイルを更新モードで生成するか、または長さ0に切り捨てる。
- a+b または ab+　追加、すなわちバイナリファイルをファイルの終わりの位置から書込みをする更新モードでオープンまたは生成する。

存在しないファイルまたは読取り操作が許されていないファイルに対する読取りモードでのオープン（mode の最初の文字が 'r' の場合）は失敗する。

追加モードでオープン（mode の先頭文字が 'a' の場合）されたファイルへのオープン後の書込み操作は、すべてファイルの終わりに対して行われる。その間に **fseek** 関数を呼び出しても無視される。バイナリファイルにナル文字の詰め物をする処理系では、バイナリの追加モードでのオープン時（mode の先頭文字が 'a' で、'b' が２番目または３番目の文字の場合）には、そのストリームに対するファイル位置表示子を、ファイルに書かれているデータの最後を越えた位置にセットすることもある。

更新モードでオープン（'+' が mode の２番目または３番目の文字である場合）されたファイルに結び付けられたストリームに対しては、入力操作と出力操作を許す。ただし、出力操作の後に入力操作を行う場合、この二つの操作の間にファイル位置付け関数（**fseek**、**fsetpos** もしくは **rewind**）を呼び出さなければならない。さらに入力操作がファイルの終わりを検出した場合を除いて、入力操作の後で出力操作を行うときは、その二つの操作の間にファイル位置付け関数を呼び出さなければならない。処理系によっては、更新モードでのテキストファイルのオープン（または生成）を、同じモードでのバイナリストリームのオープン（または生成）に代えても構わない。

オープンしたストリームが対話装置に結び付けられていないことが認識できる場合、そしてその場合に限り、そのストリームを完全バッファリングする。オープン時に、ストリームに対するエラー表示子とファイル終了表示子をクリアする。

返却値 オープンしたストリームを制御するオブジェクトへのポインタを返す。オープン操作が失敗したとき、空ポインタを返す。

入出力ライブラリ

ファイルに対する読み書きを行うための入出力関数を学習しましょう。最初は、書式付きの入出力を行う ***fprintf*** 関数と ***fscanf*** 関数です。

fprintf 関数

fprintf* 関数**は、printf*** 関数と同等な出力操作を任意のストリームに対して行う関数です。

	fprintf
ヘッダ	`#include <stdio.h>`
形　式	`int fprintf(FILE * restrict stream, const char * restrict format, ...);`
機　能	標準出力ストリームではなく、*stream* が指すストリームに書き込む点を除いて、*printf* 関数と等価である。
返却値	転送した文字数を返す。出力エラーが発生したときは、負の値を返す。

出力先のストリームを第1引数で自由に指定できることが、***printf*** 関数との違いです。

たとえば、ストリーム ***fp*** に対して、文字列 ***str*** を書き込むには、次のように呼び出します。

```
fprintf(fp, "%s", str);            // 出力先はストリームfp
```

▶ 三つの標準ストリーム（p.263）は、プログラム実行開始時に準備が完了していますので、**int** 型変数 **x** の値を 10 進数で標準出力ストリーム **stdout** に書き込む処理は、次のように実現できます。

```
fprintf(stdout, "%d", x);      // printf("%d", x);と同じ
```

fscanf 関数

fscanf* 関数**は、scanf*** 関数と同等な入力操作をストリームに対して行う関数です。

	fscanf
ヘッダ	`#include <stdio.h>`
形　式	`int fscanf(FILE * restrict stream, const char * restrict format, ...);`
機　能	標準入力ストリームではなく、*stream* が指すストリームから読み込む点を除いて、*scanf* 関数と等価である。
返却値	変換が一つも行われないまま入力誤りが発生すると、マクロ **EOF** の値を返す。それ以外の場合、代入された入力項目の個数を返す。この個数は、入力中に照合誤りが発生すると、変換指定子に対応する実引数の数よりも小さくなることもあり、**0** になることもある。

たとえば、ストリーム ***fp*** から文字列を読み込んで配列 ***str*** に格納するには、次のように呼び出します。

```
fscanf(fp, "%s", str);             // 入力元はストリームfp
```

▶ 第1引数を標準入力ストリーム **stdin** にすることで、実質的に ***scanf*** 関数と同等の働きをします。

```
fscanf(stdin, "%d", &x);       // scanf("%d", &x);と同じ
```

fputs 関数

***fputs* 関数**は、任意のストリームに対して文字列を書き込む関数です。

	fputs
ヘッダ	`#include <stdio.h>`
形　式	`int fputs(const char * restrict s, FILE * restrict stream);`
機　能	*stream* が指すストリームに *s* が指す文字列を書き込む。文字列の終端ナル文字の書込みは行わない。
返却値	書込みエラーが発生すると `EOF` を返し、それ以外のときは非負の値を返す。

この関数は標準出力ストリームに対して文字列を書き込む ***puts*** 関数とは異なり、**改行文字を付加せずに出力します。**

そのため、標準出力ストリーム **stdout** に `"ABC"` と表示して、さらに**改行**するには、

```
fputs("ABC\n", stdout);          // puts("ABC");と同じ
```

と、改行文字の明示的な出力が必要です。

fgets 関数

***fgets* 関数**は、任意のストリームから文字列を読み取る関数です。

	fgets
ヘッダ	`#include <stdio.h>`
形　式	`char *fgets(char * restrict s, int n, FILE * restrict stream);`
機　能	*stream* が指すストリームから文字列を読み取り *s* が指す配列に格納する。読み取る文字数の最大値は *n* - 1 とする。改行文字を読み取ったとき、またはファイルの終わりを検出したときに、文字の読取りは終了し、読み取った改行文字も配列に格納する。そして、最後に配列に格納した文字の直後にナル文字を書く。
返却値	成功すると *s* を返す。ファイルの終わりを検出し、かつ配列に 1 文字も読み取っていなかった場合、配列の内容を変化させずに残し、空ポインタを返す。読取りエラーが発生した場合も空ポインタを返すが、この場合の配列の内容は不定である。

行の末尾の改行文字が配列に格納されることに注意しましょう。すなわち、

```
fgets(str, 100, fp);
```

と呼び出したときに、読み込んだファイルの行が `"ABC"` であれば、配列 ***str*** に格納される文字列は、`"ABC"` ではなく `"ABC\n"` となります。

▶ ***fputs*** 関数と ***fgets*** 関数を始めとして、ストリームに対する読み書きを行う関数では、ストリームを指定する引数 ***fp*** は、原則として末尾に位置します。
　引数 ***fp*** が先頭となっている入出力ライブラリは、***fprintf*** 関数と ***fscanf*** 関数のみです。可変個引数を受け取る仕様であるため、この引数が先頭に位置せざるを得ないからです。

fputc 関数

***fputc* 関数**は、任意のストリームに１個の文字を書き込む関数です。

	fputc
ヘッダ	`#include <stdio.h>`
形　式	`int fputc(int c, FILE *stream);`
機　能	*stream* が指す出力ストリームに *c* で指定された文字を unsigned char 型に変換して書き込む。このとき、ストリームに結び付けられるファイル位置表示子が定義されていれば、それが指示する位置に文字を書き込み、ファイル位置表示子を適切に進める。ファイルが位置付けに関する要求をサポートできない場合、またはストリームが追加モードでオープンされていた場合、文字出力は常に出力ストリームの最後への文字追加となる。
返却値	書き込んだ文字を返す。書込みエラーが発生すると、そのストリームに対するエラー表示子をセットして EOF を返す。

標準出力ストリーム stdout を第２引数に与えて *fputc*(*c*, stdout) と呼び出すと、実質的に *putchar*(*c*) と同じです。

▶ *fputc* 関数と同等な ***putc* 関数**という標準ライブラリもあります。その形式は、次のとおりであり、*fputc* 関数と同じです（機能も同じですが、関数でなく**マクロ**として提供される可能性があります）。

```
int putc(int c, FILE *stream);
```

初期のC言語では、*putc* のみが（多くの処理系でマクロとして）提供されていましたが、先頭に *f* を付けた *fputc* 関数が標準Cで追加されて命名の統一が行われました。

fgetc 関数

***fgetc* 関数**は、ストリームから１個の文字を読み取る関数です。

	fgetc
ヘッダ	`#include <stdio.h>`
形　式	`int fgetc(FILE *stream);`
機　能	*stream* が指す入力ストリームから次の文字（もし存在すれば）を unsigned char 型の値として読み取り、int 型に変換する。そして、そのストリームに結び付けられているファイル位置表示子（もし定義されていれば）を進める。
返却値	*stream* が指す入力ストリームの次の文字を返す。ストリームでファイルの終わりを検出すると、そのストリームに対するファイル終了表示子をセットし EOF を返す。読取りエラーが発生すると、そのストリームに対するエラー表示子をセットし EOF を返す。

標準入力ストリーム stdin を引数として与えた関数呼出し *fgetc*(stdin) は、実質的に *getchar*() と同じです。

＊

文字単位の入出力を行う関数を使った実用的なプログラム concat を右ページの **List 8-2** に示しています。

次のようにオペレーティングシステムのシェル上で実行すると、ファイル "test.txt" の中身が表示されます。

```
> concat test.txt⏎
```

List 8-2 chap08/concat.c

```
// concat … ファイルのコピー
#include <stdio.h>

//--- srcからの入力をdstへ出力 ---//
void copy(FILE *src, FILE *dst)
{
    int ch;

    while ((ch = fgetc(src)) != EOF)
        fputc(ch, dst);
}

int main(int argc, char *argv[])
{
    FILE *fp;

    if (argc < 2)
        copy(stdin, stdout);          // 標準入力 → 標準出力
    else {
        while (--argc > 0) {
            if ((fp = fopen(*++argv, "r")) == NULL) {
                fprintf(stderr, "ファイル%sがオープンできません。\n", *argv);
                return 1;
            } else {
                copy(fp, stdout);     // ストリームfp → 標準出力
                fclose(fp);
            }
        }
    }
    return 0;
}
```

次のように、複数のファイル名を与えると、それらの内容が連続して出力されます。

```
> concat test.txt xyz.c⏎
```

引数を与えずに実行することもできます。

```
> concat⏎
```

標準入力ストリームから読み込んだ文字が、標準出力ストリームへとコピーされます。

▶ **List 1-3**（p.5）の『タブを空白に変換する』プログラムは、本プログラムの応用でした。
　なお、**concat** というプログラム名の **cat** は、『連結する』『つなぐ』という語句 concatenate を省略したものです（猫ではありません）。

プログラム起動時にコマンドラインから与えるコマンドライン引数は、**main** 関数が仮引数として受け取ります。*argc* がコマンドライン引数の個数で、*argv* が各コマンドライン引数を指すポインタの配列の先頭要素へのポインタです（**Column 8-1**：次ページ）。

▶ プログラムの２箇所の水色部の制御式については、**Column 8-2**（p.273）で学習します。

Column 8-1 コマンドライン引数の取得

main 関数を次の形式で定義すると、プログラム起動時にコマンドラインから与えられるパラメータに関する情報を文字列の配列として受け取ります。

```
int main(int argc, char **argv)
{
    // …
}
```

引数は2個です。引数の名前は任意ですが argc と argv が広く使われています（それぞれ argument count と argument vector に由来します）。

▪ 第1引数 argc

int 型の引数 argc に受け取るのは、**プログラム名**（プログラム自身の名前）と**プログラム仮引数**（コマンドラインから与えられたパラメータ）をあわせた個数です。

▪ 第2引数 argv

引数 argv は "char へのポインタの配列" を受け取るポインタです。その配列の先頭要素 argv[0] はプログラム名の文字列を指し、それ以降の要素はプログラム仮引数の文字列を指します。

main 関数の引数の受取りは、プログラム本体の実行開始前に行われます。

それでは、プログラムが次のように実行された場合を例に考えていきましょう。

```
> argtest1 Sort BinTree⏎
```

実行プログラム argtest1 の起動に際して、コマンドライン引数 Sort と BinTree の2個が与えられています。

プログラムが起動すると、次の処理が行われます。

1 文字列領域の確保

プログラム名とプログラム仮引数を格納する3個の文字列 "argtest1"、"Sort"、"BinTree" 用の領域（**Fig.8C-1** の a の部分）が生成されます。

2 文字列を指すポインタの配列の確保

1 で生成された文字列を指すポインタを要素とする配列用の領域（図 b の部分）が生成されます。この配列の要素数および要素型は次のとおりです：

- **要素数**

  要素数はプログラム名とプログラム仮引数をあわせた個数に 1 を加えたものです。

- **要素型**

  要素型は char へのポインタです。各要素は、それぞれの文字列（の先頭文字）を指します。ただし、末尾要素には空ポインタが格納されます。

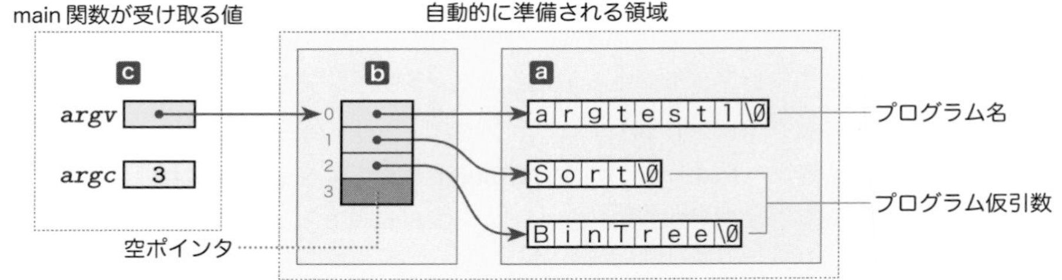

Fig.8C-1 main 関数が受け取る二つの仮引数

3 main 関数の呼出し

main 関数が呼び出される際に、次の処理が行われます。

- コマンドライン引数の個数である整数値 3 が第 1 引数 *argc* に渡される。
- 2で作られた配列の先頭要素へのポインタが第 2 引数 *argv* に渡される。

すなわち、main 関数が受け取る 2 個の引数は、図cの部分です。

要素型が "char へのポインタ（char *）" である配列の先頭要素を指すポインタを受け取るのですから、仮引数 *argv* の型は "char へのポインタへのポインタ（char **）" となります。そのため、*argv* が指す配列（図bの部分）の各要素は、先頭から順に *argv*[0]、*argv*[1]、… と表せます。

List 8C-1 ～ **List 8C-3** に示すのは、プログラム名とプログラム仮引数を表示するプログラムです。間接演算子 * と添字演算子 [ ] の適用の方法が異なるものの、基本的な動作は同じです。

List 8C-1 chap08/argtest1.c

```
// プログラム名・プログラム仮引数の表示（その１）
#include <stdio.h>

int main(int argc, char **argv)
{
    for (int i = 0; i < argc; i++)
        printf("argv[%d] = %s\n", i, argv[i]);
    return 0;
}
```

実行結果一例

```
▶argtest1 Sort BinTree
argv[0] = argtest1
argv[1] = Sort
argv[2] = BinTree
```

List 8C-2 chap08/argtest2.c

```
// プログラム名・プログラム仮引数の表示（その２）
#include <stdio.h>

int main(int argc, char **argv)
{
    int i = 0;
    while (argc-- > 0)
        printf("argv[%d] = %s\n", i++, *argv++);
    return 0;
}
```

List 8C-3 chap08/argtest3.c

```
// プログラム名・プログラム仮引数の表示（その３）
#include <stdio.h>

int main(int argc, char **argv)
{
    int i = 0;
    while (argc-- > 0) {
        char c;
        printf("argv[%d] = ", i++);
        while (c = *(*argv)++)
            putchar(c);
        argv++;
        putchar('\n');
    }
    return 0;
}
```

※ ほとんどの環境では、argv[0] として出力されるプログラム名は、ファイル名と拡張子を含めたパス名となります。

問題と解決

Jさんの問題に戻ります。1件のデータを表すファイル中の各行を**レコード**（record）と呼び、レコード内の各項目を**フィールド**（field）と呼ぶことにします。

レコードを構成するのは、《受注日》、《商品種類》、《完納日》、《金額》、《単価》の全部で5個のフィールドです。各フィールドはタブ文字 `'\t'` で区切られており、各レコードは改行文字 `'\n'` で区切られています。

Fig.8-4 に示すのが、一部の（完納日の）フィールドが欠落しているファイルの例です。

```
20250815⇨Note-A⇨⇨5385.0⇨538.5↵
20250815⇨Note-A⇨20250821⇨23840.0⇨1192↵
20250815⇨Note-C⇨⇨4698.0⇨469.8↵
20250816⇨Note-B⇨20250821⇨58732.0⇨2936.6↵
```

Fig.8-4 不完全なデータの例 "data2.txt"

データの読込みに利用している ***fscanf*** 関数は、***scanf*** 関数と同様に**空白類文字を読み飛ば**します。

そのため、フィールドが欠落していると、フィールドの区切りであるタブ文字が読み飛ばされるため、一つ後ろのフィールドが読み込まれてしまいます。

問題に直面したとき、その解決法がただ一つに絞られるとは限りません。ここでは、二つの解決法を示すことにします。

解決法１… 無効なデータの作成

プログラムではなく、入力されるデータの形式を変更するというアイディアです。

完納日フィールドは、**"20250821"** といった具合で、西暦年を4桁、月と日を2桁ずつの合計8桁の文字列として表現されています。

Fig.8-5 に示すように、納入が完了していない日付データを **"99999999"** とします。

ファイル中に空きフィールドが発生しませんから、プログラムの変更規模は小さくてすみます。**"99999999"** は、納入が完了していないことを示す目印にもなります。

```
20250815⇨Note-A⇨99999999⇨5385.0⇨538.5↵
20250815⇨Note-A⇨20250821⇨23840.0⇨1192↵
20250815⇨Note-C⇨99999999⇨4698.0⇨469.8↵
20250816⇨Note-B⇨20250821⇨58732.0⇨2936.6↵
```

Fig.8-5 無効なデータを利用するデータの例 "data3.txt"

未入力データや無効データに対して、数値であれば "9999" を、文字であれば "****" を割り当てる手法は、よく使われます。

重要 入力形式にあうようにプログラムを変更しなければならないとは限らない。入力形式の変更可能性を吟味しよう。

集計処理の際は、有効な日付と無効な日付を区別して扱います。

たとえば、**Fig.8-6** に示すように、***strcmp*** 関数を利用したコードが必要となります。

▶ プログラム例は示しませんので、御自身でプログラム作成にチャレンジしましょう。

```
if (strcmp(a, "99999999")) {
    // aは有効な日付
} else {
    // aは無効な日付
}
```

Fig.8-6 無効なデータの判定

Column 8-2 代入と等価性の判定

List 8-2（p.269）のプログラムには、二つの複雑な制御式がありました。

関数 *copy* の **while** 文の制御式のほうを例に理解していきましょう（**Fig.8C-2**）。

この式の演算は2段階で行われます。

1. ***fgetc*** 関数によって読み込んで返却された文字が変数 *ch* に代入されます。
2. 代入式 *ch* = *fgetc*(*src*) と **EOF** の値が等しくないかどうかの判定が行われます。
代入式 *ch* = *fgetc*(*src*) の評価で得られるのは、代入後の *ch* の型と値ですから、この判定を日本語で表現すると、次のようになります。

読み込んだ文字を *ch* に代入して、その値が EOF と等しくなければ …

```
while ((ch = fgetc(src)) != EOF)
    fputc(ch, dst);
```

① fgetc 関数が返した値を ch に代入

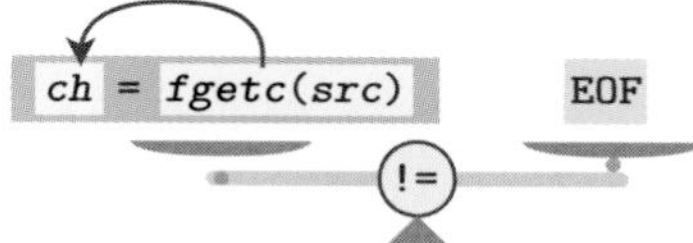

② 代入式と EOF の等価性を != で判定

Fig.8C-2 List 8-2 の制御式

※ 式 *ch* = *fgetc*(*src*) を囲む ( ) は省略できません。代入演算子 = よりも等価演算子 != の優先順位のほうが高いからです。

C言語の熟練者は、このような、式の中に式を詰め込んだ表現を好む傾向があります。

というのも、詰め込まなければ、右のようにプログラムが長くなってしまうからです。

```
while (1) {
    ch = fgetc(src);
    if (ch == EOF) break;
    fputc(ch, dst);
}
```

プログラムを詰め込んで短くしさえすればいいというものではありませんから、このような短い記述を無理に真似（まね）する必要はありません。とはいえ、他人が作成したプログラムをスラスラ読めるようになるには、この程度の式は一目で理解できなければならない、というのも事実です。

解決法2 … プログラムの改良

次は、データではなくプログラムを改良します。それが **List 8-3** のプログラムです。

本プログラムが読み込むのは、**Fig.8-4**（p.272）に示した、完納日のフィールドが欠落したファイル "data2.txt" です。

List 8-3 chap08/read2.c

```
// 単語を読み込む関数による解法
#include <stdio.h>

struct rec {
    char a[9];       // 受注日
    char b[7];       // 商品種類
    char c[9];       // 完納日
    char d[10];      // 金額
    char e[8];       // 単価
};

//--- 単語を読み込む（タブ／改行文字で区切られているとし空白文字は無視）---//
int fgetword(FILE *fp, char *str)
{
    int ch;

    while ((ch = fgetc(fp)) != EOF && ch != '\t' && ch != '\n') {
        if (ch != ' ')
            *str++ = ch;
    }
    *str = '\0';

    return ch;
}

//--- 1件のレコードを読み込む ---//
int getrec(FILE *fp, struct rec *dat)
{
    if (fgetword(fp, dat->a) == EOF) return EOF;        // 受注日
    if (fgetword(fp, dat->b) == EOF) return EOF;        // 商品種類
    if (fgetword(fp, dat->c) == EOF) return EOF;        // 完納日
    if (fgetword(fp, dat->d) == EOF) return EOF;        // 金額
    if (fgetword(fp, dat->e) == EOF) return EOF;        // 単価

    return 0;
}

int main(void)
{
    FILE *fp = fopen("data2.txt", "r");     // 不完全なデータ

    if (fp) {
        struct rec dat;

        while (getrec(fp, &dat) == 0) {
            printf("%s\t%s\t%s\t%s\t%s\n", dat.a, dat.b, dat.c, dat.d, dat.e);
        }
        fclose(fp);
    }

    return 0;
}
```

実行結果

```
20250815  Note-A  5385.0                       538.5
20250815  Note-A  20250821  23840.0  1192
20250815  Note-C                      4698.0   469.8
20250816  Note-B  20250820  58732.0  2936.6
```

プログラムの変更点は、次のとおりです。

■ 構造体の導入

《受注日》、《商品種類》、《完納日》、《金額》、《単価》をセットにしたレコードを表す構造体 ***rec*** を導入しています。レコードのデータ構造が明確になっています。

■ 単語を読み込む関数の作成

関数 ***fgetword*** は、ストリーム ***fp*** から“単語”を読み込んで、***str*** が指す文字列に格納する関数です（***fscanf*** 関数にとって代わります）。

ここでの“単語”は、水平タブ文字あるいは改行文字で区切られた文字の並びです。なお、空白文字は読み飛ばしますので、単語を構成する文字として含まれることはありません。

Fig.8-7 に示すように、欠けているフィールドが、空文字列 **""** として読み込まれるため、好都合です。

なお、ファイルの終端に達した場合、この関数は **EOF** を返却します。

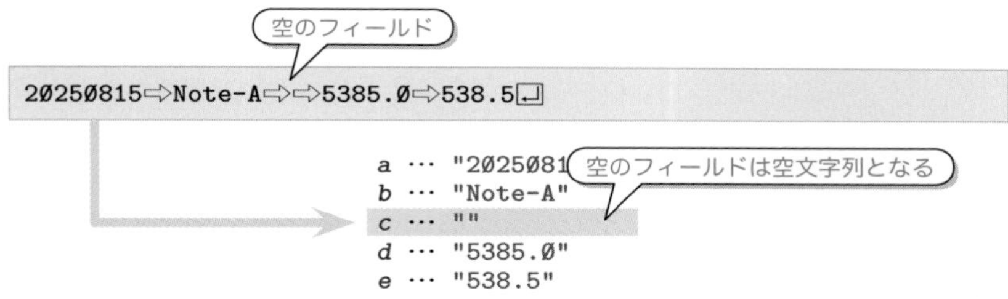

Fig.8-7　関数 fgetword による読込み例

もう一つ新規に作られた関数 ***getrec*** は、１件のレコードを読み込む関数です。

５個のフィールドを読み込むために、関数 ***fgetword*** を５回呼び出しています。***fgetword*** が **EOF** を返却した場合は、関数 ***getrec*** も **EOF** を返却することによって、読込みが失敗したことを呼出し側に伝えます。

＊

本プログラムでは、単語の読込みを行うために、***fscanf*** 関数という道具（ツール）ではなく、関数 ***fgetword*** を作成・利用しています。そして、その ***fgetword*** では、標準ライブラリである ***fgetc*** 関数という道具を呼び出しています。

利用する“道具”を変えると、完成するプログラムも違ったものとなります。

重 要　利用している道具が、目的にフィットしないのであれば、別の道具の作成や利用を試してみる。

8-2 文字としてのデータ

ファイルには文字が格納されています。本節では、文字としてのデータについて学習します。

数値の読込み

Jさんからの相談には、次の質問が添えられていました。

ファイルから数値を読み込む場合は、いったん文字列として読み込んで、それから数値に変換しています。これはよい方法でしょうか？

簡単と思われがちな数値の読込みも、実は奥が深く難易度が高いものです。

まずは **List 8-4** のプログラムで、数値の読込みについて考えます。

List 8-4 chap08/scan_int1.c

```
// 数値を読み込んで表示
#include <stdio.h>

int main(void)
{
    while (1) {
        int num;

        printf("整数値：");
        scanf("%d", &num);
        if (num == 9999) break;

        printf("%dと入力しましたね。\n", num);
    }

    return 0;
}
```

実行例

```
1 整数値：15⏎
  15と入力しましたね。
  整数値：388⏎
  388と入力しましたね。
  整数値：9999⏎

2 整数値：A⏎
  0と入力しましたね。
  0と入力しましたね。
  0と入力しましたね。
  0と入力しましたね。
  0と入力しましたね。
  0と入力しましたね。
      … 以下省略 …
```

整数値を読み込んで表示するだけの単純なプログラムです。実行例①に示すように、読込みと表示は**9999**が入力されるまで繰り返されます。

それでは、数字ではない文字を入力してみましょう。そうすると、実行例②に示すように、同じ表示が延々と繰り返されます。

"%d"で10進整数の入力を期待している***scanf***関数は、整数とみなせない文字が入力されると、その文字を**読み込まなかったことにします**。

重要 ***scanf***関数は、入力変換に失敗した場合、不一致文字をストリームから読み込まなかったことにする。

▶ すなわち、文字'A'を読み込んだ***scanf***関数は、いったん取り出したその'A'を押し戻して知らんぷりを決め込むわけです。

右ページ**Fig.8-8**に示すように、**while**文の繰返しによって再び呼び出された***scanf***関数は、読み込まれずにバッファ上に残っている文字'A'を読み込むことになります。

数値とはみなせない文字ですから、*scanf* 関数は再び読み込まなかったことにします。

そのため、'A' を読み込んでは押し戻す、ということが繰り返されるのです。

数字でない文字を入力しただけで、プログラムの実行は、無限ループに突入します。

数値とみなせる文字だけが入力されるという保証がない限り、*scanf* 関数での数値の読込みには危険が伴います。

したがって、Jさんの考えは、（基本的には）よい方針です。

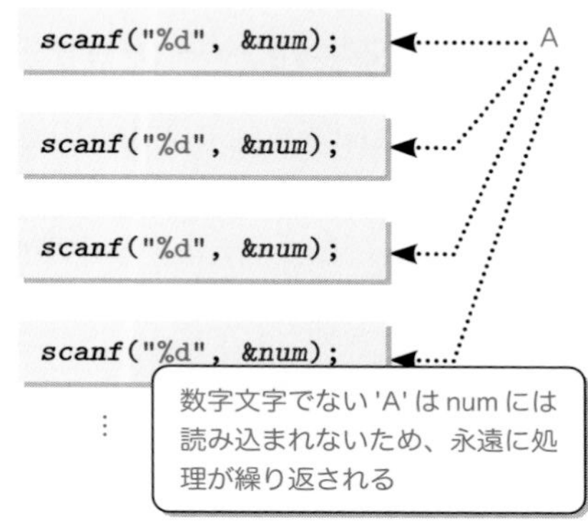

Fig.8-8 scanf 関数の動作例

重 要 入力データの形式が正しいという保証がない限り、入力ストリームから直接数値データを読み込もうとすべきでない。

どのようにプログラムを作っていけばよいかを考えていきましょう。

Column 8-3 **無限ループの記述法**

List 8-4 のプログラムの本体は、**無限ループ**です。ここで、下に示している無限ループの三つの実現例を比較してみます。

```
for ( ; ; ) {
    // …
}
```

```
while (1) {
    // …
}
```

```
do {
    // …
} while (1);
```

私たちは、通常、ソースプログラムを上から下へと読んでいきます。その過程において、for 文と while 文は、先頭の行を読むだけで、

『あぁ、これは無限ループだな。』

と理解できます。それに対して do 文は、繰返し文の最後まで読まなければ、無限ループであることが分かりません。したがって、読む人間に対して、

『do 文の最後には、どんな条件判定があるのだろうか。』

という疑問をいだかせてしまいます。これは、好ましくありません。

無限ループは、do 文ではなく、while 文あるいは for 文で実現すべきです。

なお、無限ループを強制的に抜け出るには、break 文、return 文、goto 文を使う必要があります。

数値と文字列

それでは、**List 8-5** に示すプログラムを考えましょう。数字の並びをいったん文字列として読み込んでおき、それを数値に変換して表示するプログラムです。

List 8-5 chap08/scan_int2.c

```
// 数値を文字列として読み込んで表示（atoi関数版）

#include <stdio.h>
#include <stdlib.h>

int main(void)
{
    while (1) {
        int  num;
        char buffer[100];

        printf("整数値 : ");
        if (scanf("%s", buffer) == EOF) break;
        if ((num = atoi(buffer)) == 9999) break;

        printf("%dと入力しましたね。\n", num);
    }

    return 0;
}
```

実行例

```
整数値 : 15
15と入力しましたね。
整数値 : 388
388と入力しましたね。
整数値 : ABC
0と入力しましたね。
整数値 : 9999
```


標準ライブラリの **atoi 関数**は、文字列を整数値に変換する関数です。変換によって返却される値の例を **Fig.8-9** に示しています。図ⓒに示すように、変換失敗時に何を返すのかは、**処理系に依存する**（不定値が返却される）仕様です。

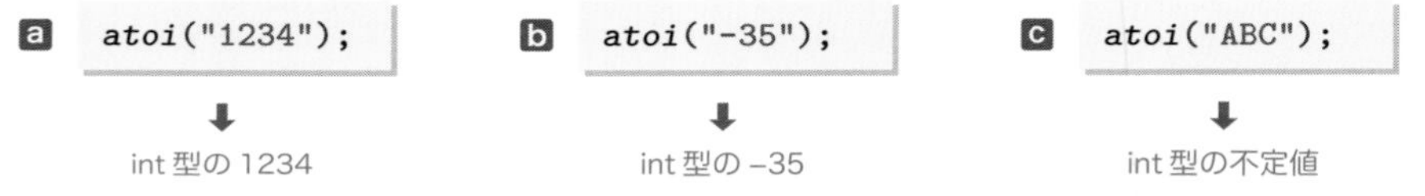

Fig.8-9 atoi 関数の返却値

すなわち、本プログラムを実行して、数値として解釈できない文字列が buffer に読み込まれた場合、変数 num に代入されるのは不定値ということです。

atoi 関数が変換に失敗した場合は 0 を返すという、独自の仕様を定めている処理系もあります。しかし、そのことに依存するプログラムは可搬性が失われます。

重要 文字列を整数に変換する atoi 関数は、変換に失敗した際に 0 を返却するとは限らないし、そのことを前提としてはならない。

無限ループに突入する可能性はなくなったものの、数値とみなせない文字の入力に対して（偶然の一致が起こらない限り）嘘の値を表示するという新たな問題が生じました。

数値とみなせない文字列に対処できるように、自前で関数を作ることにしましょう。そのプログラムが **List 8-6** です。

List 8-6 chap08/scan_int3.c

```
// 数値を文字列として読み込んで表示（改良版・その１）
#include <ctype.h>
#include <stdio.h>

//--- 文字列をint型の値に変換 ---//
int strtoi(const char *str, int *err)
{
    int no = 0;
    int sign = 1;                // 符号

    while (isspace(*str))        // 空白類文字を読み飛ばす
        str++;

    switch (*str) {
     case '+' : str++;              break;      // 正符号
     case '-' : str++;  sign = -1;  break;      // 負符号
    }

    for ( ; isdigit(*str); str++)
        no = no * 10 + (*str - '0');
    no *= sign;

    *err = *str ? 1 : 0;

    return no;
}

int main(void)
{
    while (1) {
        int  num, err;
        char buffer[100];

        printf("整数値：");
        scanf("%s", buffer);

        num = strtoi(buffer, &err);
        if (err)
            puts("整数値に変換できません。");
        else {
            if (num == 9999)
                break;
            printf("%dと入力しましたね。\n", num);
        }
    }

    return 0;
}
```

実行例

```
整数値：15
15と入力しましたね。
整数値：388
388と入力しましたね。
整数値：ABC
整数値に変換できません。
整数値：9999
```

関数 *strtoi* は、文字列 *str* を整数値に変換した結果を返却する関数です。変換に成功すると ***err** に 1 を代入して、失敗すると 0 を代入する仕様となっているため、成功したかどうかを呼出し側で判定できるようになっています。

▶ 関数 *strtoi* では、先頭から順に数字を走査します。走査の過程では、それまでに得られた数値を 10 倍した上で、読み込んだ数を加えます。走査が終了したら、最後に符号の調整を行います。

たとえば、"-1357" の変換では、1 ➡ 10 + 3 ➡ 130 + 5 ➡ 1350 + 7 によって 1357 という数値を得た上で、符号の調整を行って -1357 とします。

負数の最小値の取扱い

前ページの関数 ***strtoi*** には、**オーバフローのチェックを怠っている**という大きな欠点があります。しかも、そこに2種類の問題が隠れています。

ここでは、**int** 型が 16 ビットであって、負数の内部が2の補数表現であるとして考えていきます（すなわち、**int** 型で表現できるのは **-32768** から **32767** までの値です）。

■ int 型で表現できる範囲を超える数値を扱えない

関数 ***strtoi*** は、**int** 型で表現できる範囲を超える値（すなわち、**INT_MIN** より小さい値や **INT_MAX** より大きい値）を扱えません。これ自体は仕方のない（あきらめざるを得ない）のですが、チェックは行うべきです。

■ int 型の最小値を扱えない

こちらは重大な問題です。**int** 型の最小値、すなわち **INT_MIN** である **-32768** が扱えない、という問題です。

たとえば、**"-32768"** の変換では、先頭文字からの走査によって **3** ➡ **3Ø + 2** ➡ **32Ø + 7** ➡ **327Ø + 6** ➡ **3276Ø + 8** によって **32768** という数値を得た上で、最後に符号の調整を行って **-32768** を求めます。

ところが、符号調整前の **32768** は **INT_MAX** を超えているため、**オーバフロー**が発生します（走査と変換の段階で **32768** という数値は正しく得られません）。

既に学習したように、**負数の最小値の絶対値**（16 ビットの2の補数だと **-32768** の絶対値である **32768**）は、**正数の最大値**（**32767**）**よりも大きくなります。**

▶ 1の補数表現や符号付き絶対値では、負数の最小値の絶対値と、正数の最大値の絶対値が同一であるため、問題は生じません。ただし、ほとんどの環境で2の補数表現が採用されています。

負数のほうが絶対値の大きな値を表せるのですから、「正値として変換しておいて最後に符号の調整を行う」のではなく、**「負値として変換しておいて最後に符号の調整を行う」**べきであることが分かりました。

▶ たとえば **"593"** は、**-5** ➡ **-5Ø - 9** ➡ **-59Ø - 3** によって **-593** という数値を得た上で、最後に符号の調整を行って **593** に変換します。また、**"-32768"** は、**-3** ➡ **-3Ø - 2** ➡ **-32Ø - 7** ➡ **-327Ø - 6** ➡ **-3276Ø - 8** によって **-32768** に変換します（負数なので、符号の調整は不要です）。

この方針で書きかえたのが、右ページの **List 8-7** のプログラムです。今回の関数 ***strtoi*** は、**int** 型の最小値に対応するとともに、オーバフローが生じたことを第2引数のポインタを通じて呼出し元に通知します。

プログラムは、少々複雑です。じっくり読んで理解しましょう。

▶ **div_t** 型の ***int_min*** は、**INT_MIN** の《最下位桁を弾き出した値》と、《最下位桁の値》の2個の値を覚えておくための変数です。16 ビットの2の補数表現の例であれば、***int_min.quot*** は **-3276** であり、***int_min.rem*** は **8** です。なお、これらの値は、**/** 演算子と **%** 演算子を利用して簡潔に求めることもできます。**Column 8-4**（p.282）で詳しく学習します。

List 8-7 chap08/scan_int4.c

```
// 数値を文字列として読み込んで表示（改良版・その２）

#include <ctype.h>
#include <stdio.h>
#include <limits.h>
#include <stdlib.h>

//--- 文字列をint型の値に変換 ---//
int strtoi(const char *str, int *err)
{
    int no = 0;
    int sign = 1;               // 符号
    div_t int_min = div(INT_MIN, 10);

    int_min.rem *= -1;          // 符号を反転
    *err = 2;

    while (isspace(*str))       // 空白類文字を読み飛ばす
        str++;

    switch (*str) {
     case '+' : str++;              break;      // 正符号
     case '-' : str++;  sign = -1;  break;      // 負符号
    }

    for ( ; isdigit(*str); str++) {
        if ((no < int_min.quot) ||
            (no == int_min.quot && *str - '0' > int_min.rem)) {
            no = INT_MIN;
            goto Overflow;
        }
        no = no * 10 - (*str - '0');
    }
    if (sign == 1) {
        if (no < -INT_MAX) {
            no = INT_MAX;
            goto Overflow;
        }
        no = -no;
    }
    *err = *str ? 1 : 0;
Overflow:
    return no;
}

int main(void)
{
    int  num, err;
    char buffer[100];

    while (1) {
        printf("整数値：");
        scanf("%s", buffer);

        num = strtoi(buffer, &err);
        if (err)
            puts("整数値に変換できません。");
        else {
            if (num == 9999)
                break;
            printf("%dと入力しましたね。\n", num);
        }
    }
    return 0;
}
```

実行例

```
整数値：15⏎
15と入力しましたね。
整数値：388⏎
388と入力しましたね。
整数値：ABC⏎
整数値に変換できません。
整数値：9999⏎
```

Column 8-4 整数の除算で得られる商と剰余

整数を整数で割った演算結果の**商**を求めるのが **/ 演算子**で、**剰余**を求めるのが **% 演算子**です（後者は浮動小数点数などの整数以外の型には適用できません）。

これらの演算子は、オペランドが両方とも正の値であれば、期待どおりの演算結果を生成します。

ところが、オペランドの一方でも負であるときは、注意して使う必要があります。というのも、その挙動が標準Cのバージョンに依存するからです。

■ 標準C第1版

次のように定義されています。

> 一方のオペランドが負の値をもつ場合、/ 演算子の結果が代数的な商以下の最大の整数とするか、または代数的な商以上の最小の整数とするかは、処理系定義とし、% 演算子の結果の符号も処理系定義とする。

二つの演算子の挙動は複雑です。たとえば -7 を 3 で割った結果としては、次に示す二つのパターンがあり、どちらとなるのかが処理系に依存します。

-7 を 3 で割ると…	▪ 商は -2 で、剰余は -1。 ▪ 商は -3 で、剰余は 2。	※どちらになるのかは処理系依存

■ 標準C第2版から

次のように定義されています。

> 整数どうしの除算の場合、/ 演算子の結果は、代数的な商から小数部を切り捨てた値とする。

行われるのは、**0 方向への切捨て**です。そのため、-7 を 3 で割った結果は、次のようになります。

-7 を 3 で割ると…	▪ 商は -2 で、剰余は -1。	※処理系に依存せずにこの結果が得られる

すべての処理系が第2版（以降）の仕様に準じているわけではないため、プログラムの可搬性を考慮すると、第2版の仕様に頼るのはリスクが伴います。

＊

負数の除算の商と剰余の結果が処理系に依存することもあり、***div* 関数**という標準ライブラリが **<stdlib.h> ヘッダ**で提供されています。次の形式の関数です。

```
div_t div(int numer, int denom);
```

この関数は、分子 *numer* の分母 *denom* による除算の商 *quot* と剰余 *rem* を計算します。割り切れない場合の結果の商は、代数的な商に最も近くて、かつ、それより絶対値が小さい整数です。除算の結果が表現できない場合の動作は定義されないものの、そうでなければ、*quot * denom + rem* は *numer* と等しくなります。

次に示すのが、*div* 関数が返却する **div_t 型**の構造体の定義の一例です（メンバの宣言の順序は、標準Cでは規定されていません）。

```
typedef struct {
    int quot;   // 商
    int rem;    // 剰余
} div_t;
```

なお、long 型の商と剰余を求める ***ldiv* 関数**も定義されています。その関数は、

```
ldiv_t ldiv(long numer, long denom);
```

であり、返却するのは、次に示す **ldiv_t 型**の値です。

```
typedef struct {
    long quot;  // 商
    long rem;   // 剰余
} ldiv_t;
```

二つのメンバの型が long 型となる点が、div_t 型との違いです。

※ 標準Cの第2版では、long long 型の導入に伴って、*lldiv* **関数**が導入されています。返却するのは **lldiv_t 型**です（2個のメンバの型が long long 型です）。

＊

実際に *div* 関数を利用するプログラムを作ることで理解を深めましょう。それが、**List 8C-4** に示すプログラムです。

List 8C-4 chap08/div_test.c

```
// 整数値どうしの商と剰余を表示

#include <stdio.h>
#include <stdlib.h>

int main(void)
{
    int numer, denom;
    div_t qr;

    printf("割られる数："); scanf("%d", &numer);
    printf("割る数：");     scanf("%d", &denom);

    qr = div(numer, denom);

    printf("商は%dで剰余は%dです。\n", qr.quot, qr.rem);

    return 0;
}
```

実行例

```
割られる数：-7⏎
割る数：3⏎
商は-2で剰余は-1です。
```

このプログラムを実行すると、すべての処理系で、-7 を 3 で割った商は -2 となって、剰余は -1 となります。

標準Cのバージョンや処理系に依存することなく、負数の商と剰余を一定の規則に基づいて求めるためには、*div* 関数と *ldiv* 関数（と *lldiv* 関数）の利用が欠かせません。

＊

List 8-7 (p.281) のプログラムでは、INT_MIN の**最下位桁**と、**最下位桁を弾き出した値**の2値が必要です。それらの値を求めるために、関数 *strtoi* の冒頭で、*div* 関数を次のように呼び出しています。

```
div_t int_min = div(INT_MIN, 10);
```

int 型が 16 ビットの2の補数表現であれば、INT_MIN は -32768 ですから、*int_min.quot* は -3276 となって、*int_min.rem* は -8 となります。なお、この後に

```
int_min.rem *= -1;          // 符号を反転
```

によって、*int_min.rem* の符号を反転して 8 としています。

＊

なお、**List 8-7** のプログラムは、変換すべき数値が int 型の最小値よりも小さいときは INT_MIN を返却して、int 型の最大値よりも大きいときは INT_MAX を返却します。

sprintf 関数による文字列への書出し

これまでに、次のような質問を何度もいただきました。

桁数を指定して、実数値から文字列を作る（たとえば、小数点以下を4桁と指定して、実数値 53.75 から文字列 "53.7500" を生成する）方法を教えてください。

この疑問に対する回答は、標準ライブラリ中に用意されています。***sprintf*** **関数**という、とても便利で多機能な関数です。

	sprintf
ヘッダ	#include <stdio.h>
形　式	int *sprintf*(char * restrict s, const char * restrict *format*, ...);
機　能	標準出力ストリームではなく、sが指す配列に書き込む点を除いて、*printf* 関数と同じ働きをする。書き込まれた出力文字の最後にナル文字を追加するが、返却する文字数の総計にはこのナル文字を含めない。領域の重なりあうオブジェクト間で複写が行われるとき、その動作は定義されない。
返却値	配列に書き込まれた、ナル文字を含まない文字数を返す。

printf 関数に対して引数が1個だけ多くなっています。追加された先頭の引数 s は、出力先の文字列（の先頭文字）へのポインタです。*printf* 関数の出力先を、標準出力ストリームから文字列に変更したものと考えればよいでしょう。

この関数を利用して、文字列の配列の先頭から順に "No.01"、"No.02"、…、"No.16" という 16 個の文字列を作成・格納するプログラム例を **List 8-8** に示します。

List 8-8 chap08/sprintf_test1.c

```
// 文字列"No.01"、"No.02"、…、"No.16"を作成
#include <stdio.h>

int main(void)
{
    char ns[16][6];

    for (int i = 0; i < 16; i++)
        sprintf(ns[i], "No.%02d", i + 1);

    for (int i = 0; i < 16; i++)
        printf("%s\n", ns[i]);

    return 0;
}
```

実行結果

```
No.01
No.02
No.03
No.04
No.05
… 中略 …
No.15
No.16
```

sprintf 関数で作成された 16 個の文字列 "No.01"、"No.02"、… 、"No.16" は、それぞれ *ns*[0]、*ns*[1]、… 、*ns*[15] に格納されます。

2次元配列 *ns* の列数は 6 ですから、各文字列の（ナル文字を含まない）最大文字列長は、5 となります。変換後の文字列がこの長さを超えないよう、注意が必要です。

重要 数値や文字や文字列を書式化した文字列が容易に作成できる **sprintf** 関数を使う際は、格納先文字列の領域の大きさに留意する。

出力する桁数を、変換指定 * で指定できることも、**printf** 関数と同様です。それを使って、読み込んだ実数値を任意の桁数で表示するプログラムを **List 8-9** に示します。

List 8-9 chap08/sprintf_test2.c

```
// 実数値を指定された桁数の文字列に変換
#include <stdio.h>

int main(void)
{
    int    n1, n2;
    double x;
    char   buf[256];

    printf("実数値：");
    scanf("%lf", &x);

    printf("少なくとも何桁の文字列に変換しますか：");
    scanf("%d", &n1);

    printf("そのうち小数部は何桁ですか：");
    scanf("%d", &n2);

    sprintf(buf, "%*.*f", n1, n2, x);

    printf("変換後の文字列は\"%s\"です。\n", buf);

    return 0;
}
```

実行例

```
実数値：15.734⏎
少なくとも何桁の文字列に変換しますか：5⏎
そのうち小数部は何桁ですか：2⏎
変換後の文字列は"15.73"です。
```

本プログラムでは、**sprintf** 関数の出力先の配列 **buf** の要素数が **256** ですから、変換後のナル文字を含まない文字列の長さは **255** 以下でなければなりません。

▶ *printf* 関数や *sprintf* 関数に与える書式文字列中の * は、続く実引数の値を"補填"する指示です。たとえば、ここに示す実行例（*n1* が 5 で *n2* が 2）の場合、"%*.*f" は "%5.2f" とみなされます。

8-2 文字としてのデータ

Column 8-5　FOPEN_MAX と FILENAME_MAX と BUFSIZ

<stdio.h> ヘッダでは、EOF 以外にもいくつかのマクロが定義されています。ここでは、処理系の特性を表すマクロを三つ紹介します（いずれも、実用的なプログラム作成の際に必要となるものです）。

■ **FOPEN_MAX**

同時にオープンできることを処理系が保証するファイルの最小値を表す値です。三つの標準ストリームを含めて、最低でも 8 です。

■ **FILENAME_MAX**

オープンできることを処理系が保証するファイル名の最大長を保持するために、char 型の配列が必要とする十分な大きさを表す値です。

■ **BUFSIZ**

バッファの大きさを表す整数値です。この値は、**setbuf** 関数で利用されます。

sscanf 関数による文字列からの値の取出し

sprintf 関数と対照的な ***sscanf* 関数**について学習しましょう。

	sscanf
ヘッダ	`#include <stdio.h>`
形　式	`int sscanf(char * restrict s, const char * restrict format, ...);`
機　能	入力がストリームからではなく実引数 *s* で指定される文字列から得られることを除いて、*scanf* 関数と等価である。文字列の終わりの検出は、*scanf* 関数でのファイルの終わりの検出と等価とする。領域の重なり合うオブジェクト間で複写が行われるとき、その動作は未定義とする。
返却値	変換が一つも行われないまま入力誤りが発生すると、マクロ EOF の値を返す。それ以外の場合、代入された入力項目の個数を返す。この個数は、入力中に照合誤りが発生すると、変換指定子に対応する実引数の数よりも小さくなることもあり、0 になることもある。

scanf 関数の入力元が、標準入力ストリームではなくて、文字列になっているものと考えるとよいでしょう。

▶ 読取りに成功した項目数を返却する仕様となっていることも、*scanf* 関数と同じです。

この関数を利用するプログラム例を、右ページの **List 8-10** に示しています。キーボードから西暦の日付を読み込んで、その日付を "yyyy-mm-dd" 形式で表示します。

関数 *fgetdata* は、ストリームから文字列を読み込んで、日付の構造体に値を設定する関数です。

▶ 具体的には、第1引数で指定されたストリーム *fp* から文字列を読み込んで、*sscanf* 関数によって文字列から日付を抽出して、第2引数で指定された *Date* 型構造体 **t* 内の3個のメンバ *y* と *m* と *d* に値を設定します。

Fig.8-10 に示す3種類の形式**1**と**2**と**3**のすべてに対応しています。

なお、形式**3**で月名を読み込んだ際は、"January"、"February"、…、"December" が何月であるのかを、水色部で判定します。

```
1 2025/11/18          年/月/日
2 2025-11-18          年-月-日
3 18 November 2025    日 month 年
```

Fig.8-10 List 8-10 が受け付ける日付の形式

```
strncmp(month[i], mbuf, 3) == 0
```

二つの文字列の大小関係を判定する ***strncmp* 関数**は、第3引数で指示された個数の先頭側の文字のみを比較します。そのため、"Nov"、"Nove"、…、"November" のいずれでも11月と判定されることになります。

▶ 入力の終了の指示は、Ctrl キーを押しながら Z キーを押下する操作によって行います。一部の環境では、その後に ⏎ の押下も必要です（通常は不要です）。
　なお、UNIX や Linux や macOS では、Ctrl キーを押しながら D キーを押下します。

List 8-10　　chap08/read_date.c

```
// 日付を読み込んで表示

#include <stdio.h>
#include <string.h>

//--- 日付を表す構造体 ---//
typedef struct {
    int y;      // 年
    int m;      // 月
    int d;      // 日
} Date;

//--- 日付を読み込む ---------------
// 次の形式のすべてをサポート
//   2025/11/18
//   2025-11-18
//   18 November 2025
// ※月名は先頭３文字のみで識別
//----------------------------------
int fgetdate(FILE *fp, Date *t)
{
    char *month[] = {
        "",
        "January",    "February", "March",    "April",
        "May",        "June",     "July",     "August",
         "September", "October",  "November", "December",
    };
    char buf[256], mbuf[16];

    t->y = t->m = t->d = 0;

    if (fgets(buf, sizeof(buf), fp) != NULL) {
        if (sscanf(buf, "%d/%d/%d", &t->y, &t->m, &t->d) == 3)
            return 1;
        else if (sscanf(buf, "%d-%d-%d", &t->y, &t->m, &t->d) == 3)
            return 1;
        else if (sscanf(buf, "%d%s%d", &t->d, mbuf, &t->y) == 3) {
            for (int i = 1; i <= 12; i++)
                if (strncmp(month[i], mbuf, 3) == 0) {
                    t->m = i;
                    return 1;
                }
        }
    }
    return 0;
}

int main(void)
{
    Date date;

    puts("日付を入力してください。");

    while (fgetdate(stdin, &date))
        printf("日付：%d-%d-%d\n\n", date.y, date.m, date.d);

    return 0;
}
```

実行例

```
日付を入力してください。
2025/11/18⏎
日付：2025-11-18

2025-11-18⏎
日付：2025-11-18

18 November 2025⏎
日付：2025-11-18

Ctrl+Z
```

8-3 ストリームとバッファリング

本節では、ストリームとバッファリングについて学習します。

呼び出した関数が実行されない？

私の研究室に、K君が血相を変えて駆け込んできました。

助けてください。呼び出している関数が無視されて実行されません！

問題部分を要約したのが **List 8-11** のプログラムです。

List 8-11 chap08/confirm1.c

```
// 入力の確認を行う（問題あり：getchar関数の呼出しが無視される？）
#include <stdio.h>

int main(void)
{
    char name[20];

    printf("名前を入力してください：");
    scanf("%s", name);

    printf("よろしいですか（Y／N）：");
    int ch = getchar();              // この関数呼出しが無視される？

    if (ch == 'Y' || ch == 'y') {
        printf("こんにちは%sさん。\n", name);       // 実行されない
        // 【処理】                                 // 実行されない
    }

    return 0;
}
```

実行例

```
名前を入力してください：Shigaki⏎
よろしいですか（Y／N）：
```

▶ 標準入力ストリームはキーボードに割り当てられ、標準出力ストリームはコンソール画面に割り当てられているとして考えていきます。

このような動作を期待…

```
❶ 名前を入力してください：Shigaki⏎
❷ よろしいですか（Y／N）：Y⏎
❸ こんにちはShigakiさん。
```

K君によると、右に示す実行結果が得られるはずであるとのことでした。

最初の❶では、名前を入力するように促します。*scanf* 関数によって配列 *name* に格納されるのは、ここで入力した文字列です。

続く❷の確認に対して、'Y' または 'y' が入力されると、❸に進んで『こんにちは○○さん。』とのメッセージを表示します。

ところが、実行結果に示すように、『よろしいですか（Y／N）：』に対する確認のためのキー入力が行えません。それどころか、『こんにちは○○さん。』と表示されることもなく、プログラムの実行が終了します。

K君は、このプログラムの《症状》を、次のように考えました。

---

getchar **関数の呼出しが無視されている。**

残念ながら、この推測は誤りです。プログラムの動作を追って確認します。

実行例に示したように、名前として **Shigaki**⏎と入力されたときの ***scanf*** 関数の動作を表した **Fig.8-11** ⓐを見ながら考えていきましょう。

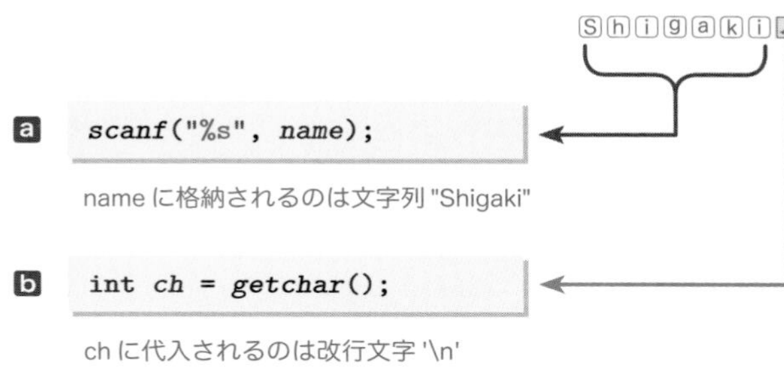

Fig.8-11 List 8-11 **のプログラムにおける読込みの一例**

scanf 関数での書式指定 **"%s"** による読込みでは、空白類文字（空白、水平タブ、改行、etc …）は、項目の区切りとみなされます。配列 **name** に格納される文字列は **"Shigaki"** であって、エンターキー⏎に相当する **'\n'** は読み取られません。

図ⓑに示すように、バッファに残された **'\n'** は、次の入力操作である ***getchar*** 関数によって取り出されます。

```
int ch = getchar();
printf("ch = %x\n", ch);
```

右に示すように、***printf*** 関数の呼出しをプログラムに挿入してみましょう。

そうすると、改行文字の文字コードが 16 進数で表示されます（**"chap08/confirm1a.c"**）。

▶ ASCII コード／JIS コード体系の環境であれば『**ch = a**』と表示されます。

呼び出された ***getchar*** 関数は、無視されているのではなくて、プログラムの指示どおりに、きちんと文字 **'\n'** を読み込んでいます。

K君は、症状を取り違えていたわけです。

重 要 期待する動作をしないプログラムの症状を取り違えないようにする。

バッファのフラッシュ

このプログラムを修正するよう、数名の学生に指示したところ、ほとんどの学生が似たようなプログラムを作成しました。そのプログラムが **List 8-12** です。

List 8-12 chap08/confirm2.c

```
// 入力の確認を行う（修正版？）
#include <stdio.h>

int main(void)
{
    char name[20];

    printf("名前を入力してください：");
    scanf("%s", name);

    printf("よろしいですか（Y／N）：");
    fflush(stdin);          // 標準入力ストリームのバッファをフラッシュ？
    int ch = getchar();

    if (ch == 'Y' || ch == 'y') {
        printf("こんにちは%sさん。\n", name);
        // 【処理】
    }

    return 0;
}
```

実行結果一例

```
名前を入力してください：Shigaki↵
よろしいですか（Y／N）：Y↵
こんにちはShigakiさん。
```

水色部の **fflush 関数**の呼出しが追加されています。標準入力ストリーム stdin のバッファに残っている改行文字を、フラッシュしよう（掃き出そう）という意図です。

私の使用していた処理系では、このプログラムは期待どおりに動作しました。バッファ上に残っている改行文字がフラッシュされて、getchar 関数は、確認のために入力された文字 'Y' を変数 ch に読み込みました。

▶ **処理系によっては、修正前のプログラムと同様の実行結果が得られます**（すなわち、確認のためのキーボード入力が行えないままプログラムの実行が終了します）。

しかし、問題は解決していません。

その検証のために、標準入力ストリームが、キーボードではなく、テキストファイルと結び付けられていたらどうなるかを実験しましょう。

Fig.8-12 に示すテキストファイル "text" を用意して、OS のリダイレクトの機能を使って、次のように実行します。

```
> confirm2 < text↵
```

Fig.8-12 入力用ファイル

これで、scanf 関数や getchar 関数の読込みが、ファイル "text" から行われます。

私の環境では、『こんにちは Shigaki さん。』と画面に表示されることなく、プログラムの実行が終了します。

どうやら、***getchar*** 関数の呼出しが無視されているようです（もちろん冗談です）。

私の利用している処理系では、読込み元がキーボードであれば期待どおりに動作しましたが、ファイルではうまくいかないことが確認されました。

＊

fflush **関数**についてきちんと学習しましょう。標準Cでは、次のように解説されています。

	fflush
ヘッダ	**#include <stdio.h>**
形　式	**int *fflush*(FILE **stream*);**
機　能	***stream*** が出力ストリームまたは直前の操作が入力でない更新ストリームを指すとき、そのストリームにおいてまだ書き込まれていないデータをホスト環境に引き渡し、ホスト環境がそのデータをファイルに書き込む。それ以外のときの動作は定義されない。 ***stream*** が空ポインタのとき、フラッシュ動作が定義されるすべてのストリームに対して、この動作を行う。
返却値	書込みエラーが発生すれば **EOF** を返し、そうでなければ **0** を返す。

この解説から分かるように、**フラッシュ操作**には、次の制限があります。

重 要 **入力ストリーム**に対するフラッシュ操作の効果は定められていない（処理系、環境、結び付けられている機器などによって異なる）。

私の環境では、標準入力ストリームがキーボードに割り当てられているときのフラッシュは成功しますが、ファイルに割り当てられているときには、何も行われませんでした。

もちろん、たとえ標準入力ストリームがキーボードに割り当てられている場合であっても、それに対するフラッシュが機能しない処理系・環境もあります。

プログラムの可搬性を考えるのであれば、次のように肝に銘じるべきです。

重 要 原則として、入力ストリームに対してフラッシュ操作を行うべきではない。

もし、あなたの処理系でたまたまうまくいったとしても、他の処理系での動作が保証されるわけではありません。

ストリームとバッファリング

プログラムで入出力の要求を行うたびに、ファイルをアクセスする（実際には、OS などのホスト環境にアクセスの要求を行う）のでは、高速な処理は望めません。

入出力の円滑化を主目的として行われるのが、ストリームの**バッファリング**です。**Fig.8-13** に示すように、読み取りたいデータや、書き込みたいデータは**バッファ**（buffer）に蓄えられます（そのために、バルブが閉められています）。そして、

- バッファに一定量の文字がたまった。
- プログラム側の都合で即座に読み書きする必要が生じた。

といったタイミングで、バッファのバルブを開けてファイルのアクセスを行います。

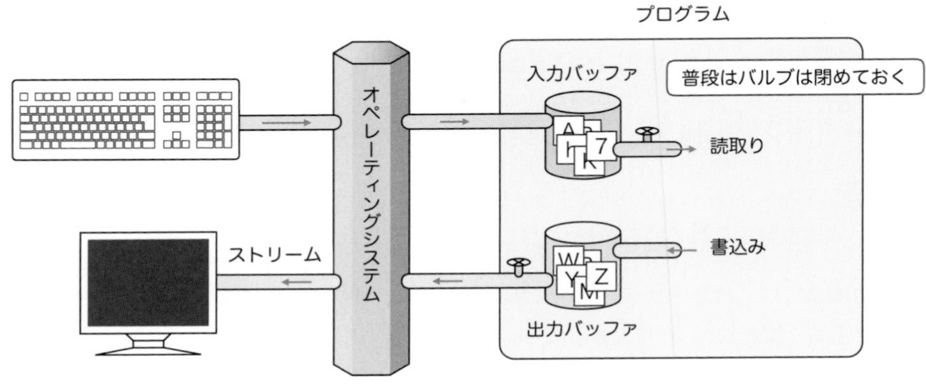

Fig.8-13 ストリームとバッファリング

バッファリングの方法を変更したり、プログラム側で用意したバッファを結び付けたりするためのライブラリとして、***setvbuf* 関数**と ***setbuf* 関数**が提供されます。

	setvbuf
ヘッダ	`#include <stdio.h>`
形　式	`int setvbuf(FILE * restrict stream, char * restrict buf, int mode, size_t size);`
機　能	本関数の呼出しが許されるのは、*stream* の指すストリームがオープンされたファイルに結び付けられてから、そのストリームに対して他の操作が行われるまでの間だけとする。 実引数 *mode* には、*stream* に対するバッファリングの方法を次のとおりに決める。 　　`_IOFBF` … 入出力を完全バッファリングする。 　　`_IOLBF` … 入出力を行バッファリングする。 　　`_IONBF` … 入出力をバッファリングしない。 *buf* が空ポインタであれば領域を割り付け、それをバッファとして使う。*buf* が空ポインタでなければ、*buf* の指す配列をバッファとして使う。実引数 *size* は、配列の大きさを指定する。配列の内容は、常に不定とする。
返却値	成功したときは 0 を返し、*mode* に無効な値が指定されたとき、または要求にしたがうことができなかったときは 0 以外の値を返す。

	setbuf
ヘッダ	`#include <stdio.h>`
形　式	`void setbuf(FILE * restrict stream, char * restrict buf);`
機　能	値を返さない点を除けば、*mode* を値 _IOFBF、*size* を値 BUFSIZ（このマクロの値は処理系依存）とした *setvbuf* 関数と等価とする。ただし、*buf* が空ポインタの場合は、*mode* を値 _IONBF とした *setvbuf* 関数と等価とする。

C言語のバッファリングとしては、3種類がサポートされています。

□ 完全バッファリング（fully buffering）

完全なバッファリングが行われます（**_IOFBF モード**）。

▪ 入力ストリーム

入力要求に対して、バッファが満杯になるまで入力される文字がホスト環境から転送されます。バッファが空になるまでは、ファイルの参照は行われません。

▪ 出力ストリーム

出力要求に対して、出力される文字が満杯になるまでバッファに蓄えられます。バッファが満杯になったときにホスト環境へと転送されます。

□ 行バッファリング（line buffering）

行単位のバッファリングが行われます（**_IOLBF モード**）。

▪ 入力ストリーム

次のタイミングで、バッファの内容を入力元のホスト環境から転送します。

- ▫改行文字を読み込んだとき。
- ▫バッファが満杯になったとき。
- ▫バッファリングされていないストリームに対して入力要求が行われたとき。
- ▫行バッファリングしているストリームに対して入力要求が行われたとき。

▪ 出力ストリーム

改行文字を書き出すことによって、バッファの内容を、出力先のホスト環境へと直ちに転送します。

□ 非バッファリング（unbuffering）

バッファリングは行われません（**_IONBF モード**）。

▪ 入力ストリーム

入力される文字は、入力元のホスト環境から可能な限り直ちに転送されます。

▪ 出力ストリーム

出力される文字は、出力先のホスト環境へ可能な限り直ちに転送されます。

問題の解決

さて、K君が直面した問題を解決していきましょう。**List 8-13** に示すのは、空白類文字を読み飛ばすように変更したプログラムです。

List 8-13 chap08/confirm3.c

```
// 入力の確認を行う（修正版１）

#include <ctype.h>
#include <stdio.h>

//--- 確認用関数 ---//
int kakunin(void)
{
    int ch;

    while (isspace(ch = getchar()) && ch != EOF)
        ;
    return ch;
}

int main(void)
{
    char name[20];

    printf("名前を入力してください：");
    scanf("%s", name);

    printf("よろしいですか（Y／N）：");
    int ch = kakunin();

    if (ch == 'Y' || ch == 'y') {
        printf("こんにちは%sさん。\n", name);
        // 【処理】
    }

    return 0;
}
```

実行例

```
名前を入力してください：Shigaki↵
よろしいですか（Y／N）：Y↵
こんにちはShigakiさん。
```

関数 ***kakunin*** の機能は、次のとおりです。

空白類文字を読み飛ばして、読み込んだ非空白類文字を返す。

このように、関数は、その機能を**簡潔な言葉**で説明できることが理想です。そうすると、中身も簡潔になっているはずです。

重要 関数は、その動作・機能を簡潔な言葉で説明できるように設計する。

よく考えると、***kakunin*** という関数名は不適当であることが分かります。というのも、この関数 ***kakunin*** は、確認以外の用途にも利用できるからです。

少し長くなりますが、たとえば ***getnschar***（get next non-space character ＝次の非空白文字を得る）といった名前のほうが適切です。

重 要 関数には、その動作・機能を適切に表現する名前を与える。

選択肢として 'Y' と 'N' 以外の文字を追加したり、選択肢を '1' と 'Ø' に変更したりするのは容易です。そのような変更や拡張に対しては、関数 **kakunin** を下位の関数として呼び出すような関数を別途作ることによって、柔軟に対応できます。

重 要 関数は、なるべく使い回しのきく汎用性の高いものとなるように設計する。

関数 **kakunin** の名前を **getnschar** に変更した上で、それを呼び出す本当の確認用関数を追加したプログラムを **List 8-14** に示します。

List 8-14 chapØ8/confirm4.c

```
// 入力の確認を行う（修正版２）

#include <ctype.h>
#include <stdio.h>

//--- 非空白類文字を１文字読み込む ---//
int getnschar(void)
{
    int ch;

    while (isspace(ch = getchar()) && ch != EOF)
        ;
    return ch;
}

//--- 確認（'Y'、'y'、'N'、'n'のみを読み込む）---//
int kakunin(void)
{
    int ch;

    while ((ch = getnschar()) != EOF) {
        if (ch == 'Y' || ch == 'y') return 1;
        if (ch == 'N' || ch == 'n') return Ø;
    }

    return EOF;
}

int main(void)
{
    char name[2Ø];

    printf("名前を入力してください：");
    scanf("%s", name);

    printf("よろしいですか（Y／N）：");

    if (kakunin() == 1) {
        printf("こんにちは%sさん。\n", name);
        // 【処理】
    }

    return Ø;
}
```

実行例

```
名前を入力してください：Shigaki⏎
よろしいですか（Y／N）：Y⏎
こんにちはShigakiさん。
```

8-4 テキストとバイナリ

本節では、テキストとバイナリについて学習します。これらの違いをきちんと把握しておかないでいると、思わぬ落とし穴にはまってしまうかもしれません。

テキストファイルとバイナリファイル

次の質問を、Mさんからいただきました。

ファイルに対して配列の読み書きを行うと、要素型と要素数が同一であるにもかかわらず、要素の値によってファイルの大きさが変わるという問題が発生しています。

不思議な現象とも感じられる、この問題を解決するために、**テキストファイル**（text file）と**バイナリファイル**（binary file）について学習していきましょう。

整数値 357 を書き込む二つのプログラムを考えます。数値の出力先は、**List 8-15** がテキストファイルで、**List 8-16** がバイナリファイルです。

List 8-15 chap08/text.c

```
// テキストファイルに整数値357を書き込む

#include <stdio.h>

int main(void)
{
    FILE *fp;
    int no = 357;

    fp = fopen("TEST_TEXT", "w");
    if (fp != NULL) {
        fprintf(fp, "%d", no);
        fclose(fp);
    }
    return 0;
}
```

List 8-16 chap08/binary.c

```
// バイナリファイルに整数値357を書き込む

#include <stdio.h>

int main(void)
{
    FILE *fp;
    int no = 357;

    fp = fopen("TEST_BIN", "wb");
    if (fp != NULL) {
        fwrite(&no, sizeof(int), 1, fp);
        fclose(fp);
    }
    return 0;
}
```

テキストファイル

整数値 357 を ***printf*** 関数や ***fprintf*** 関数などでコンソール画面やファイルに書き出した結果は、3個の文字 **'3'**、**'5'**、**'7'** の並び、すなわち、合計3バイトになります（ASCII コード／JIS コード体系であれば、右ページの **Fig.8-14** ａに示すビットで構成されます）。

バイナリファイル

バイナリファイルでは、データを表現する**ビットの並びそのまま**で表現します。

int 型の整数値を書き出す際は、**sizeof(int)** バイトが出力されます。そのため、**int** 型整数が2バイト 16 ビットの環境であれば、整数値 357 は図ｂに示すビット構成となり、このデータが、そのまま読み書きされます。

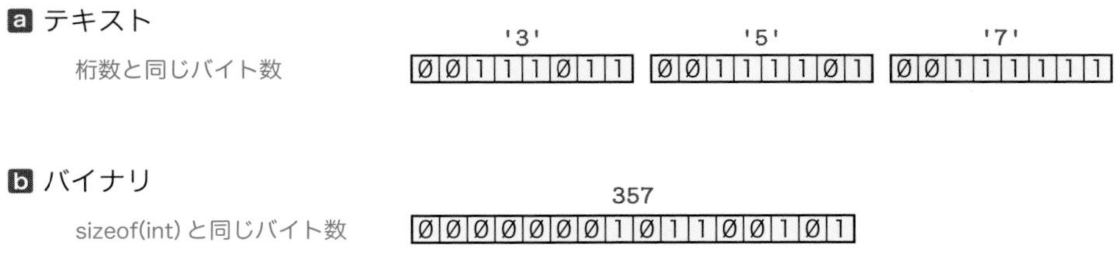

a テキスト

桁数と同じバイト数

'3' ØØ11ØØ11 '5' ØØ11Ø1Ø1 '7' ØØ11Ø111

b バイナリ

sizeof(int) と同じバイト数

357 ØØØØØØØ1Ø11ØØ1Ø1

Fig.8-14 テキストとバイナリにおける数値 357 の一例

目で見て分かるのがテキストで、**目で見ても分からない（分かりにくい）**のがバイナリです。また、それぞれの形式で格納されたファイルが、テキストファイルとバイナリファイルです。

バイナリファイルの読み書きでは、主として**`fread` 関数**と**`fwrite` 関数**を利用します。

	fread
ヘッダ	`#include <stdio.h>`
形　式	`size_t fread(void * restrict ptr, size_t size, size_t nmemb, FILE * restrict stream);`
機　能	*stream* が指すストリームから、最大 *nmemb* 個の大きさ *size* の要素を、*ptr* が指す配列に読み取る。そのストリームに対応するファイル位置表示子（定義されていれば）は、読取りに成功した文字数分だけ進む。エラーが発生したとき、そのストリームに対応するファイル位置表示子の値は不定とする。一つの要素の一部だけが読み取られたとき、その値は不定とする。
返却値	読取りに成功した要素の個数を返す。その個数は、読取りエラーまたはファイルの終わりになったとき、*nmemb* より小さいことがある。*size* または *nmemb* が Ø のとき Ø を返す。このとき、配列の内容とストリームの状態は、変化しない。

	fwrite
ヘッダ	`#include <stdio.h>`
形　式	`size_t fwrite(const void * restrict ptr, size_t size, size_t nmemb, FILE * restrict stream);`
機　能	*ptr* が指す配列から、最大 *nmemb* 個の大きさ *size* の要素を、*stream* が指すストリームに書き込む。そのストリームに対応するファイル位置表示子（定義されていれば）は、書込みに成功した文字数分進む。エラーが発生したとき、そのストリームに対応するファイル位置表示子の値は、不定とする。
返却値	書込みに成功した要素の個数を返す。その個数は、書込みエラーが起きたときに限り、*nmemb* より小さくなる。

二つの関数が受け取る引数の並びは、両者で共通です。先頭から順に次のとおりです。

- データの格納先へのポインタ
- データの個数
- 1個のデータの大きさ
- ストリームへのポインタ

hdump：文字と16進数コードによるファイルのダンプ

コマンドラインで指定されたバイナリファイルをオープンして、その内容を**文字**と**文字コード**とで表示するプログラム **hdump** を **List 8-17** に示します。

List 8-17 chap08/hdump.c

```
// hdump … ファイルのダンプ

#include <ctype.h>
#include <stdio.h>
#include <limits.h>

//--- ストリームsrcの内容をdstへダンプ ---//
void hdump(FILE *src, FILE *dst)
{
    int n;
    unsigned long count = 0;
    unsigned char buf[16];

    while ((n = fread(buf, 1, 16, src)) > 0) {                          ❶
        fprintf(dst, "%08lX ", count);                          // アドレス

        for (int i = 0; i < n; i++)                             // 16進数
            fprintf(dst, "%0*X ", (CHAR_BIT + 3) / 4, (unsigned)buf[i]);

        if (n < 16)
            for (int i = n; i < 16; i++)
                fputs("   ", dst);

        for (int i = 0; i < n; i++)                             // 文字
            fputc(isprint(buf[i]) ? buf[i] : '.', dst);

        fputc('\n', dst);

        count += 16;
    }
    fputc('\n', dst);
}

int main(int argc, char *argv[])
{
    if (argc < 2)
        hdump(stdin, stdout);         // 標準入力 → 標準出力
    else {
        FILE *fp;

        while (--argc > 0) {                                            ❷
            if ((fp = fopen(*++argv, "rb")) == NULL) {
                fprintf(stderr, "ファイル%sが正しくオープンできません。\n",
                                *argv);
                return 1;
            } else {
                hdump(fp, stdout);    // ストリームfp → 標準出力
                fclose(fp);
            }
        }
    }

    return 0;
}
```

本プログラムのように、ファイルやメモリの内容を一気に書き出す（表示する）プログラムは、一般に**ダンプ**（dump）プログラムと呼ばれます。

▶ ダンプは、ダンプカーが一度に荷を下ろすさまにたとえた用語です。

実行例に示すのは、この **hdump** プログラムで、本プログラム自身、すなわち（テキストファイルである）ソースファイル **"hdump.c"** をダンプした結果です。

▶ 実行結果は MS-Windows 上での実行例です。実行結果は、実行する環境で採用されている文字コードに依存します。

ファイルをオープンする**2**では、**"rb"** モード（バイナリの読取りモード）でのオープンを指定しています（テキストファイルがバイナリモードでオープンされています）。

ファイルからの読込みを行う**1**では、***fread*** 関数を用いて 16 文字ごとに読み込んでいます。読み込んだ文字は整形した上で標準出力ストリームに出力します。

▶ まず各バイトごとに、2桁の 16 進数値として表示を行います。その後、表示文字はそのままの文字として出力し、非表示文字は **'.'** として出力します。

fread 関数が返却するのは、読み込んだデータの個数です。本プログラムでは、返却された値（読み込まれた文字数）が、変数 ***n*** に代入されます。その ***n*** の値が **0** より大きいあいだ、ファイルから文字を読み込んで表示する、という処理を繰り返します。

起動・実行結果一例

```
>hdump hdump.c↵
00000000 2F 2F 20 68 64 75 6D 70 20 81 63 20 83 74 83 40 // hdump .c .t.@
00000010 83 43 83 8B 82 CC 83 5F 83 93 83 76 0D 0A 0D 0A .C....._...v....
00000020 23 69 6E 63 6C 75 64 65 20 3C 63 74 79 70 65 2E #include <ctype.
00000030 68 3E 0D 0A 23 69 6E 63 6C 75 64 65 20 3C 73 74 h>..#include <st
00000040 64 69 6F 2E 68 3E 0D 0A 23 69 6E 63 6C 75 64 65 dio.h>..#include
00000050 20 3C 6C 69 6D 69 74 73 2E 68 3E 0D 0A 0D 0A 2F  <limits.h>..../
00000060 2F 2D 2D 2D 20 83 58 83 67 83 8A 81 5B 83 80 73 /--- .X.g...[..s
00000070 72 63 82 CC 93 E0 97 65 82 F0 64 73 74 82 D6 83 rc.....e..dst...
00000080 5F 83 93 83 76 20 2D 2D 2D 2F 2F 0D 0A 76 6F 69 _...v ---//..voi
00000090 64 20 68 64 75 6D 70 28 46 49 4C 45 20 2A 73 72 d hdump(FILE *sr
000000A0 63 2C 20 46 49 4C 45 20 2A 64 73 74 29 0D 0A 7B c, FILE *dst)..{
000000B0 0D 0A 09 69 6E 74 20 6E 3B 0D 0A 09 75 6E 73 69 ...int n;...unsi
000000C0 67 6E 65 64 20 6C 6F 6E 67 20 63 6F 75 6E 74 20 gned long count
000000D0 3D 20 30 3B 0D 0A 09 75 6E 73 69 67 6E 65 64 20 = 0;...unsigned
000000E0 63 68 61 72 20 62 75 66 5B 31 36 5D 3B 0D 0A 0D char buf[16];...
000000F0 0A 09 77 68 69 6C 65 20 28 28 6E 20 3D 20 66 72 ..while ((n = fr
00000100 65 61 64 28 62 75 66 2C 20 31 2C 20 31 36 2C 20 ead(buf, 1, 16,
00000110 73 72 63 29 29 20 3E 20 30 29 20 7B 0D 0A 09 09 src)) > 0) {....
00000120 66 70 72 69 6E 74 66 28 64 73 74 2C 20 22 25 30 fprintf(dst, "%0
00000130 38 6C 58 20 22 2C 20 63 6F 75 6E 74 29 3B 09 09 8lX ", count);..
00000140 09 09 09 09 2F 2F 20 83 41 83 68 83 8C 83 58 0D ....// .A.h...X.
00000150 0A 0D 0A 09 09 66 6F 72 20 28 69 6E 74 20 69 20 .....for (int i
00000160 3D 20 30 3B 20 69 20 3C 20 6E 3B 20 69 2B 2B 29 = 0; i < n; i++)
00000170 09 09 09 09 09 09 09 2F 2F 20 31 36 90 69 90 94 .......// 16.i..
00000180 0D 0A 09 09 09 66 70 72 69 6E 74 66 28 64 73 74 .....fprintf(dst
00000190 2C 20 22 25 30 2A 58 20 22 2C 20 28 43 48 41 52 , "%0*X ", (CHAR
000001A0 5F 42 49 54 20 2B 20 33 29 20 2F 20 34 2C 20 28 _BIT + 3) / 4, (
000001B0 75 6E 73 69 67 6E 65 64 29 62 75 66 5B 69 5D 29 unsigned)buf[i])
000001C0 3B 0D 0A 0D 0A 09 09 69 66 20 28 6E 20 3C 20 31 ;.....if (n < 1
000001D0 36 29 0D 0A 09 09 09 66 6F 72 20 28 69 6E 74 20 6)....for (int
```

… 以下省略 …

バイナリファイルのアクセス

Mさんからの相談を解決するために、**List 8-18** に示すプログラムを考えていきます。

List 8-18 chap08/bin_bin.c

```
// バイナリファイルの入出力例
#include <stdio.h>

#define MAX  10

int main(void)
{
    FILE *fp;
    int x = 2573;
    int y = 12609;
    int a[MAX] = {0, 1, 2, 3, 4, 5, 6, 7, 8, 9};

    if ((fp = fopen("TEMP", "wb")) != NULL) {
        //--- 配列aと変数x,yの値をファイルに書き込む ---//
        fwrite( a, sizeof(int), MAX, fp);         // aを書込み
        fwrite(&x, sizeof(int),   1, fp);         // xを書込み
        fwrite(&y, sizeof(int),   1, fp);         // yを書込み
        fclose(fp);

        x = y = 0;
        for (int i = 0; i < MAX; i++)
            a[i] = 0;

        //--- 配列aと変数x,yの値をファイルから読み取る ---//
        if ((fp = fopen("TEMP", "rb")) != NULL) {
            fread( a, sizeof(int), MAX, fp);     // aを読取り
            fread(&x, sizeof(int),   1, fp);     // xを読取り
            fread(&y, sizeof(int),   1, fp);     // yを読取り
            fclose(fp);

            //--- 読み取った値を表示 ---//
            for (int i = 0; i < MAX; i++)
                printf("a[%d] = %d\n", i, a[i]);
            printf("x = %d\n", x);
            printf("y = %d\n", y);
        }
    }

    return 0;
}
```

実行結果

```
a[0] = 0
a[1] = 1
a[2] = 2
a[3] = 3
a[4] = 4
a[5] = 5
a[6] = 6
a[7] = 7
a[8] = 8
a[9] = 9
x = 2573
y = 12609
```


このプログラムは、配列 **a** の 10 個の要素、変数 **x**、変数 **y** の合計 12 個の整数をファイル **"TEMP"** に出力し、それらを再び読み取って画面に表示します。

整数の内部表現が ***fwrite*** 関数によってそのままファイルに出力されるため、書き込まれるのは **12 * sizeof(int)** バイトです。

プログラムが書き込んだファイルの中身を、先ほどの **hdump** プログラムを使って覗いてみます。右ページの **Fig.8-15** に示すのが、その結果の一例です。

▶ 0 ～ 9 の 10 個の整数と、2573 と 12609 の合計 12 個の整数をファイルから読み込みます。なお、図に示す値は、実行環境における **int** 型の大きさなどに依存します。

```
00000000 00 00 01 00 02 00 03 00 04 00 05 00 06 00 07 00 ................
00000010 08 00 09 00 0D 0A 41 31                         ......A1
```

Fig.8-15 "TEMP" ファイルのダンプ結果の一例

バイトの並びとエンディアン

本プログラムが出力する整数値の内部のビット構成を、**Fig.8-16** に示しています。

▶ ここでは、int 型が2バイト 16 ビットであると仮定して話を進めていきます。

	10 進数		16 進数
配列 a	0	0000000000000000	0000
	1	0000000000000001	0001
	2	0000000000000010	0002
	3	0000000000000011	0003
	⋮		⋮
	9	0000000000001001	0009
変数 x	2573	0000101000001101	0A0D
変数 y	12609	0011000101000001	3141

Fig.8-16 List 8-18 のプログラムで書き出した整数値

この図を **Fig.8-15** と見比べてみましょう。各整数値の**上位バイトと下位バイトが逆になっています**。たとえば、10 進数の 1 は、16 進数では **0001** ですが、ファイルには **0100** と書き込まれています。**バイトの並びは、処理系や環境に依存する**のです。

複数バイトにわたって格納されているオブジェクト（char 型以外のオブジェクト）の値を、バイト単位で読み書きする場合は、このような、ファイルの内部での**バイトの並び**について知っておく必要があります。

下位バイトが低アドレスとなる方式が**リトルエンディアン**（little endian）で、逆に高アドレスをもつ方式が**ビッグエンディアン**（big endian）です。

▶ これらの用語は、小説『ガリバー旅行記』で、“卵を太いほうから割るべきだ” と主張するリトルエンディアンと、“細いほうから割るべきだ” と主張するビッグエンディアンが対立する話に由来します。

改行文字の扱い

バイナリファイルをテキストモードでオープンした上で読み込むとどうなるのかを、**List 8-19** のプログラムで検証しましょう。

List 8-19 chap08/bin_text.c

```
// バイナリファイルをテキストファイルとして読み取る
#include <stdio.h>

#define MAX  10

int main(void)
{
    FILE *fp;
    int x, y;
    int a[MAX];

    //--- 配列aと変数x,yの値をファイルから読み取る ---//
    if ((fp = fopen("TEMP", "r")) != NULL) {
        fread( a, sizeof(int), MAX, fp);       // aを読取り
        fread(&x, sizeof(int),   1, fp);       // xを読取り
        fread(&y, sizeof(int),   1, fp);       // yを読取り

        fclose(fp);

        //--- 読み込んだ値を表示 ---//
        for (int i = 0; i < MAX; i++)
            printf("a[%d] = %d\n", i, a[i]);
        printf("x = %d\n", x);
        printf("y = %d\n", y);
    }

    return 0;
}
```

実行結果一例

```
a[0] = 0
a[1] = 1
a[2] = 2
a[3] = 3
a[4] = 4
a[5] = 5
a[6] = 6
a[7] = 7
a[8] = 8
a[9] = 9
x = 16650
y = 49
```

▶ 実行によって表示される値は、処理系や実行環境によって、異なります。
ここに示している実行例は、MS-Windows で動作する `sizeof(int)` が 2 の処理系によって得られるものです。

List 8-18 （p.300）のプログラムでバイナリファイルとして作成した `"TEMP"` をテキストモードでオープンして、12 個の整数値を読み取っています。

実行結果をよく見てください。読み取った `x` と `y` の値は、書き込んだ `2573` と `12609` とは異なる値です。

この不可思議な現象が発生する謎を解くヒントは、`hdump` プログラムで `"hdump.c"` を覗いた実行結果（p.299）に隠されています。各行の末尾を示す改行文字が、`0D` と `0A` の2バイトになっています。

C言語では、改行文字 `'\n'` を**1個の文字**で表現します。たとえば、MS-Windows で使われている ASCII コード／JIS コード体系では、その値は 16 進数の `0A` です。

しかし、MS-Windows のテキストファイルでは、改行文字を `0D` と `0A` の2バイトで表現することになっているのです（**Column 8-6**：p.308）。

そのため、テキストファイルに対する読み書きの際は、**Fig.8-17** に示す変換が内部的に行われます。

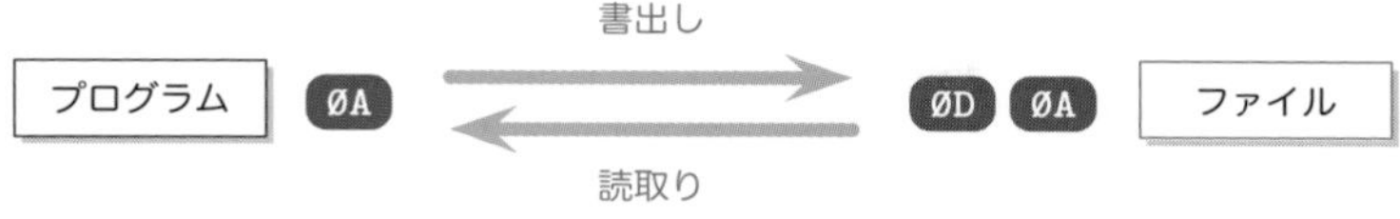

Fig.8-17　テキストファイルでの改行文字の扱い（MS–Windows）

Fig.8-15（p.301）に示しているファイル "TEMP" の最後の4バイトに着目しましょう。

```
ØD ØA 41 31
```

これをテキストとして読み取ると、**Fig.8-18** に示すように、ØD と ØA の2バイトが改行文字 ØA に変換されて読み込まれます。

これで、Mさんが直面した問題の原因が分かりました。バイナリとして読み書きすべきところを、テキストファイルとして読み書きしていたわけです。

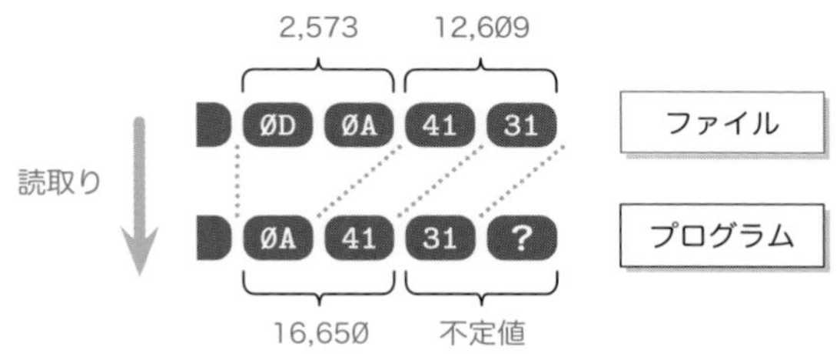

Fig.8-18　テキストファイルでの改行文字の扱い（MS–Windows）

データ中に ØA というバイトがあれば、その書込み時に ØD と ØA の2バイトに変換されるのですから、値によってはファイルが大きくなるという現象が発生します。

ファイルの読み書きは、次のように行わなければなりません。

重 要　テキストとして書き込んだファイルはテキストとして読み取って、バイナリとして書き込んだファイルはバイナリとして読み取る。

テキストファイルとしてオープンしたファイルに対して、*fread* 関数や *fwrite* 関数によるアクセスは行わないようにしましょう。改行文字と同じコードをもつ文字が不正に扱われてしまう可能性があります。

▶　ここで解説したのは、テキストファイルとバイナリファイルのアクセスの内部的な扱いが異なる処理系や環境における例です。テキストファイルとバイナリファイルの実質的な区別がない処理系や環境では、本プログラムは、前のプログラム（**List 8-18**：p.300）と同じ実行結果が得られます。

前回実行時の情報を取得

List 8-20 のプログラムに進みます。まずは、このプログラムを、１回ではなく、複数回実行しましょう。右ページの **Fig.8-19** に示す実行結果が得られます。

プログラムの実行が初めてであれば、その旨のメッセージが表示されて、実行が２回目以降であれば、１回前（前回）に実行したときの日付と時刻が表示されます。

List 8-20 chap08/date_time.c

```
// 前回のプログラム実行時の日付と時刻を表示する

#include <time.h>
#include <stdio.h>

char data_file[] = "datetime.dat";                // ファイル名

//--- 前回の日付・時刻を取得・表示 ---//
void get_data(void)
{
    FILE *fp;

    if ((fp = fopen(data_file, "rb")) == NULL)            // オープン
        printf("本プログラムを実行するのは初めてですね。\n");
    else {
        struct tm local;
        fread(&local, sizeof(struct tm), 1, fp);
        printf("前回は%d年%d月%d日%d時%d分%d秒でした。\n",
                local.tm_year + 1900, local.tm_mon + 1, local.tm_mday,
                local.tm_hour,        local.tm_min,     local.tm_sec);
        fclose(fp);                                       // クローズ
    }
}

//--- 今回の日付・時刻を書き込む ---//
void put_data(void)
{
    FILE *fp;

    if ((fp = fopen(data_file, "wb")) == NULL)            // オープン
        printf("\aファイルをオープンできません。\n");
    else {
        time_t current = time(NULL);                  // 現在の暦時刻
        struct tm *timer = localtime(&current);       // 要素別の時刻（地方時）
        fwrite(timer, sizeof(struct tm), 1, fp);
        fclose(fp);                                       // クローズ
    }
}

int main(void)
{
    get_data();             // 前回の日付・時刻を取得・表示

    put_data();             // 今回の日付・時刻を書き込む

    return 0;
}
```

動作が分かりましたので、プログラムを理解していきましょう。**main** 関数では、関数 ***get_data*** と ***put_data*** を呼び出しています。

a プログラムを初めて実行したときの実行結果

実行結果
本プログラムを実行するのは初めてですね。

b プログラムを２回目以降に実行したときの実行結果の一例

実行結果一例
前回は2027年12月24日13時25分37秒でした。

Fig.8-19 List 8-20 の実行例

これらの関数の動作は、次のとおりです。

■ 関数 get_data

プログラムの最初に呼び出されます。ファイル "datetime.dat" のオープンに成功したか失敗したかどうかで、次のように異なる処理を行います。

□ オープンに失敗した場合

プログラムが実行されたのが初めてと判断して、『本プログラムを実行するのは初めてですね。』と表示します。

□ オープンに成功した場合

前回プログラムを実行した際に書き込んだ日付と時刻を、ファイルから読み込んで表示します。

■ 関数 put_data

プログラムの最後に呼び出されます。実行時の日付と時刻をファイル "datetime.dat" に書き込みます。

日時の保存先がバイナリファイルであるため、**struct tm** 型データの読み書きを ***fread*** 関数と ***fwrite*** 関数とで行っています。

▶ 構造体オブジェクトの内部には、境界調整のために**詰め物**が埋め込まれる可能性があることを第６章で学習しました（p.208）。
バイナリファイルへの読み書き時には、メンバの値だけでなく、詰め物の読み書きも同時に行われます。作成された "datetime.dat" を **hdump** プログラムで覗いてみて確認しましょう。

シーク

本章の最後に学習するのは、**List 8-21** のプログラムです。バイナリファイルの任意の位置への読み書きを行います。

List 8-21 chap08/bin_seek.c

```
// シークを伴うバイナリファイルのアクセス

#include <stdio.h>

#define MAX  100

int main(void)
{
    FILE *fp;
    int x[MAX];

    //--- ファイルを作成 ---//
    if ((fp = fopen("DATA", "wb+")) == NULL)
        return 1;

    for (int i = 0; i < MAX; i++)
        x[i] = i;

    fwrite(x, sizeof(int), MAX, fp);

    fclose(fp);

    //--- ファイルの更新 ---//
    if ((fp = fopen("DATA", "rb+")) == NULL)
        return 1;

    int retry;

    do {
        int no, value, flag;

        printf("何番[0～%d]：", MAX - 1);
        scanf("%d", &no);

        fseek(fp, no * sizeof(int), SEEK_SET);
        fread(&value, sizeof(int), 1, fp);

        printf("値＝%d\n", value);
        printf("変更[1…Yes / 0…No]：");
        scanf("%d", &flag);
        if (flag) {
            printf("値：");
            scanf("%d", &value);
            fseek(fp, no * sizeof(int), SEEK_SET);
            fwrite(&value, sizeof(int), 1, fp);
        }

        printf("もう一度[1…Yes / 0…No]：");
        scanf("%d", &retry);
    } while (retry == 1);

    //--- ファイルの内容を表示 ---//
    fseek(fp, 0, SEEK_SET);
    fread(x, sizeof(int), MAX, fp);

    for (int i = 0; i < MAX; i++)
        printf("x[%d] = %d\n", i, x[i]);

    return 0;
}
```

実行例

```
何番[0～99]：5↵
値＝5
変更[1…Yes / 0…No]：1↵
値：555↵
もう一度[1…Yes / 0…No]：1↵
何番[0～99]：8↵
値＝8
変更[1…Yes / 0…No]：1↵
値：888↵
もう一度[1…Yes / 0…No]：0↵
x[0] = 0
x[1] = 1
x[2] = 2
x[3] = 3
x[4] = 4
x[5] = 555
x[6] = 6
x[7] = 7
x[8] = 888
x[9] = 9
x[10] = 10
…以下省略…
```

読み書きする位置は、**ファイル位置**や**アドレス**などと呼ばれます。アドレスの指定は、**fseek 関数**の呼出しによって行います。

	fseek
ヘッダ	`#include <stdio.h>`
形　式	`int fseek(FILE *stream, long offset, int whence);`
機　能	*stream* が指すストリームに対応するファイル位置表示子の値を変更する。 バイナリストリームの場合、新しい位置（ファイルの始めからの文字数）は、*whence* が示す位置に *offset* を加えることによって得られる。*whence* が示す位置とは、*whence* が SEEK_SET のときはファイルの始めとし、SEEK_CUR のときは、ファイル位置表示子のその時点の値とし、SEEK_END のときはファイルの終わりとする。バイナリストリームでは、*whence* が SEEK_END の値をもつ本関数の呼出しを意味のあるものとしてサポートする必要はない。 テキストストリームの場合、*offset* が 0 であるか、または *offset* が同じストリームに対する以前の *ftell* 関数の呼出しで返された値でなければならない。後者の場合、*whence* は SEEK_SET でなければならない。 本関数の呼出しに成功すると、そのストリームに対応するファイル終了表示子をクリアし、同じストリームに対する *ungetc* 関数の効果をすべて解除する。本関数の呼出しの後では、更新ストリームに対する次の操作は入力でも出力でもよい。
返却値	要求を満足できなかった場合に限り 0 以外の値を返す。

プログラムの流れは、次のとおりです。

1. ファイルをバイナリの書込みモードでオープンして配列 **x** の全要素を書き込みます。

▶ 要素数 *MAX* の配列 **x** には添字と同じ値を代入していますので、先頭から順に 0、1、…、99 がファイルに書き込まれます。書き込んだ後は、いったんファイルをクローズします。

2. ファイルをバイナリの読み書きモードでオープンし直します。配列の添字に相当する番号 *no* を尋ねて、その番号の値をファイルから読み込んで表示します。さらに変更するかどうかを尋ね、変更するのであれば、キーボードから読み込んだ値をファイルに書き込みます。

▶ 実行例では、5 番の値 5 を 555 に書きかえて、8 番の値 8 を 888 に書きかえています。

なお、この処理は、ユーザの望む限り繰り返されます。

▶ 読み込む前と書き込む前の両方で、*fseek* 関数を次のように呼び出しています。

```
fseek(fp, no * sizeof(int), SEEK_SET);
```

この呼出しによって、先頭から *no* * sizeof(int) バイトの位置がアドレスとなります。

たとえば、*fseek* 関数でファイルの先頭から 16 バイト目にシークして sizeof(int) バイトを読み込むと、アドレスは 16 + sizeof(int) に更新されます。そのため、書込みの直前にも再び 16 バイト目にシークし直す必要があるのです。

3. ファイルの先頭位置からすべての値を配列 **x** に読み込んで、その値を表示します。

▶ 読込み前に *fseek* 関数を次のように呼び出しています。

```
fseek(fp, 0, SEEK_SET);
```

アドレスは、ファイルの先頭となります。

Column 8-6 テキストストリームとバイナリストリーム

テキストストリームとバイナリストリームについて、標準Cでの定義を学習しましょう。

▪ テキストストリーム

テキストストリームは、**行**（line）を構成する、一連の（順序付けられた）文字の並びです。

各行は、0個以上の文字に、行の終端を表す改行文字を付加したものです。テキストストリームの最終行が、終端を示す改行文字を必要とするかどうかは、処理系定義です。

ホスト環境内でテキストを表現するための規約に適合させるために、入力と出力の際に文字を付加・変更・削除しなければならない場合があってもよいことになっています。すなわち、ストリーム内の文字と外部表現の文字とのあいだで、1対1の対応があるとは限りません

※ たとえば、MS-Windowsでは、改行文字をプログラム内部では1バイトで表現して、外部のファイルでは2バイトで表現します（本文で学習しました）。

テキストストリームから読み取られるデータが、そのストリームに書き込まれたデータと一致することが保証されるのは、次の条件をすべて満たす場合に限られます。

- データが表示文字と制御文字である水平タブおよび改行だけで構成される。
- 改行文字の直前に空白文字がない。
- 最後の文字が改行文字である。

改行文字の直前に書き込まれた空白文字の並びが、データの読取り時に現れるかどうかは、処理系定義とされています（すなわち、改行文字の直前の空白文字の並びは読込み時に無視されて、読み込めない可能性がある、ということです）。

最後の改行文字を含めて少なくとも254文字を収容する行がサポートされます（それ以上の文字を含む行を取り扱えるかどうかは、処理系に依存します）。

▪ バイナリストリーム

バイナリストリームは、内部データをそのまま記録することのできる順序付けされた一連の文字の並びです。

バイナリストリームから読み取られるデータは、同一の処理系のもとでは、以前にそのストリームに書き込まれたデータと比較して一致しなければならないことになっています。ただし、ストリームの最後にナル文字を処理系定義の個数だけ付加することが許されています。

なお、処理系は、テキストストリームとバイナリストリームとを区別しなくてもよいとされています。その場合、テキストストリーム中に改行文字が存在する必要はありませんし、1行の長さに制限を設けなくてもよいことになっています。

第９章

汎用２分探索木ライブラリ

本書では数多くのライブラリを開発してきましたが、その最後を飾るのが、《汎用２分探索木ライブラリ》です。

書籍やサイトなどではあまり取りあげられることのない、データやキーの型に依存しない、汎用の２分探索木ライブラリを、高度なポインタの技術を駆使して実現します。

9-1 汎用2分探索木ライブラリの開発

本節では、データやキーの型に依存することなく利用可能な汎用の2分探索木ライブラリを開発します。

2分探索木

Nさんから、2分木に関する次のような相談をいただきました。

2分探索木を用いたプログラムを作り始めています。書籍やサイトのプログラムは、キーが整数と文字列のいずれかに決め打ちされたものばかりです。しかも、昇順での走査や探索といった基礎的な手続きは解説されていますが、私が必要としている『着目ノードより一つ大きいキー値の探索／小さいキー値をもつノードの探索』が解説されていません。本格的な2分探索木のプログラムの作り方を教えてください。

まずは、2分木と2分探索木の基本を学習しましょう。

▶ **木**そのものに関する基本的な事項については、右ページから始まる **Column 9-1** で学習します。

2分木

Fig.9-1 に示す**2分木**（binary tree）は、最上流の**ノード** Miura を**根**とする**順序木**です。

2分木上のノードは、データ＝名前に加えて、**左の子へのポインタ**と**右の子へのポインタ**をもっています（子がいない場合は空ポインタとなります）。

なお、あるノードに着目したとき、そのノードの左の子を根とする部分木が**左部分木**（left subtree）であり、右の子を根とする部分木が**右部分木**（right subtree）です。

▶ 一例を示すと、次のとおりです。
- "Miura" の左部分木は "Ikeda" を根とする部分木です。
- "Miura" の右部分木は "Satoh" を根とする部分木です。

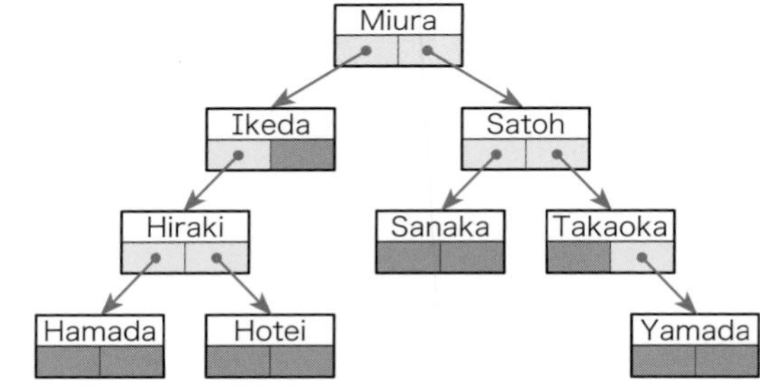

Fig.9-1　2分探索木となっている2分木の例

2分探索木

この図の2分木は、すべてのノードが、次に示す二つの条件の両方を満たしています。

- 左部分木のどのノードのキーも、そのノードのキー値より小さい。
- 右部分木のどのノードのキーも、そのノードのキー値より大きい。

このような2分木が、**2分探索木**（binary search tree）です。

▶ たとえば、根である "Miura" は、左側の子孫 "Ikeda"、"Hiraki"、"Hamada"、"Hotei" のすべてより大きく、右側の子孫 "Satoh"、"Sanaka"、"Takaoka"、"Yamada" のすべてより小さいという関係が成立しています（ここでの大小関係の基準はアルファベット順です）。

2分探索木という名前が示すように、キー値による**探索**が高速に行えます。

Column 9-1　木に関する基礎知識

▪ 木について

木（tree）の基礎を、**Fig.9C-1** を見ながら、学習していきましょう。

木の構成要素は、○で示す**ノード／節**（node）と、── で示す**枝**（edge）です。各ノードは、枝を通じて他のノードと結び付きます。なお、図の上側は**上流**と呼ばれ、下側は**下流**と呼ばれます。

根 ……… 最上流のノードが**根**（root）です。一つの木に対して、根は1個だけ存在します。

葉 ……… 最下流のノードが**葉**（leaf）です。

子 ……… あるノードと枝で結ばれた下流側のノードが**子**（child）です。

親 ……… あるノードと枝で結ばれた上流側のノードが**親**（parent）です。

兄弟 …… 共通の親をもつノードが**兄弟**（sibling）です。

先祖 …… あるノードから上流側にたどれるすべてのノードが**先祖**（ancestor）です。

子孫 …… あるノードから下流側にたどれるすべてのノードが**子孫**（descendant）です。

レベル … 根からどれくらい離れているかを示すのが**レベル**（level）です。

度数 …… 各ノードがもつ子の数が**度数**（degree）です。
すべてのノードの度数が n 以下である木を**n進木**と呼びます。
すべてのノードの子の数が2個以下であれば、その木は**2進木**です。
図に示す木は、すべてのノードの子が3個以下ですから**3進木**です。

高さ …… 葉のレベルの最大値（根から最も遠い葉までの距離）が、**高さ**（height）です。
この図に示されている木の高さは **3** です。

空木 …… ノードや枝がまったく存在しない木が**空木**（NULL tree）です。

部分木 … あるノードを根とし、その子孫から構成される木が**部分木**（subtree）です。
水色で囲まれた部分は、ノードXを根とする部分木です。

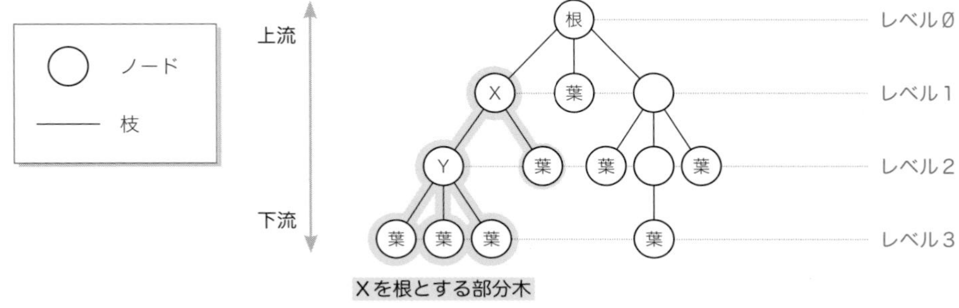

Fig.9C-1 木

■ 順序木と無順序木

木には、兄弟関係にあるノードの順序を区別するものとそうでないものがあります。

- **順序木**（ordered tree）　：順序を区別する
- **無順序木**（unordered tree）：順序を区別しない

これ以降、**2進木を例に、順序木のノードを走査する二つの手法を学習します。**

■ 幅優先探索／横型探索（breadth-first search）

幅優先探索とも呼ばれる**横型探索**は、レベルの低いノードから始めて、**左側から右側へとなぞり、**それが終わると次のレベルにくだる方法です。

Fig.9C-2 に示すのが、横型探索でノードを走査する例です。

ノードをなぞる順は、次のようになります。

A ➡ B ➡ C ➡ D ➡ E ➡ F ➡ G ➡ H ➡ I ➡ J ➡ K ➡ L

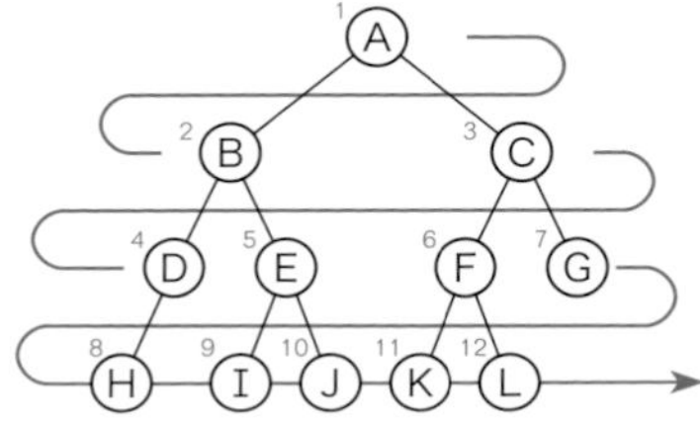

Fig.9C-2　横型探索

■ 深さ優先探索／縦型探索（depth-first search）

深さ優先探索とも呼ばれる**縦型探索**は、葉に到達するまで**下流にくだる**のを優先する方法です。

葉に到達して行き止まりとなった場合は、いったん親に戻って、それから次のノードへとたどっていきます。

Fig.9C-3 に示すのが、縦型探索の走査の概略です。

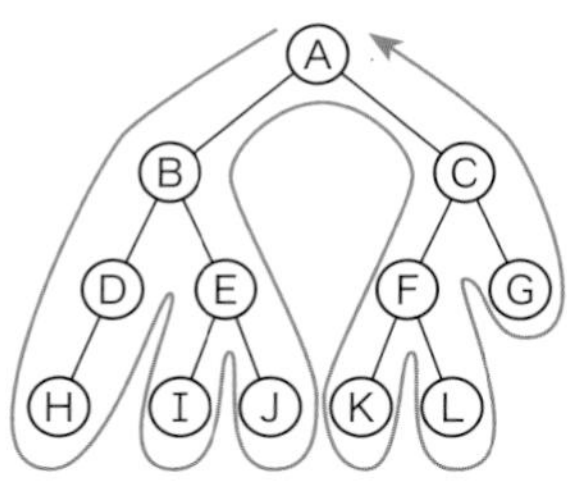

Fig.9C-3　縦型探索

ノードAに着目しましょう。BとCの2個の子をもっています。右ページの **Fig.9C-4** に示すように、走査の過程でAを通過するのは全部で3回です。

- AからBにくだる直前
- BからCに行く途中
- CからAに戻ってきたとき

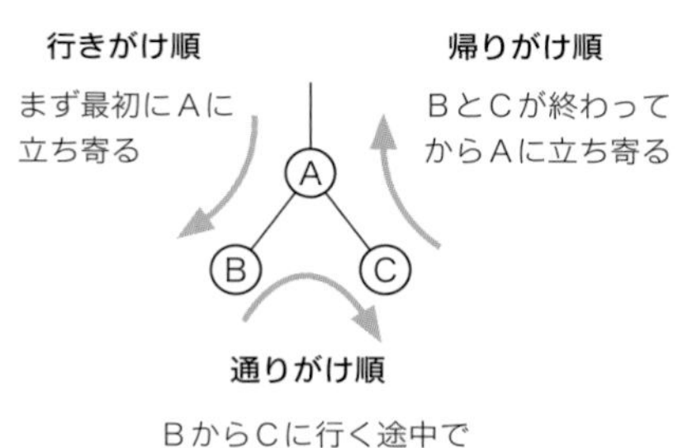

Fig.9C-4　縦型探索と走査

他のノードでも同様です。二つの子の一方あるいは両方がなければ少なくなるものの、各ノードを最大で3回通過します。

3回の通過のうちの、どのタイミングで実際に“**立ち寄る**”のかによって、縦型探索は、次の3種類の走査法に分類されます。

▪ 行きがけ順（preorder：前順(まえ)／先行順／前置順）

次の手順で走査します。

ノードに立ち寄る ➡ 左の子にくだる ➡ 右の子にくだる

左ページの **Fig.9C-3** の木で考えましょう。たとえばノードAを通過するタイミングに着目すると、{ **Aに立ち寄る** ➡ Bにくだる ➡ Cにくだる } という手順です。

そのため、木全体の走査は、次のようになります。

A ➡ B ➡ D ➡ H ➡ E ➡ I ➡ J ➡ C ➡ F ➡ K ➡ L ➡ G

▪ 通りがけ順（inorder：間順(あいだ)／中間順／中置順）

次の手順で走査します。

左の子にくだる ➡ ノードに立ち寄る ➡ 右の子にくだる

たとえばノードAを通過するタイミングに着目すると、{ Bにくだる ➡ **Aに立ち寄る** ➡ Cにくだる } という手順です。

そのため、木全体の走査は、次のようになります。

H ➡ D ➡ B ➡ I ➡ E ➡ J ➡ A ➡ K ➡ F ➡ L ➡ C ➡ G

▪ 帰りがけ順（postorder：後順(あと)／後行順／後置順）

次の手順で走査します。

左の子にくだる ➡ 右の子にくだる ➡ ノードに立ち寄る

たとえばノードAを通過するタイミングに着目すると、{ Bにくだる ➡ Cにくだる ➡ **Aに立ち寄る** } という手順です。

そのため、木全体の走査は、次のようになります。

H ➡ D ➡ I ➡ J ➡ E ➡ B ➡ K ➡ L ➡ F ➡ G ➡ C ➡ A

汎用2分探索木ライブラリの設計

Nさんの御相談にあるように、書籍やサイトで示されるプログラムのほとんどは、整数あるいは文字列といった特定のデータ型に特化されたものです。そのため、データ型の異なる2分探索木が必要となるたびに、その型専用のプログラムを作らなければなりません。

しかも、多くのプログラムは、ノード上の**データそのものがキーです**。ところが、現実の要求はそうとは限りません。典型的な例としては、次のようなものがあります。

ノードのデータは『会員番号／名前／身長』をセットにした構造体であって、そのメンバである『名前』がキーとなる。

このとき、ノード上の**データの一部がキーです**。

汎用2分探索木の開発にあたって考慮すべき点をまとめましょう。

- **データの大きさは可変であって固定できない。ノード用の構造体には、データをそのまま入れるのではなく、次の二つのメンバをもたせる。**
  - データへのポインタ（任意の型のデータを指すことが可能な **void *** 型）。
  - データの大きさ（データのバイト数を記憶する **size_t** 型）。
- **データの型が任意である上に、データそのものがキーになるとは限らないことから、キーの大小関係を比較する方法も多種多様である。汎用ライブラリ（第 7 章）で利用されている、次の形式の比較関数へのポインタの導入が必要である。**

  ```
  int (*)(const void *, const void *);
  ```

  比較関数へのポインタは、個々のノードがもつのではなく、2分探索木がもつ。

ノード用の構造体と、2分探索木用の構造体を、次のように定義しましょう。

```
//---  2分探索木のノード ---//
typedef struct __bnode {
    void *ptr;                    // データへのポインタ
    size_t size;                  // データの大きさ
    struct __bnode *left;         // 左の子ノードへのポインタ
    struct __bnode *right;        // 右の子ノードへのポインタ
} BinNode;

//---  2分探索木 ---//
typedef struct {
    BinNode *root;                                 // 根ノードへのポインタ
    BinNode *crnt;                                 // 着目ノードへのポインタ
    int (*compar)(const void *, const void *);     // 比較関数へのポインタ
} BinTree;
```

これらの構造体による2分探索木のイメージを右ページの **Fig.9-2** に示しています。

2分探索木 *BinTree* 型オブジェクトは、一つの2分探索木に対して1個だけ存在します。そのメンバ *root* は、根ノードを指すポインタです（ノードが存在しない場合は **NULL** です）。

▶ メンバ *crnt* は、探索の際に着目しているノードを指すポインタです。

３番目のメンバ *compar* は、キーの大小関係を判定する比較関数へのポインタです。

ノード *BinNode* 型オブジェクトは、ノードの個数だけ存在します。

メンバ *ptr* はデータへのポインタで、メンバ *size* はデータの大きさ＝バイト数です。

メンバ *left* と *right* は、左右の子ノードへのポインタです。

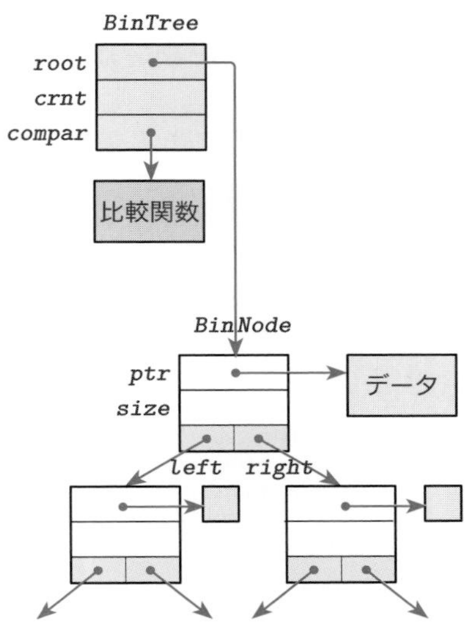

Fig.9-2 汎用2分探索木

▶ 具体例を考えましょう：

▪ データすなわちキーが int 型の整数

▫ 2分探索木のメンバ *compar*

２個の **int** 型の大小関係を判定する関数へのポインタ。

▫ ノードのメンバ

ptr ：**int** 型オブジェクトへのポインタ。
size：**sizeof(int)**。

▪ データすなわちキーが文字列

▫ 2分探索木のメンバ *compar*

標準ライブラリ *strcmp* 関数へのポインタ。

▫ ノードのメンバ

ptr ：文字列（の先頭文字）へのポインタ。
size：文字列を格納するバイト数（*strlen*(*ptr*) + 1)。

▪ データが構造体でその中のいずれかのメンバがキー

ここでは、データが次の構造体 *Member* であって、メンバ **name** をキーとする例で考えます。

```
typedef struct {
    int  no;          // 会員番号
    char name[64];    // 名前
    int  height;      // 身長
} Member;
```

▫ 2分探索木のメンバ *compar*

２個の *Member* 型オブジェクトへのポインタを受け取って、その中のメンバ **name** の値で大小関係を判定する比較関数へのポインタ。

▫ ノードのメンバ

ptr ：*Member* 型オブジェクトへのポインタ。
size：**sizeof(*Member*)**。

汎用２分探索木のプログラム

汎用２分探索木を実現したプログラムを、次ページに示しています。**List 9-1** がヘッダで、**List 9-2** が実現部です。

List 9-1 chap09/v1/bintree.h

```
// 汎用２分探索木（第１版：ヘッダ）

#ifndef __LIB_BINARY_SEARCH_TREE1
#define __LIB_BINARY_SEARCH_TREE1

//--- ２分探索木のノード ---//
typedef struct __bnode {
    void *ptr;                  // データへのポインタ
    size_t size;                // データの大きさ
    struct __bnode *left;       // 左の子ノードへのポインタ
    struct __bnode *right;      // 右の子ノードへのポインタ
} BinNode;

//--- ２分探索木 ---//
typedef struct {
    BinNode *root;                                    // 根ノードへのポインタ
    BinNode *crnt;                                    // 着目ノードへのポインタ
    int (*compar)(const void *, const void *);        // 比較関数へのポインタ
} BinTree;

// ２分探索木tからのdataの探索
BinNode *BTsearch(BinTree *t, void *data);

// ２分探索木tへのsizeバイトのdataをもつノードの挿入
BinNode *BTinsert(BinTree *t, void *data, size_t size);

// ２分探索木tからdataと一致するノードを削除
int BTremove(BinTree *t, void *data);

// ２分探索木tの全ノードを昇順にnode_print関数で表示
void BTprint(const BinTree *t, void (*node_print)(const void *));

// ２分探索木tの初期化
void BTinitialize(BinTree *t, int (*compare)(const void *, const void *));

// ２分探索木tの終了
void BTfinalize(BinTree *t);

#endif
```

List 9-2 chap09/v1/bintree.c

```
// 汎用２分探索木（第１版：実現）

#include <stdlib.h>
#include <string.h>
#include "bintree.h"

//--- ノードの生成 ---//
static BinNode *BinNodeAlloc(size_t size)
{
    BinNode *p = malloc(sizeof(BinNode));         // ノードの生成
    p->ptr = malloc(size);                        // データの生成
    return p;
}

//--- ノードの破棄 ---//
static void BinNodeFree(BinNode *node)
{
    free(node->ptr);                              // データの破棄
    free(node);                                   // ノードの破棄
}
```

```
//--- ノードnodeのメンバの値の設定 ---//
static BinNode *BinNodeSet(BinNode *node, void *ptr, size_t size,
                           BinNode *left, BinNode *right)
{
    memcpy(node->ptr, ptr, size);                    // データをsizeバイトコピー
    node->size  = size;                              // 左子ノード
    node->left  = left;                              // 左子ノード
    node->right = right;                             // 右子ノード
    return node;                                     // 自身へのポインタを返却
}

//--- ノードpを根とする部分木へからのdataの探索 ---//
static BinNode *search(BinTree *t, BinNode *p, void *data)
{
    while (1) {
        if (!p)
            return NULL;                         // 探索失敗
        int cond = t->compar(data, p->ptr);
        if (cond == 0)
            return p;                            // 探索成功
        else if (cond < 0)
            p = p->left;                         // 左部分木から探索
        else
            p = p->right;                        // 右部分木から探索
    }
}

//--- 2分探索木tからのdataの探索 ---//
BinNode *BTsearch(BinTree *t, void *data)
{
    return search(t, t->root, data);
}

//--- ノードpを根とする部分木へのdataの挿入 ---//
static BinNode *insert(BinTree *t, BinNode *p, void *data, size_t size)
{
    int cond;

    if (p == NULL) {                                          // 挿入位置を発見
        p = BinNodeAlloc(size);
        BinNodeSet(p, data, size, NULL, NULL);
        t->crnt = p;
    } else if ((cond = t->compar(data, p->ptr)) == 0)
        ;                                                     // キーは既に存在
    else if (cond < 0)
        p->left  = insert(t, p->left, data, size);            // 左の子に着目
    else
        p->right = insert(t, p->right, data, size);           // 右の子に着目

    return p;
}

//--- 2分探索木tへのsizeバイトのdataをもつノードの挿入 ---//
BinNode *BTinsert(BinTree *t, void *data, size_t size)
{
    t->crnt = NULL;
    t->root = insert(t, t->root, data, size);
    return t->crnt;
}

//--- 2分探索木tからdataと一致するノードを削除 ---//
int BTremove(BinTree *t, void *data)
{
    BinNode *next, *temp;
    BinNode **left;
    BinNode **p = &(t->root);
```

```
    while (1) {
        int cond;
        if (*p == NULL)                           // 探索失敗
            return 0;
        else if ((cond = t->compar(data, (*p)->ptr)) == 0)
            break;                                // 探索成功
        else if (cond < 0)
            p = &((*p)->left);                    // 左部分木から探索
        else
            p = &((*p)->right);                   // 右部分木から探索
    }
    if ((*p)->left == NULL)
        next = (*p)->right;
    else {
        left = &((*p)->left);
        while ((*left)->right != NULL)
            left = &(*left)->right;
        next = *left;
        *left = (*left)->left;
        next->left  = (*p)->left;
        next->right = (*p)->right;
    }
    temp = *p;
    *p = next;
    BinNodeFree(temp);

    return 1;
}

//--- ノードpを根とする部分木を昇順にnode_print関数で表示 ---//
static void print(const BinNode *p, void (*node_print)(const void *))
{
    if (p != NULL) {
        print(p->left, node_print);       // pの左部分木を表示
        node_print(p->ptr);               // pを表示
        print(p->right, node_print);      // pの右部分木を表示
    }
}

//--- 2分探索木tの全ノードを昇順にnode_print関数で表示 ---//
void BTprint(const BinTree *t, void (*node_print)(const void *))
{
    print(t->root, node_print);
}

//--- 2分探索木tの初期化 ---//
void BTinitialize(BinTree *t, int (*compare)(const void *, const void *))
{
    t->root = t->crnt = NULL;
    t->compar = compare;
}

//--- ノードpを根とする部分木の全ノードを破棄 ---//
static void free_tree(BinNode *p)
{
    if (p != NULL) {
        free_tree(p->left);               // pの左部分木を破棄
        free_tree(p->right);              // pの右部分木を破棄
        free(p);                          // pを破棄
    }
}
```

```
//--- 2分探索木tの終了 ---//
void BTfinalize(BinTree *t)
{
    free_tree(t->root);
    t->root = t->crnt = NULL;
}
```

公開されている関数は、次の6個の関数です。

// 2分探索木 t からの data の探索
BinNode *BTsearch(BinTree *t, void *data);
※探索で見つけたノードへのポインタ（失敗時は NULL）を返却します（初期化時に指定された比較関数を用いて data との等価性の判定を行います）。

// 2分探索木 t への size バイトの data をもつノードの挿入
BinNode *BTinsert(BinTree *t, void *data, size_t size);
※挿入したノードへのポインタ（失敗時は NULL）を返却します。

// 2分探索木 t から data と一致するノードを削除
int BTremove(BinTree *t, void *data);
※削除に成功したときは -1 を返却し、失敗したときは 0 を返却します（初期化時に指定された比較関数を用いて data との等価性を判定することで削除対象のノードを見つけます）。

// 2分探索木 t の全ノードを昇順に node_print 関数で表示
void BTprint(const BinTree *t, void (*node_print)(const void *));
※ノードを表示する関数へのポインタを引数 node_print に与えて呼び出します（表示の形式を自由に設定できます）。

// 2分探索木 t の初期化
void BTinitialize(BinTree *t, int (*compare)(const void *, const void *));
※2分探索木 t の初期化処理を行います。比較関数を compare に設定します。

// 2分探索木 t の終了
void BTfinalize(BinTree *t);
※2分探索木 t の後始末（使用終了）処理を行います。すべてのノードを破棄します。

▶ 上記以外の関数には内部結合が与えられています（"bintree.c" の中だけで呼び出されます）。
- 関数 BinNodeAlloc は、size バイトのデータをもつノードを生成します。
- 関数 BinNodeFree は、node が指すノードを破棄します。
- 関数 BinNodeSet は、node が指すノードの全メンバに、引数で与えられた値を設定します。
- 再帰関数 search は、探索を行う関数 BTsearch からゆだねられて探索処理を行います。
- 再帰関数 insert は、挿入を行う関数 BTinsert からゆだねられて挿入処理を行います。
- 再帰関数 print は、表示を行う関数 BTprint からゆだねられて探索処理を行います。
- 再帰関数 free_tree は、2分木使用の終了処理を行う関数 BTfinalize から、全ノードの破棄（記憶域の解放）の処理をゆだねられています。

汎用2分探索木の利用例のプログラムを、次ページの **List 9-3** に示します。ノードのデータが文字列であり、データそのものがキーとなる例です。

List 9-3　　chap09/v1/bt_test_string.c

```
// 汎用２分探索木（第１版の利用例：データ＝キーは文字列）

#include <stdio.h>
#include <string.h>
#include "bintree.h"

//--- メニュー ---//
typedef enum {
    Term, Insert, Remove, Search, Print
} Menu;

//--- メニュー選択 ---//
Menu SelectMenu(void)
{
    int ch;

    do {
        printf("\n(1)挿入  (2)削除  (3)探索  (4)表示  (0)終了 : ");
        scanf("%d", &ch);
    } while (ch < Term || ch > Print);
    return (Menu)ch;
}

//--- データの入力 ---//
void Read(const char *message, char *temp)
{
    printf("%sする文字列を入力してください : ", message);
    scanf("%s", temp);
}

//--- 表示関数 ---//
void print_string(const char *s)
{
    printf("%s\n", s);
}

//--- メイン関数 ---//
int main(void)
{
    Menu    menu;
    BinTree bt;
    BTinitialize(&bt, strcmp);      // ２分探索木の初期化

    do {
        char temp[128];
        BinNode *p;
        switch (menu = SelectMenu()) {
         case Insert :  Read("挿入", temp);
                        if (!(p = BTinsert(&bt, temp, strlen(temp)+1)))
                            printf("挿入失敗\n");
                        break;

         case Remove :  Read("削除", temp);
                        if (!BTremove(&bt, temp))
                            printf("削除失敗\n");
                        break;

         case Search :  Read("探索", temp);
                        if (p = BTsearch(&bt, temp))
                            printf("%s\n", (const char *)p->ptr);
                        else
                            printf("探索失敗\n");
                        break;
```

```
        case Print   :  puts("--- 一覧表 ---");
                        BTprint(&bt, (void (*)(const void *))print_string);
                        break;
        }
    } while (menu != Term);

    BTfinalize(&bt);                    // 2分探索木の終了

    return 0;
}
```

プログラムの実行例を **Fig.9-3** に示します。

```
(1)挿入  (2)削除  (3)探索  (4)表示  (0)終了 :1⏎
挿入する文字列を入力してください : Hiraki⏎ ……………… ノード挿入

(1)挿入  (2)削除  (3)探索  (4)表示  (0)終了 :1⏎
挿入する文字列を入力してください : Ikeda⏎ ……………… ノード挿入

(1)挿入  (2)削除  (3)探索  (4)表示  (0)終了 :1⏎
挿入する文字列を入力してください : Masaki⏎ ……………… ノード挿入

(1)挿入  (2)削除  (3)探索  (4)表示  (0)終了 :1⏎
挿入する文字列を入力してください : Miura⏎ ……………… ノード挿入

(1)挿入  (2)削除  (3)探索  (4)表示  (0)終了 :1⏎
挿入する文字列を入力してください : Takaoka⏎ ……………… ノード挿入

(1)挿入  (2)削除  (3)探索  (4)表示  (0)終了 :1⏎
挿入する文字列を入力してください : Sanaka⏎ ……………… ノード挿入

(1)挿入  (2)削除  (3)探索  (4)表示  (0)終了 :1⏎
挿入する文字列を入力してください : Yamada⏎ ……………… ノード挿入

(1)挿入  (2)削除  (3)探索  (4)表示  (0)終了 :1⏎
挿入する文字列を入力してください : Satoh⏎ ……………… ノード挿入

(1)挿入  (2)削除  (3)探索  (4)表示  (0)終了 :3⏎
探索する文字列を入力してください : Miura⏎
Miura ……………………………………………… 探索に成功

(1)挿入  (2)削除  (3)探索  (4)表示  (0)終了 :3⏎
探索する文字列を入力してください : Takeda⏎
探索失敗 ……………………………………………… 探索に失敗

(1)挿入  (2)削除  (3)探索  (4)表示  (0)終了 :4⏎
--- 一覧表 --- ……………………………………… 昇順に表示
Hiraki
Ikeda
Masaki
Miura
Sanaka
Satoh
Takaoka
Yamada
```

Fig.9-3 List 9-3 の実行例

▶ ダウンロードファイルには、次のプログラムも含まれています。

chap09/v1/bt_test_int.c　　データすなわちキーが int 型の整数の2分探索木
chap09/v1/bt_test_struct.c　　データが構造体でその中のメンバがキーの2分探索木

9-2 非再帰的手続きの応用

2分探索木では、現在着目するノードより一つ小さいキー値／大きいキー値のノードの探索は容易ではありません。解決法をさぐりましょう。

2分探索木と再帰的手続き

Nさんの相談を解決する手始めとして、2分探索木上の部分木をキー値の昇順に走査・表示する関数 **print** の動作を理解していきます。

```
static void print(const BinNode *p, void (*node_print)(const void *))
{
    if (p != NULL) {
        print(p->left, node_print);      // pの左部分木を表示
        node_print(p->ptr);              // pを表示
        print(p->right, node_print);     // pの右部分木を表示
    }
}
```

この関数は、受け取ったノード **p** から開始して、次のことを再帰的に行います。

Ⓐ 左部分木の全ノードをキー値の昇順に表示する。
Ⓑ 自身のノードを表示する。
Ⓒ 右部分木の全ノードをキー値の昇順に表示する。

具体例な手順を **Fig.9-4** で考えましょう。
引数 **p** に根へのポインタを受け取った関数 **print** は、次のことを行います。

Ⓐ ノード **p** の左の子 **"Ikeda"** を根とする部分木を表示する。
Ⓑ ノード **p** である **"Miura"** を表示する。
Ⓒ ノード **p** の右の子 **"Satoh"** を根とする部分木を表示する。

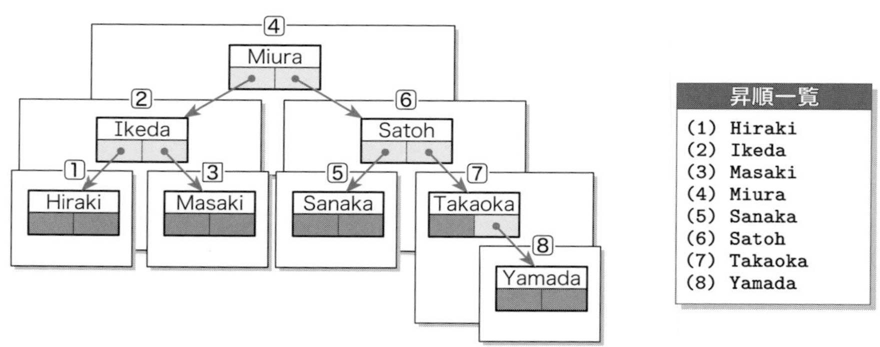

Fig.9-4　2分探索木上の全ノードを昇順に走査

わずか3ステップですが、その処理は複雑です。というのも、Ⓐと©が、それぞれの部分木に対して再帰的に行われるからです。たとえば、Ⓐは、ポインタ **p** が指す **"Ikeda"** を根とする部分木に対して、次の処理を行います。

Ⓐ ノード **p** の左の子 **"Hiraki"** を根とする部分木を表示する。
Ⓑ ノード **p** である **"Ikeda"** を表示する。
Ⓒ ノード **p** の右の子 **"Masaki"** を根とする部分木を表示する。

キー値の昇順、すなわち①、②、…、⑧の順で表示を行うために、プログラムの内部で複雑な処理が行われることが分かりました。

２分探索木のようにデータ構造自体が再帰的である場合、各種の処理は、再帰的な手続きを用いると簡潔に行える傾向があります。

重要 再帰的な構造をもつデータに対しては、再帰的な手続きを適用することでスマートに処理が行える。

すべてのノードをキー値の昇順に走査・表示するという一見単純な作業ですが、**for** 文や **while** 文といった繰返し文で実現するのは困難です。

Column 9-2　main 関数の再帰呼出し

C言語では、**main** 関数を再帰的に呼び出せるようになっています。**List 9C-1** に示すのが、そのプログラム例です。

List 9C-1　chap09/rec_main.c

```
// main関数の再帰呼出し
#include <stdio.h>

int main(void)
{
    static int x = 5;
    static int v = 0;

    if (--x > 0) {
        printf("x      = %d\n", x);
        printf("main() = %d\n", main());
        v++;
        return v;
    } else {
        return 0;
    }
}
```

実行結果

```
x      = 4
x      = 3
x      = 2
x      = 1
main() = 0
main() = 1
main() = 2
main() = 3
```

ただし、C++では、**main** 関数を再帰的に呼び出したり、**main** 関数のアドレスを取得したりすることはできません。

再帰の非再帰的表現

関数 *print* を、あえて再帰的手続きを用いずに実現しましょう。**Fig.9-5** に示す２分探索木を例にとって、具体的に考えていきます。

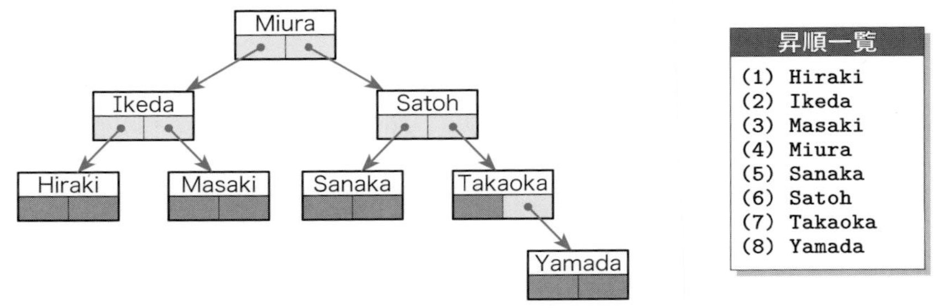

Fig.9-5　2分探索木とキー値の昇順での走査結果

1. 根 `"Miura"` に着目します。`"Miura"` よりも小さいキー値をもつノードが、左側の子孫に存在します（この段階では表示が行えないので、次のステップに進みます）。
2. 左の子 `"Ikeda"` に着目します。`"Ikeda"` よりも小さいキー値をもつノードが、左側の子孫に存在します（この段階では表示が行えないので、次のステップに進みます）。
3. 左の子 `"Hiraki"` に着目します。`"Hiraki"` には子がいないので、ここでようやく、名前 `"Hiraki"` を出力します。これで、最初の名前を出力します。

…と、当たり前のように説明してきました。しかし、ここで、

`"Hiraki"` から親の `"Ikeda"` に戻れない。

という問題が立ちふさがります。自分より上流のノードに戻るためには、それまでたどってきたルートが必要です。

この問題を解決するのが、**Fig.9-6** に示す**スタック**（stack）です。スタックは、最後に入れたものを最初に取り出す **LIFO**（Last–In First–Out）構造です（**Column 1-5**：p.28）。

着目したノードをスタックにプッシュしていき、行き止まりになるとポップします。

- a　根 `"Miura"` に着目し、スタックにプッシュします。
- b　左の子 `"Ikeda"` に着目し、スタックにプッシュします。
- c　左の子 `"Hiraki"` に着目し、スタックにプッシュします。
- d　左の子へのポインタは、空ポインタであり、これ以上は進めません。スタックからデータをポップし、取り出した `"Hiraki"` を表示します。
- e　スタックからデータをポップし、取り出した `"Ikeda"` を表示します。

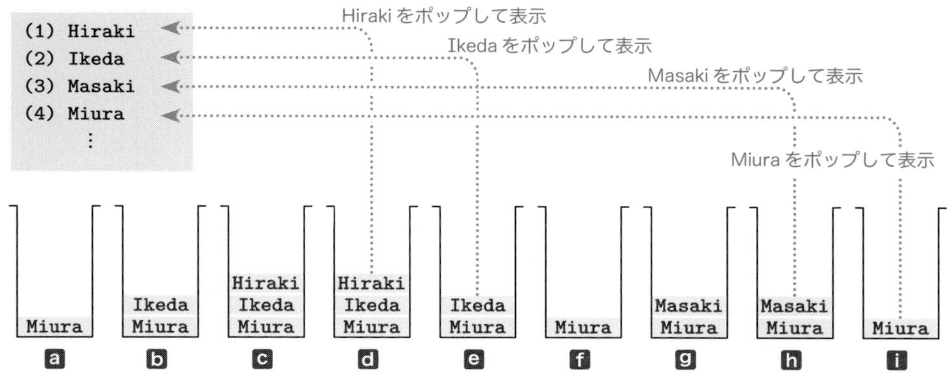

Fig.9-6 2分探索木の走査とスタック

このようにスタックをうまく利用して作業を続けていくと、すべてのデータがキー値の昇順に出力されます。

問題の解決

スタックには、その時点までにたどってきた全ノードが積まれています。たとえば、図cで**"Hiraki"**まで到達した時点では、スタックには、**"Miura"**と**"Ikeda"** が積まれています。

これが、Nさんの相談を解決するためのヒントとなります。

根から、現在着目しているノードまでのルート上の全ノードが配列に蓄えられていれば、現在着目しているノードの上流に位置する《親》や《親の親》などに戻る作業は容易です。

そうすると、《一つ大きいキー値をもつノードの探索》と《一つ小さいキー値をもつノードの探索》も、比較的容易に実現できます。

その方針で作り変えましょう。まずは、探索を次のように変更します。

- 探索の過程で通ったノードをスタックにプッシュしていく。探索成功時は、そのノードに着目する。

さらに、次の2個の関数を追加します。

- 現在着目しているノードより一つ大きいキー値をもつノードの探索を行う関数
- 現在着目しているノードより一つ小さいキー値をもつノードの探索を行う関数

▶ これらの関数は、スタック上に積まれているノードと、現在着目しているノードの情報をもとに探索を行います。

プログラムを、次ページに示します。**List 9-4** がヘッダで、**List 9-5** が実現部です。

List 9-4 chap09/v2/bintree.h

```
// 汎用２分探索木（第２版：ヘッダ）

#ifndef __LIB_BINARY_SEARCH_TREE2
#define __LIB_BINARY_SEARCH_TREE2

//--- ２分木のノード ---//
typedef struct __bnode {
    void *ptr;                  // データへのポインタ
    size_t size;                // データの大きさ
    struct __bnode *left;       // 左の子ノードへのポインタ
    struct __bnode *right;      // 右の子ノードへのポインタ
} BinNode;

//--- ２分木 ---//
typedef struct {
    int stack_size;                                  // スタックの容量
    int stack_ptr;                                   // スタックポインタ
    BinNode **stack;                                 // スタック
    BinNode *root;                                   // 根ノードへのポインタ
    BinNode *crnt;                                   // 着目ノードへのポインタ
    int (*compar)(const void *, const void *);       // 比較関数へのポインタ
} BinTree;

// ２分探索木tからのdataの探索
BinNode *BTsearch(BinTree *t, void *data);

// ２分探索木tからの次のノードの探索
BinNode *BTsearchNext(BinTree *t);

// ２分探索木tからの前のノードの探索
BinNode *BTsearchPrev(BinTree *t);

// ２分探索木tへのsizeバイトのdataをもつノードの挿入
BinNode *BTinsert(BinTree *t, void *data, size_t size);

// ２分探索木tからdataと一致するノードを削除
int BTremove(BinTree *t, void *data);

// ２分探索木tの全ノードを昇順にnode_print関数で表示
void BTprint(const BinTree *t, void (*node_print)(const void *));

// ２分探索木tの初期化
void BTinitialize(BinTree *t, int (*compare)(const void *, const void *), int);

// ２分探索木tの終了
void BTfinalize(BinTree *t);

#endif
```

List 9-5 chap09/v2/bintree.c

```
// 汎用２分探索木（第２版：実現）

#include <stdlib.h>
#include <string.h>
#include "bintree.h"

//  次に示す関数は第１版と同じため提示を省略しています（順不同）
//      BinNodeAlloc    BinNodeFree    BinNodeSet    insert
//      BTinsert        BTremove       print         BTprint
//      free_tree
```

```
//--- ２分探索木tからのdataの探索 ---//
BinNode *BTsearch(BinTree *t, void *data)
{
    if (t->root != NULL) {
        BinNode *p = t->root;
        t->stack_ptr = 0;

        while (1) {
            if (p != NULL) {
                int cond;

                t->stack[t->stack_ptr++] = p;            // スタックにプッシュ
                if ((cond = t->compar(data, p->ptr)) == 0) {
                    t->stack_ptr--;
                    return p;
                }
                p = (cond < 0) ? p->left : p->right;
            } else {
                t->stack_ptr = -1;
                return NULL;
            }
        }
    }
    return NULL;
}

//--- ２分探索木tのrootを根とする部分木から最小キー（sw=0）／最大キー（sw=1）を探索 ---//
static BinNode *BTsearchMinMax(BinTree *t, BinNode *root, int sw)
{
    if (root == NULL)
        return NULL;
    else {
        BinNode *p = root;

        while (p != NULL) {
            t->stack[++t->stack_ptr] = p;                // スタックにプッシュ
            p = (sw == 0) ? p->left : p->right;
        }
        return t->stack[t->stack_ptr];
    }
}

//--- 次のノード（一つ大きいキー値）の探索 ---//
BinNode *BTsearchNext(BinTree *t)
{
    if (t->stack_ptr == -1)                              // スタックが空
        return NULL;
    else {
        BinNode *p;

        if (t->stack[t->stack_ptr]->right != NULL)       // 右の子が存在
            p = BTsearchMinMax(t, t->stack[t->stack_ptr]->right, 0);
        else {                                           // 右の子はいない
            void *ptr = t->stack[t->stack_ptr]->ptr;
            while (1) {
                if (--t->stack_ptr < 0) {
                    p = NULL;
                    break;
                }
                if (t->compar(t->stack[t->stack_ptr]->ptr, ptr) > 0) {
                    p = t->stack[t->stack_ptr];
                    break;
                }
            }
        }
        return p;
    }
}
```

```
//--- 前のノード（一つ小さいキー値）の探索 ---//
BinNode *BTsearchPrev(BinTree *t)
{
    if (t->stack_ptr == -1)                              // スタックが空
        return NULL;
    else {
        BinNode *p;

        if (t->stack[t->stack_ptr]->left != NULL)       // 左の子が存在
            p = BTsearchMinMax(t, t->stack[t->stack_ptr]->left, 1);
        else {                                           // 左の子はいない
            void *ptr = t->stack[t->stack_ptr]->ptr;
            while (1) {
                if (--t->stack_ptr < 0) {
                    p = NULL;
                    break;
                }
                if (t->compar(t->stack[t->stack_ptr]->ptr, ptr) < 0) {
                    p = t->stack[t->stack_ptr];
                    break;
                }
            }
        }
        return p;
    }
}

//--- 2分探索木tの初期化 ---//
void BTinitialize(BinTree *t, int (*compare)(const void *, const void *),
                  int size)
{
    t->root = t->crnt = NULL;
    t->compar = compare;
    t->stack_size = size;
    t->stack_ptr = -1;
    t->stack = calloc(sizeof(BinNode *), t->stack_size);
}

//--- 2分探索木tの終了 ---//
void BTfinalize(BinTree *t)
{
    free(t->stack);
    free_tree(t->root);
    t->root = t->crnt = NULL;
}
```

主要な変更点は、次のとおりです。

- 探索を行う **BTsearch** は、探索過程のノードをスタックにプッシュしていき、見つけたノードに着目します（見つけたノードへのポインタがスタックの頂上に積まれた状態となります）。
- ***BTsearchMinMax*** は、2分探索木 ***t*** 上の、***root*** を根とする部分木から、最小のキー値もしくは最大のキー値をもつノードを探索する関数です（内部結合が与えられており、次の二つの関数から下請け的に呼び出されます）。
- 次のキー値の探索を行う ***BTsearchNext*** は、スタック上のデータをもとに、着目ノードより一つ大きいキー値をもつノードを探索します（成功すると、そのノードに着目します）。

- 前のキー値の探索を行う *BTsearchPrev* は、スタック上のデータをもとに、着目ノードより一つ小さいキー値をもつノードを探索します（成功すると、そのノードに着目します）。
- 初期化用の *BTinitialize* の仕様が変更されています。追加された第3引数には、スタックの容量を指定します（関数本体では、スタック用の配列領域を確保します）。
- 終了用の *BTinitialize* では、スタック用に確保していた配列領域を解放します。

＊

List 9-6 に示すのが、利用例のプログラムです。会員番号、名前、身長で構成される構造体 *Member* がノードのデータであり、文字列型の名前メンバ **name** がキーとなる例です。

▶ キー値の大小関係を判定する関数が *Member_cmp* です。

List 9-6 chap09/v2/bt_test_struct.c

```
// 汎用２分探索木（第２版の利用例：：データは構造体でキーはメンバ）

#include <stdio.h>
#include <string.h>
#include "bintree.h"

//--- 会員 ---//
typedef struct {
    int  no;            // 会員番号
    char name[13];      // 名前
    int  height;        // 身長
} Member;

//--- Member型の比較関数（名前nameがキー）---//
int Member_cmp(const Member *x, const Member *y)
{
    return strcmp(x->name, y->name);
}

//--- メニュー ---//
typedef enum {
    Term, Insert, Remove, Search, Next, Prev, Print
} Menu;

//--- メニュー選択 ---//
Menu SelectMenu(void)
{
    int ch;

    do {
        printf("\n(1)挿入 (2)削除 (3)探索 (4)次ノード (5)前ノード (6)表示"
               " (0)終了 : ");
        scanf("%d", &ch);
    } while (ch < Term || ch > Print);
    return (Menu)ch;
}

//--- データの入力（全メンバ） ---//
void Read(const char *message, Member *temp)
{
    printf("%sする会員を入力してください 。\n", message);
    printf("会員番号 : ");   scanf("%d", &(temp->no));
    printf("名前     : ");   scanf("%s",   temp->name);
    printf("身長     : ");   scanf("%d", &(temp->height));
}
```

```
//--- データの入力（キー） ---//
void ReadKey(const char *message, Member *temp)
{
    printf("%sする会員の名前：", message);
    scanf("%s", temp->name);
}

//--- Member型の全メンバの値を表示 ---//
void Member_print(const Member *x)
{
    printf("[%02d] %-12.12s%4d\n", x->no, x->name, x->height);
}

//--- メイン関数 ---//
int main(void)
{
    Menu    menu;
    BinTree bt;
    BTinitialize(&bt, Member_cmp, 100);      // ２分探索木の初期化

    do {
        Member mem;
        BinNode *p;
        switch (menu = SelectMenu()) {
         case Insert :  Read("挿入", &mem);
                        if (!(p = BTinsert(&bt, &mem, sizeof(Member))))
                            printf("挿入失敗\n");
                        break;

         case Remove :  ReadKey("削除", &mem);
                        if (!BTremove(&bt, &mem))
                            printf("削除失敗\n");
                        break;

         case Search :  ReadKey("探索", &mem);
                        if (p = BTsearch(&bt, &mem))
                            Member_print(p->ptr);
                        else
                            printf("探索失敗\n");
                        break;

         case Next :    if (p = BTsearchNext(&bt))
                            Member_print(p->ptr);
                        else
                            printf("探索失敗\n");
                        break;

         case Prev :    if (p = BTsearchPrev(&bt))
                            Member_print(p->ptr);
                        else
                            printf("探索失敗\n");
                        break;

         case Print  :  puts("--- 一覧表 ---");
                        BTprint(&bt, (void (*)(const void *))Member_print);
                        break;
        }
    } while (menu != Term);

    BTfinalize(&bt);                     // ２分探索木の終了

    return 0;
}
```

右ページの **Fig.9-7** に示すのが、プログラムの実行例です。

```
(1)挿入 (2)削除 (3)探索 (4)次ノード (5)前ノード (6)表示  (0)終了 : 1
挿入する会員を入力してください 。
会員番号：15
名前    ：Sigaki
身長    ：170

(1)挿入 (2)削除 (3)探索 (4)次ノード (5)前ノード (6)表示  (0)終了 : 1
挿入する会員を入力してください 。
会員番号：20
名前    ：Takeda
身長    ：160

(1)挿入 (2)削除 (3)探索 (4)次ノード (5)前ノード (6)表示  (0)終了 : 1
挿入する会員を入力してください 。
会員番号：25
名前    ：Tsuji
身長    ：172

(1)挿入 (2)削除 (3)探索 (4)次ノード (5)前ノード (6)表示  (0)終了 : 1
挿入する会員を入力してください 。
会員番号：46
名前    ：Yoshida
身長    ：155

(1)挿入 (2)削除 (3)探索 (4)次ノード (5)前ノード (6)表示  (0)終了 : 1
挿入する会員を入力してください 。
会員番号：63
名前    ：Funase
身長    ：173

(1)挿入 (2)削除 (3)探索 (4)次ノード (5)前ノード (6)表示  (0)終了 : 6
--- 一覧表 ---
[63] Funase      173
[15] Sigaki      170
[20] Takeda      160
[25] Tsuji       172
[46] Yoshida     155

(1)挿入 (2)削除 (3)探索 (4)次ノード (5)前ノード (6)表示  (0)終了 : 3
探索する会員の名前：Sigaki
[15] Sigaki      170

(1)挿入 (2)削除 (3)探索 (4)次ノード (5)前ノード (6)表示  (0)終了 : 4
[20] Takeda      160

(1)挿入 (2)削除 (3)探索 (4)次ノード (5)前ノード (6)表示  (0)終了 : 4
[25] Tsuji       172

(1)挿入 (2)削除 (3)探索 (4)次ノード (5)前ノード (6)表示  (0)終了 : 4
[46] Yoshida     155

(1)挿入 (2)削除 (3)探索 (4)次ノード (5)前ノード (6)表示  (0)終了 : 4
探索失敗

(1)挿入 (2)削除 (3)探索 (4)次ノード (5)前ノード (6)表示  (0)終了 : 3
探索する会員の名前：Tsuji
[25] Tsuji       172

(1)挿入 (2)削除 (3)探索 (4)次ノード (5)前ノード (6)表示  (0)終了 : 5
[20] Takeda      160
```

Fig.9-7 List 9-6 の実行例

▶ ダウンロードファイルには、次のプログラムも含まれています。

`chap09/v2/bt_test_int.c`　データすなわちキーが **int** 型の整数の2分探索木

`chap09/v2/bt_test_string.c`　データすなわちキーが文字列の2分探索木

適切なディレクトリへのヘッダのコピーなどのライブラリ化の作業は、みなさん自身でチャレンジしましょう。

参考文献

1) American National Standards Institute
"ANSI/ISO 9899-1990 American National Standard for Programming Languages – C", 1990

2) International Standard
"ISO/IEC 9899 Programming Languages – C Second Edition", 1999

3) International Standard
"ISO/IEC 9899 Information technology – Programming Languages – C Third Edition", 2011

4) International Standard
"ISO/IEC 9899 Information technology – Programming Languages – C Fourth Edition", 2018

5) ISO/IEC JTC 1 / SC 22 WG14
"ISO/IEC 9899 Programming Languages – C (working draft)", 2022

6) 日本工業規格
『JIS X3010-1993 プログラム言語C』, 1993

7) 日本工業規格
『JIS X3010-2003 プログラム言語C 第2版』, 2003

8) 日本工業規格
『JIS X3014-2003 プログラム言語 C++』, 2003

9) Brian W. Kernighan and Dennis M. Ritchie
"The C Programming Language (Second Edition)", Prentice Hall, 1988

10) Brian W. Kernighan and Dennis M. Ritchie ／石田晴久訳
『プログラミング言語C 第2版』, 共立出版, 1989

11) Bjarne Stroustrup ／柴田望洋 訳
『プログラミング言語 C++ 第4版』, ＳＢクリエイティブ, 2015

索引

記号

数字

A

M

N

O

P

Q

R

S

T

U

V

き

索引

著者紹介

柴田 望洋（しばた ぼうよう）

工学博士

福岡工業大学 情報工学部 情報工学科 准教授

福岡陳氏太極拳研究会 会長

- 1963年、福岡県に生まれる。九州大学工学部卒業、同大学院工学研究科修士課程・博士後期課程修了後、九州大学助手、国立特殊教育総合研究所研究員を歴任して、1994年より現職。2000年には、分かりやすいC言語教科書・参考書の執筆の業績が認められ、㈳日本工学教育協会より著作賞を授与される。大学での教育研究活動だけでなく、プログラミングや武術（1990年～1992年に全日本武術選手権大会陳式太極拳の部優勝）、健康法の研究や指導に明け暮れる毎日を過ごす。

- **主な著書**（*は共著／★は翻訳書）

『秘伝C言語問答ポインタ編』，ソフトバンク，1991（第2版：2001）
『C：98スーパーライブラリ』，ソフトバンク，1991（新版：1994）
『Cプログラマのための C++ 入門』，ソフトバンク，1992（新装版：1999）
『超過去問 基本情報技術者 午前試験』，ソフトバンクパブリッシング，2004
『新版 明解C++ 入門編』，ソフトバンククリエイティブ，2009
『解きながら学ぶC++ 入門編*』，ソフトバンククリエイティブ，2010
『プログラミング言語C++ 第4版★』，ビャーネ・ストラウストラップ（著），SBクリエイティブ，2015
『新・明解C言語中級編』，SBクリエイティブ，2015
『C++ のエッセンス★』，ビャーネ・ストラウストラップ（著），SBクリエイティブ，2015
『新・明解C言語 ポインタ完全攻略』，SBクリエイティブ，2016
『新・解きながら学ぶ Java*』，SBクリエイティブ，2017
『新・明解C++ 入門』，SBクリエイティブ，2017
『新・明解C++ で学ぶオブジェクト指向プログラミング』，SBクリエイティブ，2018
『新・明解 Python 入門』，SBクリエイティブ，2019
『新・明解 Python で学ぶアルゴリズムとデータ構造』，SBクリエイティブ，2020
『新・明解 Java 入門 第2版』，SBクリエイティブ，2020
『新・明解 Java で学ぶアルゴリズムとデータ構造 第2版』，SBクリエイティブ，2020
『新・明解C言語で学ぶアルゴリズムとデータ構造 第2版』，SBクリエイティブ，2021
『新・明解C言語入門編 第2版』，SBクリエイティブ，2021
『新・解きながら学ぶC言語 第2版*』，SBクリエイティブ，2022
『新・明解C言語中級編 第2版』，SBクリエイティブ，2022

本書をお読みいただいたご意見、ご感想を以下の QR コード、URL よりお寄せください。

https://isbn2.sbcr.jp/17820/

装　丁 … bookwall
編　集 … 杉山 聡

新・明解C言語 実践編 第2版

2023 年 3 月 7 日　初版発行

著　者 … 柴田 望洋
発行者 … 小川 淳
発行所 … ＳＢクリエイティブ株式会社
〒 106-0032　東京都港区六本木 2-4-5
https://www.sbcr.jp/
印　刷 … 昭和情報プロセス株式会社

落丁本、乱丁本は小社営業部（03-5549-1201）にてお取り替えいたします。
定価はカバーに記載されております。

Printed in Japan　ISBN978-4-8156-1782-0

ＳＢクリエイティブの柴田望洋の著作

新・明解Ｃ言語 ポインタ完全攻略

『初めてポインタが理解できた。』、『他の入門書とは異なるスタイルの解説図が分かりやすい。』と各方面で絶賛された伝説の大ベストセラー『秘伝Ｃ言語問答 ポインタ編』の大幅改訂版です。ポインタや文字列という観点からＣ言語を広く深く学習できるように工夫されています。

新・明解Ｃ言語で学ぶアルゴリズムとデータ構造 第２版

探索、ソート、スタック、キュー、線形リスト、２分木などの定番アルゴリズムとデータ構造を学習するための最高のテキストです。アルゴリズムの動きが手に取るように分かる《アルゴリズム体験学習ソフトウェア※》が、あなたの学習を強力にサポートします。

※購入者特典として、出版社サポートサイトからダウンロードできます。

新・明解Ｃ言語 入門編 第２版

243 編のプログラムリストと 245 点の図表を参照しながらＣ言語の基礎を学習するための入門書です。６色によるプログラムリスト・図表・解説のすべてが見開きに収まるようにレイアウトされていますので、『とても読みやすい。』、『とても分かりやすい。』と大好評です。

新・明解Ｃ言語 中級編 第２版

作って楽しく、動かして楽しい『数当てゲーム』、『じゃんけん』、『キーボードタイピング』などのプログラムを通して、初心者が次のステップへの道をたどるための技術や知識を伝授します。

新・解きながら学ぶＣ言語 第２版

『Ｃ言語のテキストに掲載されているプログラムは理解できるのだけれど、どうも自分で作ることができない。』と悩んでいませんか？　全部で 1436 問にもおよぶ本書の問題を完全制覇すれば、必ずやＣ言語力（りょく）が身につくでしょう。

少しだけＣ言語をかじって挫折した初心者の再入門書として、Ｃ言語のサンプルプログラム集として、あなたのＣ言語鍛錬における、頼れるお供となるでしょう。

プログラミング言語 C++ 第４版 （翻訳書）

C++ の開発者であるストラウストラップ氏が、C++11 の言語とライブラリの全貌を解説する、すべての C++ プログラマ必読の書です。

SBクリエイティブの柴田望洋の著作

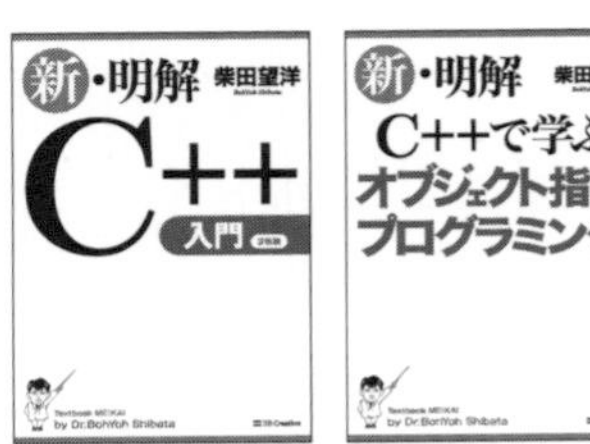

新・明解 C++ 入門

プログラミング初心者に対して、語り口調で C++ 言語の基礎とプログラミングの基礎を段階的かつ明快に説いていくテキストです。分かりやすい 245 点の図表と、307 編のプログラムリストで C++ の基礎の学習を進めていきます。

新・明解 C++ で学ぶオブジェクト指向プログラミング

C++ を用いたオブジェクト指向プログラミングの核心を、271 編のプログラムリストと 132 点の図表を参照しながら学習していくテキストです。クラスの基礎から始まって、派生、継承、仮想関数、抽象クラス、例外処理、クラステンプレートなど、オブジェクト指向プログラミングに対する理解を深めていきます。

新・明解 Python 入門

299 編のプログラムリストと 165 点の図表を参照しながら、プログラミング言語 Python と Python を用いたプログラミングの基礎を徹底的に学習するためのテキストです。6 色によるプログラムリスト・図表・解説は、すべてが見開きに収まるようにレイアウトされていますので、『とても読みやすい。』と大好評です。

新・明解 Python で学ぶアルゴリズムとデータ構造

アルゴリズムやデータ構造を紹介するための単なるサンプルではなく、実際に動作する 136 編のプログラムを読破することで、相当なコーディング力が身につくように配慮された、アルゴリズムとデータ構造を学習するためのテキストです。

新・明解 Java 入門 第 2 版

302 編のプログラムリストと 268 点の図表を参照しながら、Java 言語の基礎とプログラミングの基礎を学習するための入門書です。学習するプログラムには、数当てゲーム、ジャンケンゲーム、暗算トレーニングなどの楽しいプログラムが含まれます。

新・明解 Java で学ぶアルゴリズムとデータ構造 第 2 版

アルゴリズムやデータ構造を紹介するための単なるサンプルではなく、実際に動作するプログラムが満載のテキストです。スキャナクラス・列挙・ジェネリクスなどを多用した 102 編のプログラムを読破しながら、定番のアルゴリズムとデータ構造を学習しましょう。